AF238371

ACCESO GRATIS a la Lectura en la Nube

Para visualizar el libro electrónico en la nube de lectura envíe junto a su nombre y apellidos una fotografía del código de barras situado en la contraportada del libro y otra del ticket de compra a la dirección:

ebooktirant@tirant.com

En un máximo de 72 horas laborales le enviaremos el código de acceso con sus instrucciones.

TECNOLOGÍAS HABILITADORAS DIGITALES (TDH) EN UN CONTEXTO DE EMERGENCIA SANITARIA

Retos jurídicos y su proyección en las ciencias de la salud

TECNOLOGÍAS HABILITADORAS DIGITALES (TDH) EN UN CONTEXTO DE EMERGENCIA SANITARIA

Retos jurídicos y su proyección en las ciencias de la salud

Directora
MARÍA LUISA GÓMEZ JIMÉNEZ

Autores
BELÉN ANDRÉS SEGOVIA
TERESA CUERDO VILCHES
RAQUEL CUETO GALÁN
FERNANDO GARCÍA-MORENO RODRÍGUEZ
MARÍA LUISA GÓMEZ JIMÉNEZ
BEGOÑA JIMÉNEZ DELGADO
MARÍA LIDÓN LARA ORTIZ
ANA MARÍA LÓPEZ NARBONA
LORENZO MELLADO RUIZ
MIGUEL ÁNGEL NAVAS MARTÍN
Mª ÁNGELES RECIO RAMÍREZ
MARÍA LUISA ROCA FERNÁNDEZ-CASTANYS
MARÍA ÁNGELES VÁZQUEZ SÁNCHEZ

tirant lo blanch
Valencia, 2022

© María Luisa Gómez Jiménez (Directora)

© TIRANT LO BLANCH
    EDITA: TIRANT LO BLANCH
    C/ Artes Gráficas, 14 - 46010 - Valencia
    TELFS.: 96/361 00 48 - 50
    FAX: 96/369 41 51
    Email: tlb@tirant.com
    www.tirant.com
    Librería virtual: www.tirant.es
    DEPÓSITO LEGAL: V-557-2022
    ISBN: 978-84-1113-603-7

Si tiene alguna queja o sugerencia, envíenos un mail a: *atencioncliente@tirant.com*. En caso de no
ser atendida su sugerencia, por favor, lea en *www.tirant.net/index.php/empresa/politicas-de-empresa*
nuestro procedimiento de quejas.

Responsabilidad Social Corporativa: http://www.tirant.net/Docs/RSCTirant.pdf

Índice

PARTE I
SALUD DIGITAL-BIOTECNOLOGÍA E INTELIGENCIA ARTIFICIAL

INTELIGENCIA ARTIFICIAL, *BIG DATA* Y BIOTECNOLOGÍA: PROYECCIÓN SOBRE LA UTILIZACIÓN CONFINADA Y LIBERACIÓN VOLUNTARIA DE ORGANISMOS MODIFICADOS GENÉTICAMENTE
LORENZO MELLADO RUIZ

MEJORAS DE LA SANIDAD PÚBLICA A TRAVÉS DE CIUDADES INTELIGENTES. CONSIDERACIONES SOBRE REGULACIÓN RELACIONADA
BEGOÑA JIMÉNEZ DELGADO

LA SALUD DIGITAL: LA CONVERGENCIA DE LA SALUD, LA TECNOLOGÍA Y LOS PACIENTES EN LA SOCIEDAD DIGITAL

MIGUEL ÁNGEL NAVAS MARTÍN
TERESA CUERDO VILCHES

ADMINISTRACIÓN ELECTRÓNICA E INTEROPERABILIDAD EN EL SERVICIO PÚBLICO DE SALUD

BELÉN ANDRÉS SEGOVIA

CAMBIO CLIMÁTICO Y PROTECCIÓN DE LA SALUD: EL PAPEL DE LAS ENTIDADES LOCALES

MARÍA LUISA ROCA FERNÁNDEZ-CASTANYS

PARTE II
APLICACIONES DE LA INTELIGENCIA ARTIFICIAL: RETOS DESDE LAS CIENCIAS DE LA SALUD Y EL DERECHO

DESIGUALDAD E INTELIGENCIA ARTIFICIAL. LOS SESGOS DE LOS ALGORITMOS
Ana María López Narbona

IMPLEMENTACIÓN DE LA INTELIGENCIA ARTIFICIAL Y LA ROBOTIZACIÓN APLICADA A LA SALUD DENTRO DE NUESTRO SISTEMA TRIBUTARIO
Mª Ángeles Recio Ramírez

DESARROLLO ACTUAL DE LA INTELIGENCIA ARTIFICIAL EN EL TRABAJO DE ENFERMERÍA
María Ángeles Vázquez Sánchez

REDES INTELIGENTES PARA EL CONTROL EPIDEMIOLÓGICO
María Lidón Lara Ortiz

LA VIGILANCIA EPIDEMIOLÓGICA DE LA SALUD Y LOS NUEVOS RETOS
Raquel Cueto Galán

CONSTRUCCIONES SALUDABLES: HACIA LA NECESARIA
SINERGIA DE SALUD Y TECNOLOGÍA EN LA EDIFICACIÓN

Fernando García-Moreno Rodríguez

ALGORITMOS PREDICTIVOS, ROBÓTICA MÉDICA,
BIO-IMPRESIÓN, EDICIÓN GENÉTICA CRISPRS, Y OTROS
DESAFÍOS DE LA INTEGRACIÓN TECNOLÓGICA EN LA
ASISTENCIA SANITARIA: PROPUESTAS NORMATIVAS
DESDE LA DEFINICIÓN DE LOS NEURO-DERECHOS

MARÍA LUISA GÓMEZ JIMÉNEZ

Introducción

MARÍA LUISA GÓMEZ JIMÉNEZ
Profesora Titular de Derecho Administrativo
Universidad de Málaga

Hoy podemos monitorear nuestro pulso usando un reloj digital, controlar nuestras constantes vitales y contar con asistencia de urgencia si sufrimos una súbita caída y queda registrado en nuestro dispositivo electrónico, tenemos aplicaciones para hacer seguimiento de la movilidad, de la salud, del ciclo menstrual, del riesgo de contagio y por la forma en la que movemos el ratón un algoritmo puede determinar si tenemos alguna afección o estamos a punto de padecer un catarro o un ACL. Este es el mundo en el que nos movemos aquellos que vivimos pendiente de la tecnología y dejamos que la tecnología genere ese tsunami de información o big data sanitario. En el otro extremo están los que se sienten excluidos porque no saben programar ni su teléfono móvil, o directamente no tienen conexión a internet, los que viven en zonas rurales alejadas o no han podido acceder aún a una dosis de alguna vacuna para conseguir alguna suerte de inmunización frente al COVID-19. En este mundo dicotómico y tecnológico, en el que la salud ya no parece ser lo que era, en mitad de una pandemia que parece amainar en unas zonas del planeta mientras en otras se recrudece. En este contexto de diversidad de capacidades digitales y carencia de recursos permanente para proveer de un confort "tecnológico" que otros dan por sentado, se dibuja este libro.

Un libro colectivo que nace del apoyo del Plan Propio de investigación de la Universidad de Málaga, por la excelencia en la investigación (Acción D-6) y que nos llevó a solicitar en marzo de 2020, apenas había sido declarado el primer estado de alarma una red Temática de Investigación orientada en la Inteligencia Artificial aplicada a la salud (REDIAS). Red que cuando estas líneas se escriben no sólo ha crecido exponencialmente, sino que da muestras de una solidez y avance conjunto, del que este libro es sólo un pequeño testimonio. Así como las propuestas incorporadas a él derivadas de los avances del grupo de Investigación PASOS (SEJ-650 del Plan Andaluz de Investigación) orientado al examen de los parámetros de sostenibilidad y la inteligencia artificial aplicada, en este caso a la salud.

La idea y reto subyacente era analizar el impacto de la tecnología en nuestras vidas, habida cuenta del lugar común que ha venido a ocupar la aceleración de la digitalización que ha movido la pandemia. Quizás este enfoque no hubiera sido totalmente novedoso de no ser porque en el año y medio que llevamos de lucha contra la enfermedad del COVID-19, y la toma de conciencia del valor de lo que antes se tomaba como punto de partida ahora si acaso es sólo punto de llegada. La pandemia, y toda la transformación social asociada, ha motivado una formidable oportunidad para cuestionar no sólo nuestro impacto en el medio —y por ende nuestra incidencia en el cambio climático— sino la necesidad de priorizar y no olvidar a los más vulnerables. Entendiendo por vulnerabilidad no sólo la económica, o social sino aquella que deriva de no poder entender o seguir el ritmo tecnológico en el que nos vemos envueltos.

Aplicaciones para el rastreo de la enfermedad, controles epidemiológicos que buscan actuar de forma coordinada e interactiva, comunicación en tiempo real y creación de nuevos índices de control, conviven con avances cuya perplejidad no dejan indiferente al operador jurídico. Desde la biotecnología y su definición hasta la constatación de casos de éxitos, pasando por el diseño de mecanismos de intervención que se plantean el valor de la gestión pública en términos de gobernanza administrativa, de vigilancia epidemiológica y que actúan incisivamente en la provisión de los servicios sanitarios en las ciudades, ahora también "inteligentes". Espacios éstos que denotan una evolución tecnológica sin precedentes que deja atrás viejos paradigmas para plantear los desafíos de la singularidad y la gestión de la e-health en plena pandemia.

Por ello, todas las reflexiones integradas en el presente volumen presentan una visión integrada de distintos aspectos y casos de éxito que la utilización de la tecnología permite en el ámbito de la atención a la salud. A ello hay que sumar que la tecnología presente en nuestras vidas está siendo objeto de atención por el legislador español, cuando estas líneas se redactan se encuentra en información pública el anteproyecto de Ley General de Telecomunicaciones que avanza en la adecuación de la regulación actual al escenario europeo, y que habría que contextualizar en el necesario desarrollo del Plan España Digital 2025 y que anticipa la implantación del 5G y la creación de inversiones vinculadas al ámbito de la sanidad. No se olvide además que la transposición del código Europeo de Comunicaciones Electrónicas había tenido lugar ya a través del Real Decreto Ley 7/2021, de 27 de abril, de transposición de directivas de la Unión Europea en las materias de competencia, prevención del blanqueo de capitales, entidades de crédito, telecomunicaciones, medidas tributarias, prevención y reparación de daños medioambientales, desplazamiento de trabajadores en la prestación de servicios transnacionales y defensa de los consumidores[1]. Norma que introdujo una breve modificación de la regulación contenida en la Ley General de Telecomunicaciones. Sea como fuere, el trabajo que tiene en sus manos o lee desde su ordenador o lector digital, aspira a plantear no pocos interrogantes, responder a algunas cuestiones y dejar sentadas las bases de una reflexión sobre la aplicación de la tecnología en la atención de la salud en sus múltiples aspectos.

Ello implica que el libro ofrece al lector una perspectiva jurídica desde el derecho administrativo, financiero y tributario; social (desde la sociología) y desde las ciencias de la salud (desde la enfermería y la medicina preventiva en el área de Salud Pública).

El texto se divide en dos partes, en la primera se llevan a cabo reflexiones sobre la salud digital, la biotecnología y la inteligencia artificial. En esta primera parte se examinan la vinculación entre la inteligencia artificial y la biotecnología de la mano del Catedrático de Derecho Administrativo de la Universidad de Almería, Dr. Lorenzo Mellado Ruiz, esta reflexión primigenia que plantea los interesantes retos derivados de la biotecnología se complementa con el aporte sobre las herramientas de inteligencia artificial desde el contexto de las ciudades inteligentes, de la Prof. Da. Begoña Jiménez, Delgado, abogada ejerciente y doctorando de la Universidad de Sevilla que nos trae un aporte que conecta la visión integradora de la sanidad en la ciudad inteligente y lo hace tomando en consideración el marco regulatorio comunitario y el protagonismo de la ética en una reflexión

---

[1]   BOE de 28 de abril de 2021.

necesaria sobre la materia. Tras estas dos aproximaciones introductorias desde el derecho administrativo, el Dr. Navas Martín investigador del Instituto Nacional de Salud Carlos III y la Dra. Cuerdo Vilches, Investigadora del CSIC, aproximan el examen de la salud digital vista desde la perspectiva de los pacientes, con un examen riguroso de los riesgos de la salud digital y la atención a la información que obra en poder de las administraciones públicas, así como a la valiosa atención a la consulta invertida.

Estas reflexiones iniciales se complementan de nuevo desde el derecho administrativo de la mano de la Dra. Belén Andrés Segovia, en el examen de la interoperabilidad en el servicio Público de Salud. Concepto éste crucial para entender el funcionamiento de una aplicación exitosa de técnicas de inteligencia artificial en el seno de las Administraciones Públicas, en el ámbito sanitario. Y ello por cuanto el examen de la administración electrónica sanitaria y las políticas de salud pública en la era digital deben ir de la mano. Por último, cierta este bloque introductorio de cuestiones clave el trabajo de la Dra. María Luisa Roca Fernández-Castanys, Profesora titular de Derecho Administrativo, orientado al examen de la relación entre el cambio climático y la protección de la Salud. La reflexión es obligada pues permite conectar en una suerte interoperabilidad ecosistémica si se quiere el examen de la recién aprobada Ley de Cambio climático en el contexto de las implicaciones que tiene para la salud y las efectivas políticas públicas locales relacionadas hasta la fecha.

Así las cosas, el texto se adentra en el examen de lo que vienen a conformar los nuevos desafíos que las tecnologías habilitadoras plantean y que deben estar presente tanto en el diseño de las políticas públicas como en el diseño de las aplicaciones, y tecnologías emergentes en el contexto de la atención a la salud. El primero nos lo presente brevemente la Dra. López Narbona, abogada y profesora de Sociología de la Universidad de Málaga, y sirve de arranque a las reflexiones que se suceden porque se orienta al examen de los sesgos presentes siempre en el estado algorítmico del derecho[2]. A este aporte sigue uno de los primeros retos jurídicos planteados que aborda la

---

[2]   Sobre ellos alguna reflexión hacíamos en GÓMEZ JIMÉNEZ, M. L.: Automatización Procedimental y Sesgo Electrónico. Aranzadi. 2021.

robotización aplicada a la salud desde el derecho tributario. La investigación novedosa y relevante es realizada por la Dra. Recio Ramírez Profesora de Derecho Financiero y Tributario de la Universidad de Córdoba. Resulta especialmente interesante aproximar la necesidad de un marco jurídico adecuado a la tributación en el ámbito de la robótica médica por la casuística que ésta plantea y que es examinada en el trabajo. Este es un ejemplo claro de la necesidad de adecuación del ordenamiento jurídico a la nueva realidad que supone la integración tecnológica. Desde esta misma perspectiva práctica viene a aproximarse a la temática la Dra. María Ángeles Vázquez Sánchez, profesora del Departamento de enfermería de la Universidad de Málaga que aporta una reflexión actual sobre la adecuación del trabajo de la enfermería visto desde la óptica de la Inteligencia Artificial. El estudio de la Dra. Vázquez nos permite entender mejor los nuevos retos a los que se enfrenta la profesión, y muestra la necesaria atención hacia esa adecuación regulatoria. Adecuación que hace objeto específico de estudio la Dra. Lidón Lara Ortiz, Profesora de Derecho Administrativo de la Universidad Jaume I, al examinar las redes inteligentes para el control epidemiológico. El aporte de enorme interés, por su actualidad y necesidad de examen conecta la atención sanitaria con la protección civil y el Blockchain dando un paso más en el examen de desafíos y retos normativos a abordar. Era preciso pues a este examen sumar el complementario enfoque sobre la materia desde la medicina, lo que realiza la Prof. Dra. Raquel Cueto Galán desde al área de Medicina Preventiva y la Salud Pública de la Universidad de Málaga. Su aporte sobre vigilancia epidemiológica recorre ese camino entre la teoría y la práctica de quien conoce como funciona el sistema sanitario desde dentro y permite dibujar un completo escenario de desafíos y actuaciones para los operadores públicos.

Así, las cosas dos contribuciones cierran la obra. La primera examina de nuevo desde la aplicación práctica la atención a la salud en la edificación, con especial interés en lo que pueda calificarse como un edificio saludable, y las herramientas tecnológicas vinculada para conseguir dicho objetivo. El trabajo del Dr. Fernando García-Moreno Rodríguez, Profesor Titular de Derecho Administrativo de la Universidad de Burgos, ilustra con claridad las herramientas existentes y el escenario en el que debe desenvolverse el operador jurídico. Finalmente, y con el ánimo de aventurar la expresión de desafíos, retos y cuestiones relevantes derivadas de la proyección de las Tecnologías Habilitadoras en el ámbito sanitario, cierra la obra con el aporte de la Dr. María Luisa Gómez Jiménez, Profesora Titular de Derecho Administrativo de la Universidad de Málaga, y a la sazón directora de la REDIAS, en un aporte orientado a motivar esa discusión latente sobre la bioética y su interrelación con el derecho administrativo en temas tan importantes como la edición genética, la bio-impresión, la constatación de la aplicación de algoritmos predictivos en el ámbito sanitario o lo que llega a ser de mayor interés si cabe como sea el ámbito de los neuro derechos. Esto es aquellos derechos que se alzan casi como última frontera infranqueable en el respeto a la dignidad humana, a veces cuestionada ante la incesante facilidad con la que la tecnología invade nuestras vidas y ahora también acaba modulando nuestra propia salud. Confío la obra no les deje indiferentes.

En Málaga a 14 de septiembre de 2021

PARTE I
SALUD DIGITAL-
BIOTECNOLOGÍA E
INTELIGENCIA ARTIFICIAL

Inteligencia artificial, *big data* y biotecnología: proyección sobre la utilización confinada y liberación voluntaria de organismos modificados genéticamente[1]

LORENZO MELLADO RUIZ
Catedrático de Derecho Administrativo
Departamento de Derecho
Universidad de Almería

SUMARIO: 1. INTRODUCCIÓN Y MARCO REGULATORIO. 1.1. Inteligencia artificial y biotecnología en el contexto de la cuarta revolución industrial. 1.2. Grupo normativo e intereses en equilibrio en la utilización de OMGs. 1.3. Principios básicos informadores y contribución de las técnicas de IA. 2. INTELIGENCIA ARTIFICIAL Y UTILIZACIÓN CONFINADA DE OMGs. 3. INTELIGENCIA ARTIFICIAL Y LIBERACIÓN VOLUNTARIA DE OMGs CON FINES DISTINTOS A SU COMERCIALIZACIÓN. 4. FINAL CONCLUSIVO: RIESGO, CIENCIAS CONVERGENTES Y SINERGIA DEL CONOCIMIENTO.

1. INTRODUCCIÓN Y MARCO REGULATORIO

1.1. *Inteligencia artificial y biotecnología en el contexto de la cuarta revolución industrial*

La denominada cuarta revolución industrial o tecno-industrial (Revolución 4.0) ha venido a conformar un nuevo paradigma marcado por la integración de las tecnologías ya existentes junto con la introducción de innovaciones técnicas, científicas y digitales en aras de una mejora cualitativa —casi disruptiva— de los procesos y sistemas de actuación en diferentes sectores económicos y de investigación.

---

[1] En este estudio se han utilizado, para la parte más expositiva de las técnicas de manipulación genética, materiales previos actualmente en prensa, y la bibliografía general en ellos citada, correspondientes a un capítulo del *Manual de Bioderecho (Adaptado para la docencia en ciencias, ciencias de la salud y ciencias sociales y jurídicas)*, cuyo director es el profesor C. M. ROMEO CASABONA y que se publicará en la editorial Dykinson.

Uno de ellos es, lógicamente, la biotecnología, la ciencia de —manipulación de— la vida[2].

Como gráficamente se ha podido sostener, "*el siglo «biotech» va a transformar y afectar muchas cosas, desde nuestro ambiente a nuestra manera de pensar y de ser en el mundo*"[3].

Esta nueva revolución encuentra dos basales fundamentales en la generalización de los sistemas y procesos algorítmicos y de gestión masiva de datos (datificación) y en el uso de las —inmensas— posibilidades de la Inteligencia Artificial (en adelante IA).

Nos centramos en este capítulo, en concreto, en las interacciones entre los avances específicos en materia de IA, como tecnología emergente, y las innovaciones en el ámbito de la biotecnología y la manipulación (exógena) genética de organismos vivos, como auténticos "*centros* —en sí— *de intercambio y procesamiento de información*"[4].

Se ha señalado así que la I+D propia en biotecnología, desde su incremento en eficacia y progreso a través de la aplicación masiva de las nuevas tecnologías de la información y la automatización de procesos, podría coadyuvar, por ejemplo, a la identificación de nuevas aplicaciones de secuenciación masiva (para la detección de resistencias antimicrobianas, los diagnósticos rápidos de contaminación o invasión genética, etc.), la puesta a punto de nuevas metodologías para la estimación de la vida útil de productos basados en microorganismos vivos (probióticos, bioestimulantes, cultivos iniciadores, etc.) que permitan una simulación acelerada de su pervivencia con el fin de acortar el tiempo de lanzamiento de este tipo de productos, la mejora de las biofactorías, la depuración de las técnicas analíticas para

---

[2]   Así lo pone de manifiesto, por ejemplo, ANDRÉS SEGOVIA, B., "El reinicio tecnológico de la inteligencia artificial en el servicio público de salud", *Ius et Scientia*, Vol. 7, 1, (2021), pág. 328.

[3]   BESTANI, A., "Riesgo, Biotecnología y Precaución (Un abordaje desde las ciencias jurídicas)", en AUGUSTO GONZÁLEZ, J. (Coord.), *La dimensión social de la justicia como reguladora del desarrollo científico-tecnológico. Su impacto en Biotecnología, energías renovables e inteligencia artificial*, Tirant lo Blanch, Valencia, 2020, pág. 84.

[4]   FERNÁNDEZ AGIS, D., "Ética, derecho y progreso científico. La apuesta por la verdad y la lucha contra los prejuicios", *Ius et Scientia*, Vol. 7, 1, (2021), pág. 392.

el análisis microbiológico de alimentos y otros productos mediante biología molecular y detección de ADN, etc[5].

Es evidente, así, que la IA puede contribuir decisivamente a la consolidación y mejora de la denominada "industria del conocimiento" (industria cognitiva), también en materia de utilización de Organismos Modificados Genéticamente (en adelante, OMG), mediante el perfeccionamiento de los procesos y sistemas de análisis, gestión y procesamiento de enormes cantidades de datos (análisis de datos retrospectivos) y la construcción de modelos analíticos que permitan mejorar la propia intervención humana sobre dichos organismos y la adecuada toma de decisiones, tanto desde la perspectiva científica de su manipulación en entornos cerrados como de la más aplicada de liberación voluntaria, con efectos experimentales o industriales. Se trataría, fundamentalmente, de simplificar los propios sistemas de experimentación, con ahorro de tiempo y costes. Como se ha dicho, "*a quien se encuentra frente a un mundo lleno de contingencias el enfoque probabilístico le ofrece la posibilidad de transformar lo imprevisto en calculabilidad formalizada. Los procedimientos de cálculo y algoritmización prometen neutralizar los prejuicios subjetivos mediante procedimientos exactos de decisión*"[6].

Y es que, pese a sus progresos en las últimas décadas, la biotecnología sigue siendo una ciencia rodeada de "incertidumbre", un conjunto de técnicas de intervención en la propia esencia vital donde aún se desconocen muchos factores y consecuencias. El manejo masivo de datos —con el consiguiente *feedback* de los efectos producidos—, la automatización, digitalización y racionalización de las investigaciones (por ejemplo en materia de secuenciación genómica), la mayor previsibilidad de resultados en función de las proyecciones científicas, etc., seguramente pueden contribuir a una consolidación de las investigaciones en materia de ingeniería genética en los próximos años. Aparte de ello, también parece claro que la IA puede aportar mejoras osten-

---

[5]   Disponible en https://www.ainia.es/tecnoalimentalia/tecnologia/biotecnologia-inteligencia-artificial/. Un análisis en profundidad de las posibilidades ofrecidas por las técnicas de IA en este ámbito puede verse en KARTAN, P. (ed.), *Artificial Intelligence in Biotechnology*, Delve Publishing, Londres, 2020.

[6]   INNERARITY, D., "El impacto de la Inteligencia Artificial en la democracia", *Revista de las Cortes Generales*, 109, (2020), pág. 89.

sibles en materia de eficiencia y productividad, así como reforzar la competitividad de los sectores industriales implicados en el desarrollo biotecnológico. En el fondo, la IA hace referencia a sistemas —de decisión y actuación— inteligentes, capaces de analizar —exhaustivamente— el entorno y realizar por sí mismos acciones, con cierto grado de autonomía, con el fin de alcanzar objetivos específicos[7].

Aún más. En esta materia no se trata sólo de crear máquinas inteligentes, basadas en programas directamente proporcionales a la complejidad del problema específico a resolver, sino nueva tecnología adaptativa, comprensiva, autorreferencial, capaz de avanzar en el propio conocimiento y de solventar las dudas persistentes en la utilización (común) de OMGs. Se trata de que la tecnología aprenda de su propio contexto (aprendizaje automático) y pueda anticiparse, incluso, a la toma de decisiones, adelantándose, en virtud del principio de precaución, a los posibles riesgos[8]. No estamos ya ante meros programas de IA, sino ante *machine learning*, máquinas, infraestructuras, programas y tecnología capaz de aprender secuencialmente de la propia experiencia acumulada, mejorando, a través del análisis continuo de los datos, la decisiones finales, automatizadas o no.

La digitalización y automatización decisional (científica) deben tamizarse, no obstante, en función de los bienes jurídicos y valores susceptibles de verse afectados. Es verdad que la utilización de OMG no encierra graves problemas ontológicos (al tratarse de la manipulación de organismos vivos vegetales y animales), pero sí puede plantear ciertas cuestiones éticas[9], que han de afrontarse también a la hora de la

---

[7]   Comisión Europea, *Inteligencia artificial para Europa*, Documento COM (2018), 237 *final.*

[8]   "*La IA supone la creación de un sistema que trata de emular o imitar la racionalidad del ser humano, en el sentido de que es capaz de dar respuestas lógicas basándose en una serie de datos, reglas o instrucciones que recibe para poder alcanzar una solución*", CÁRCAR BENITO, J. E., "La inteligencia artificial (IA) como aplicación jurídica y razonable: la cuestión sanitaria", *Ius et Scientia*, Vol. 7, 1, (2021), pág. 254.

[9]   Se ha planteado, así, la necesidad, quizás, de una "nueva ética" frente al uso masivo de la tecnología, la automatización, la inteligencia artificial y la propia mecanización de los procesos de investigación y desarrollo, *vide* LIZ GUTIÉRREZ, A. M., "¿Un mundo nuevo? Realidad virtual, realidad aumentada, inteligencia artificial, humanidad mejorada, internet de las cosas", *Arbor*, Vol. 196-797, (2020).

puesta en funcionamiento de las técnicas de IA en su aplicación a las investigaciones biotecnológicas. Más que de un nuevo "humanismo tecnológico"[10], cabría hablar en este ámbito de la necesidad de una "biociencia humanística", donde se conjugue la experimentación y el progreso en el conocimiento de los propios sistemas vitales y la interacción de los OMGs con su entorno con la observancia, adicional a los propios marcos regulatorios, de una serie de principios superiores (precaución, nivel elevado de protección, seguimiento, etc.), a lo que puede ayudar, desde la acumulación de datos y su procesamiento automático y la posibilidad de respuestas inmediatas, la interiorización efectiva de los avances en IA.

La inteligencia no humana promete rapidez, predictibilidad, acierto probabilístico, etc., pero carece del componente subjetivo último propio de la libertad y falibilidad decisional. Las técnicas de manipulación de OMGs pueden simplificarse, racionalizarse y generalizarse a través de la IA, pero es necesario preservar, en última instancia, el reducto propio de responsabilidad implícito en cualquier toma de decisiones.

1.2. Grupo normativo e intereses en equilibrio en la utilización de OMGs

La utilización confinada y la liberación voluntaria de OMGs son dos de las operaciones/actividades más importantes que pueden realizarse con este tipo de organismos. Junto con su comercialización, que supone la entrega a terceros, a título oneroso o gratuito, de los OMGs o de los productos que los contengan, ambas actividades constituyen las dos operaciones básicas de manipulación y experimentación genética de seres vivos. En un caso con medidas de confinamiento y en otro con liberación voluntaria al ambiente, se trata sin lugar a dudas de actividades científicas necesarias en el avance (aunque, como se sabe, no siempre todo avance es progreso) del conocimiento de las técnicas de

---

[10]   Vide DE MONTALVO JÄÄSKELÄINEN, F., "Principios éticos de la inteligencia artificial", en SÁNCHEZ-CARO, J. y ABELLÁN-GARCÍA SÁNCHEZ, F. (Coords.), *Inteligencia artificial en el campo de la salud. Un nuevo paradigma: aspectos clínicos, éticos y legales*, Fundación Merck Salud, Madrid, 2021, pág. 32.

manipulación genética, pero a la vez, y sobre todo en el segundo caso, de actividades con evidentes riesgos potenciales tanto para la salud como para el medio ambiente y el entorno (de inmediata liberación o circundante). En el segundo caso hablamos de *riesgos ecológicos*, derivados de la interacción de los OMGs con los demás microorganismos u organismos convencionales (erosión genética, contaminación entre cultivos, invasión de hábitats, afección a especies no objetivo, afección a suelo y agua, etc.); en el primero, de *riesgos sanitarios* para la salud humana y animal (para los trabajadores, para los consumidores, para los animales en el caso de la incorporación a piensos, etc.). En este delicado equilibrio, entre la autorización administrativa de este tipo de actividades científicas y la prevención/precaución frente a la posible producción de riesgos graves derivados de las mismas, se desenvuelve tanto la normativa —comunitaria e interna— como la propia evolución política y social del entendimiento de la tecnología de la vida aplicada a la experimentación con organismos y microorganismos, desde la perspectiva además, hoy ya ratificada, del carácter integrado tanto de los riesgos como de los elementos y factores protegidos (STJUE de 14 de marzo de 2018, as. T-33/16).

La vigente Ley 9/2003, de 25 de abril, por la que se establece el régimen jurídico de la utilización confinada, liberación voluntaria y comercialización de organismos modificados genéticamente (en adelante, LOMG), así como su antecedente, la Ley 15/1994, de 3 de junio, siguiendo la estela de las sucesivas reformas europeas en este ámbito, no sólo tiene por objeto inmediato el establecimiento del régimen jurídico aplicable a tales actividades, desde una óptica puramente material, sino, al mismo nivel, y como indudable condicionalización (elemento teleológico), la evitación de los eventuales riesgos o la reducción —en caso de no evitación— de los posibles daños que de estas actividades pudieran derivarse para la salud humana o el medio ambiente (art. 1.1). La tutela, especialmente preventiva, de estos dos bienes jurídicos forma parte, pues, del propio objeto positivo del grupo normativo sobre regulación de la biotecnología en nuestro país. Y es evidente, puesto que se trata de actividades, lógicamente con importantes repercusiones científicas y económicas, pero de las que, en ocasiones, se desconocen sus posibles efectos adversos. El derecho de la biotecnología es, así, un derecho de equilibrios, de ponderación de intereses, bienes jurídicos y circunstancias, entre las posibilidades

—y necesidades— de intervención pública de limitación, condicionalización o sanción y los derechos y facultades de los particulares a la experimentación científica, a la libre investigación y a la utilización (comercial o no) de los resultados (en ocasiones altamente lucrativos) de tales actividades. Se explica en este sentido la oscilante y compleja evolución de la normativa aplicable, sobre todo a nivel europeo, desde las primeras Directivas comunitarias 90/219/CEE y 90/220/CEE, de 23 de abril de 1990 hasta las actualmente vigentes.

Efectivamente, en la Unión Europea el uso de estas nuevas tecnologías de ingeniería genética, modificación molecular y biología sintética ha venido marcado, tradicionalmente, por importantes reservas y oposiciones (de la Unión en general y de determinados países en particular). El marco regulatorio ha sido, por ello, ciertamente restrictivo, fundamentalmente en materia de liberación de OMGs al ambiente y de comercialización de los mismos o de productos transgénicos.

El principio clave en esta materia es, así, y sin lugar a dudas, el principio de precaución o cautela, sobre el que se ha articulado y desarrollado el grupo normativo vigente comunitario sobre biotecnología y OMGs[11].

Esta normativa puede clasificarse, muy sintéticamente, en normas horizontales y normas sobre productos. Las primeras regulan diversos tipos de actividades, junto con las condiciones necesarias para su realización, con OMG, pero sin referencia al producto o proceso final. Se trata de una regulación "procedimental", de actividades, incluyéndose aquí las relativas a la utilización confinada y a la liberación voluntaria de OMGs. La legislación sobre productos no se condiciona ya a la utilización de determinadas técnicas de ADN recombinante (con sus especificaciones y excepciones), sino a la existencia o no de OMGs y su vinculación a ciertos productos (finales) concretos.

En ambos casos, lo que se persigue es el control preventivo de estas actividades a través de la necesaria tramitación de un procedi-

---

[11]   *Vide*, por ejemplo, LEE, M., *EU Regulation of GMOs. Law and Decisión Making for a New Technology*, University College London, Londres, 2002 y la obra de referencia de CANTLEY, M. F., "The Regulation of Modern Biotechnology: A Historical and European Perspective", en AA.VV., *Biotechnology: Legal, Economic and Ethical Dimensions*, Vol. 12, 2ª ed., Wiley India Pvt Ltd, London, 2010, págs. 505-681.

miento técnico-administrativo autorizatorio, de carácter integrado y multinivel. La conciliación formal de intereses se traduce en un análisis previo y específico sobre los posibles impactos sobre el entorno y la salud humana y animal de las actividades proyectadas (enfoque común y armonizado de evaluación de los riesgos relacionados con los OMGs), procedimiento que, sin embargo, ha sido visto desde dos perspectivas contrapuestas: como un obstáculo, por su complejidad, para el libre desarrollo de la investigación científica y la experimentación con este tipo de organismos, o, al contrario, como el único límite o barrera a la introducción de los mismos dentro de los ecosistemas de liberación.

La situación, después de años de conflictos, discrepancias internas e incluso moratorias fácticas (de comercialización de transgénicos en Europa), pareció quedar zanjada con la adopción de la nueva Directiva 2015/412/UE, de 11 de marzo, por la que se modificaba la Directiva 2001/18/CE (que ya había profundizado de hecho en la necesidad de establecer procedimientos y criterios armonizados de evaluación anticipada caso por caso y análisis científico independiente de los riesgos), en lo relativo a la posibilidad de que los Estados miembros restrinjan o prohíban el cultivo de OMGs en su territorio (a través de actos jurídicos vinculantes). Se mantenía así el modelo autorizatorio de regulación armonizada pero se permitía su excepción a nivel interno, en los casos de apreciación interna de riesgos graves para la salud humana y animal y el medio ambiente.

En la actualidad, pues, se sigue manteniendo un sistema de autorización basado en la evaluación científica de los riesgos para la salud y el medio ambiente a nivel comunitario, pero se reconoce la posible existencia de objeciones o límites de carácter no estrictamente científico que pueden invocar los Estados para oponerse al cultivo o comercialización de OMGs o productos que los contengan, sobre la base de factores políticos, económicos, territoriales, sociales, etc. (y no sólo alegándose y demostrándose entonces la evidencia científica de la existencia de un riesgo cierto o potencial). Hay que tener en cuenta, no obstante, que como ha repetido el TJUE, las medidas (excepcionales, por particulares) de protección, salvaguardia o reserva interna sólo pueden adoptarse si se basan en una evaluación de riesgos lo más completa posible, teniendo en cuenta las circunstancias particulares del caso en cuestión y el estado actual del conocimiento científico.

España, sin embargo, siempre desde un enfoque más pragmático sobre el conflicto, sigue siendo, en la actualidad, el principal productor de OMGs de la Unión Europea y el Estado miembro con la proporción más elevada de cultivos modificados genéticamente: más de 107.000 hectáreas en 2019 dedicadas sólo al cultivo de maíz modificado genéticamente (MON810), variedad precisamente cuestionada y prohibida en otros países y que ha sido objeto de una de las sentencias recientes más importantes en la materia, la STJUE de 13 de septiembre de 2017 (*Fidenato y otros contra Italia*).

A nivel interno, pues, el grupo normativo sobre biotecnología está encabezado por la LOMG, norma de carácter básico que ha sido completada posteriormente por las normas, fundamentalmente de carácter organizativo y procedimental, de algunas Comunidades Autónomas, y desarrollada a nivel estatal por su Reglamento general aprobado a través del Real Decreto 178/2004, de 30 de enero, donde se contienen las normas de naturaleza fundamentalmente contingente y procedimental (que sustituye al anterior Real Decreto 951/1997, de 20 de junio y ha sido modificado por última vez por el Real Decreto 452/2019, de 19 de julio).

1.3. *Principios básicos informadores y contribución de las técnicas de IA*

Tanto la utilización confinada como la liberación voluntaria de OMGs responden, en su proyección normativa, a una serie de principios generales que han venido informando este grupo normativo desde la aparición de las primeras normas europeas sobre la materia, y sobre los que pueden proyectarse funcionalmente los avances en materia de IA.

En primer lugar, hay que citar el principio de prevención, que implica básicamente la necesidad de adoptar las medidas adecuadas y necesarias para evitar la producción de los potenciales efectos adversos para la salud humana y el medio ambiente derivados de estas actividades. A diferencia del principio de precaución, analizado más adelante, se trataría de actuaciones públicas sustentadas en el propio conocimiento científico, como respuesta racional al conocimiento de los riesgos de la actividad. A mayor conocimiento, mejor capacidad de respuesta, pues. La IA ofrece esto precisamente. Una mayor capacidad de obtención, procesamiento y análisis de los datos correspondientes, a través de determinadas herramientas algorítmicas, facilitando la toma de decisiones y la anticipación preventiva frente a los posibles riesgos atisbados.

En segundo lugar, nos encontraríamos con el principio de "análisis caso por caso", según el cual toda autorización de uso de OMGs debe llevarse a cabo tras una previa evaluación, caso por caso, de los riesgos asociados a los mismos (evaluación individual), de tal forma que se acredite su inocuidad efectiva, en función específica de la naturaleza de los organismos utilizados. Se requieren, pues, análisis científicos singulares, suficientes y acreditativos de la inexistencia de riesgos con la experimentación —en laboratorio o en campo abierto— con OMGs. Al igual que antes, las herramientas de IA pueden seguramente facilitar la complitud y acierto —cognitivo— de estas evaluaciones, vía obtención y valoración de la mayor cantidad posible de datos, y la adopción de decisiones científicas sustentadas sobre los mismos.

En conexión con estas consideraciones, también es destacable, en tercer lugar, el principio de "autorización paso a paso": en principio, sólo se puede proceder a la liberación de OMGs cuando la evaluación de las etapas anteriores revele que puede pasarse a la siguiente sin existencia de riesgos (modelo de investigación progresivo o por fases). Como se ha señalado con carácter general, la IA es una tecnología estratégica capaz de ofrecer numerosas ventajas a los ciudadanos, las empresas y la sociedad en su conjunto, siempre y cuando su aplicación atienda, entre otros, a parámetros de sostenibilidad[12].

En cuarto lugar, habría que destacar el principio de información y participación pública, debiendo garantizarse la consulta al público (trámite de información pública) antes de autorizar algunas actividades de utilización confinada y cualquier actividad de liberación voluntaria de OMGs o productos que los contengan, así como el acceso de los ciudadanos a la información (previa y posterior) sobre las liberaciones o comercializaciones autorizadas (derecho de acceso a la

---

[12]   Comisión Europea (2020), *Libro Blanco sobre la inteligencia artificial, un enfoque europeo orientado a la excelencia y la confianza*, Documento COM (2020), 65 *final*.

información pública). Las técnicas de *big data* y de automatización informativa y de constancia documental pueden facilitar estas actividades, simplificando la labor de recopilación de los mismos por parte de las Administraciones públicas y de efectiva y actualizada puesta a disposición de los mismos para los ciudadanos.

El principio clave en esta materia es, no obstante, el conocido principio de precaución o cautela.

Es verdad que en la utilización de OMGs, y tras la experiencia y límites acumulados, no parecen existir grandes problemas ontológicos, pero sí ciertas cuestiones éticas vinculadas, junto con la propia —y persistente— incertidumbre científica respecto a los riesgos derivados sobre todo de su liberación y utilización fuera de los laboratorios. Muy sintéticamente, el mismo implica la posibilidad de tomar decisiones públicas anticipadas —de autorización o no— en escenarios de incertidumbre científica, es decir, cuando no están acreditados científicamente los efectos específicos de un determinado OMG. No se trata sólo de prevenir los riesgos, adoptando las medidas de seguridad y control necesarias, sino de "no actuar", o al menos restringir o condicionar el uso, cuando no se tiene certeza sobre su inocuidad absoluta, cuando no pueden descartarse científicamente los riesgos asociados (medidas de emergencia). Pero se trata de un principio no sólo de evaluación proactiva de los riesgos, sino de gestión (continuada) de los mismos, a lo largo del ciclo entero de la actividad o del producto. El relativo desconocimiento aún de los potenciales riesgos de las actividades biotecnológicas impone, así, un seguimiento (trazabilidad) sostenido de las actividades y del comportamiento de los organismos utilizados. Éstas deben someterse, así, a la mejor tecnología posible y a los continuos avances de la ciencia y de la técnica. El principio de cautela exige pues el subordinamiento de la capacidad (discrecional) pública de decisión a la situación (actual) de los conocimientos científicos, y, a su través, a la adopción de las medidas cautelares necesarias para su incorporación, lo que se traduce, en este campo, en la utilización de las denominadas cláusulas (nacionales) de salvaguardia, que sin embargo "*no pueden fundamentarse en una concepción del riesgo puramente hipotética, basada en meras suposiciones aún no verificadas científicamente*" (por ejemplo, SSTJUE de 21 de marzo de 2000, as. C-6/99 y 9 de septiembre de 2003, as. C-236/01). Es evidente, en este sentido, que los sistemas inteligentes y adaptativos de procesa-

miento de datos y decisión pueden contribuir a una mayor seguridad
—y certeza científica— en las decisiones autorizatorias sobre la utilización de OMGs. La seguridad absoluta no existe. Pero seguramente
cuanta mayor información se tenga, mejor capacidad de respuesta
se tendrá. El acierto no se basará, entonces, en la capacidad volitiva
humana sólo, sino en la propia objetividad de los datos, en la mayor
certeza científica derivada de los mismos, con consiguiente reducción
de los ámbitos —siempre inciertos— de discrecionalidad decisional.
Más que decisiones —totalmente— automatizadas, se imponen decisiones suficientemente fundamentadas, susceptibles de estrechar los
márgenes de incertidumbre científica, a través del tratamiento masivo de datos genéticos con tecnologías computacionales. Si podemos
hablar hoy de "democracia de los datos"[13], con más razón se impone
esta revolución en el marco de la toma de decisiones políticas sobre la
base de evaluaciones científicas previas sobre los posibles riesgos de
una determinada actividad con OMGs[14].

Como se ha dicho, en fin, aunque no quepa sustituir la intervención humana, máxime en el caso de estas actividades de control, policía o intervención, sí parece claro que los sistemas no influenciados
directamente por la misma, o basados exclusivamente en una primera
fase de recopilación masiva de datos —a través, por ejemplo, de la
ultra secuenciación genómica—, pueden presentar una mayor neu-
tralidad y objetividad —científicas— en cuanto a los resultados, las
consecuencias o la toma posterior de decisiones (*data mining* y *data
science*), y con ello una mayor seguridad para los bienes jurídicos
susceptibles de verse afectados. La racionalización tecnocientífica, basada en la acumulación masiva de información, y su desagregación,
análisis y procesamiento (ingeniería de los datos), puede contribuir,
así, a una gestión consecuencialista también en este ámbito, con decisiones más acertadas, por mejor informadas, en lo que se ha denomi-

---

[13]   *Vide*, por ejemplo, recientemente, BATARSEH, F. A. y YANG, R. (Eds.), *Data
        Democracy. At the nexus of artificial intelligence, software development, and
        knowledge engineering*, Academic Press, Elsevier, London, 2020.
[14]   Entre otros, OLIVEIRA, A. L., "Biotechnology, Big Data and Artificial Intelligen-
        ce", *Biotechnology Journal*, 14, (2019).

nado como "datos ómicos"[15], en tanto conocimiento preciso y global de un sistema biológico específico.

Junto a ello, parece también claro que las técnicas de IA y de automatización/robotización de la investigación pueden acelerar la transformación digital de las actividades de investigación y aprovechamiento biotecnológicos, permitiendo una mayor flexibilidad, eficiencia y velocidad de adaptación y progreso.

No puede olvidarse, en fin, que lo propio de la IA, en sentido estricto, no es sólo la manifestación artificial de un comportamiento inteligente por parte de un sistema determinado, sino su capacidad de "pasar a la acción" tras el análisis sistemático de su entorno, con el fin de alcanzar unos objetivos (pre)determinados[16]. El control de las actividades biotecnológicas puede racionalizarse, por ello, no sólo mediante la acumulación masiva de datos y su mayor capacidad de tratamiento, sino a través de la propia susceptibilidad de los sistemas técnicos de supervisión de "actuar" y "decidir", en entornos siempre complejos, y rodeados en muchos casos de incerteza, de cara a la consecución de los objetivos —de seguimiento o protección— establecidos en su caso[17].

---

[15]   *Vide* AMER, B. y BAIDOO, E. K., "Omics-Driven Biotechnology for Industrial Applications", *Frontiers in Bioengineering and Biotechnology*, 9, (2021).

[16]   Así, COTINO HUESO, L., "Riesgos e impactos del Big Data, la inteligencia artificial y la robótica: enfoques, modelos y principios de la respuesta del Derecho", *Revista General de Derecho Administrativo*, 50, (2019).

[17]   Como se ha dicho, "*la nueva inteligencia artificial está construyendo una arquitectura en la cual la información comienza a fluir desde el futuro hacia el presente y no desde el pasado hacia el presente, como ha sido hasta ahora. Usando sensores, datos y algoritmos, las máquinas son capaces de interceptar la información relativa a lo que va a suceder y usar esta información para diseñar servicios y productos de tipo anticipatorio; tendrán capacidad de adelantarse a nuestros comportamientos y deseos a través de un anticipatory design de las prediction machines*", INNERATITY, D., "El impacto de la inteligencia artificial...", *op. cit.*, pág. 97. Y ello resulta especialmente interesante en el caso de tecnologías rodeadas, aún, de cierta incerteza sobre las consecuencias de su uso. La configuración adecuada de parámetros de control puede permitir que los sistemas computacionales de análisis y predicción se anticipen a los posibles riesgos, articulando automáticamente medidas de respuesta, en los casos sobre todo de liberación voluntaria al medio ambiente de organismos manipulados genéticamente.

2. INTELIGENCIA ARTIFICIAL Y UTILIZACIÓN CONFINADA DE OMGS

Como se sabe, la utilización confinada de OMGs incluye cualquier actividad por la que se modifique el material genético de un organismo o por la que éste, así modificado, se cultive, almacene, emplee, transporte, destruya o elimine, siempre que en la realización de tales actividades se utilicen medidas de confinamiento, con el fin de limitar su contacto con la población y el medio ambiente.

Según la LOMG, este régimen de ordenación no se aplica sin embargo al almacenamiento, cultivo, transporte, destrucción, eliminación ni utilización de OMGs que ya se hayan comercializado, y que, por tanto, hayan sido ya (modelo de evaluación progresiva) objeto de la evaluación de riesgos correspondiente (y en todo caso equivalente a la exigida en la misma Ley), siempre que la utilización confinada se ajuste, en caso de haberlas, a las condiciones de la autorización de puesta en el mercado.

La utilización confinada o restringida de organismos obtenidos mediante técnicas de ADN recombinante implica, por tanto, la realización de cualquier tipo de actividad de investigación, experimentación o producción de los mismos, en un entorno controlado de seguridad, garantizándose la protección de los trabajadores, la población y el medio ambiente exterior frente a cualquier agente potencialmente peligroso.

Dado el aislamiento (físico, químico, etc.) de este tipo de investigación, y su presumible inocuidad externa, la normativa, en el ya comentado equilibrio entre el control y la permisividad de las investigaciones con OMGs, se muestra en esta primera fase más flexible, también desde la indudable necesidad del fomento público de las investigaciones científicas.

A partir de los principios generales de progresividad y graduación de las intervenciones públicas, lo primero que se establece en la LOMG es la necesidad de la clasificación inicial de las actividades de utilización confinada. Esta caracterización y clasificación ha de hacerse en función de la evaluación previa de los riesgos para la salud humana y el medio ambiente de las actividades. Las actividades se clasifican en cuatro tipos: de riesgo nulo o insignificante, de bajo riesgo, de riesgo moderado y de alto riesgo, determinándose el riesgo en función de las actividades a desarrollar con los organismos, y no, como preveía la normativa anterior, en función del propio organismo modificado genéticamente.

A cada una de estas actividades les será de aplicación entonces un grado de confinamiento y aislamiento suficiente para proteger los bienes jurídicos señalados (art. 12 RDOMG).

Aunque no se trate en este primer caso de actividades especialmente peligrosas, también parece claro que la utilización de las técnicas de "minería de datos", inteligencia computacional y automatización de decisiones puede contribuir a un mejor conocimiento del comportamiento —y su evaluación de riesgos— de los organismos de que se trate. La caracterización y clasificación iniciales pueden sustentarse, así, en una más exhaustiva y fiable generación y análisis de los datos correspondientes, a fin de lograr una evaluación de riesgos más fundamentada y objetiva.

La clasificación inicial también sirve para la sujeción de cada tipo de operación a un nivel de control diferente, articulado sobre la base de la diferenciación de títulos jurídicos habilitantes a otorgar en su caso por la Administración.

Con independencia del nivel de riesgo —y del grado de confinamiento asociado—, cualquier operador o interesado, ya sea persona física o jurídica, que pretenda realizar una actividad de utilización confinada de OMGs está obligado además a:

– Realizar una evaluación previa de los posibles riesgos para la salud humana y el medio ambiente. La evaluación de riesgos, que es lo marca realmente la clasificación (de las actividades) y el régimen jurídico posterior de intervención pública, es responsabilidad privada, formando parte, pues, de la solicitud o comunicación administrativa correspondiente. La evaluación de riesgos es, pues, un instrumento preventivo de control integral y de ajustamiento progresivo al estado de la técnica (la evaluación inicial debe revisarse periódicamente para la actualización efectiva de las medidas de seguridad) y de predeterminación de las medidas de seguridad adecuadas en cada caso, sentando las bases entonces de la posterior actividad de gestión de los riesgos;

- Llevar un registro de la evaluación, como instrumento informativo y de constancia documental que posibilita el control público superior de la actividad privada de evaluación y gestión de riesgos;
- Cumplir las normas específicas de seguridad e higiene profesional y aplicar los principios y prácticas correctas de microbiología;
- Aplicar los principios generales y las medidas de confinamiento adecuadas al riesgo de la actividad de utilización confinada;
- Elaborar los planes de emergencia y de vigilancia de las instalaciones, cuando así se prevea; y
- Revisar periódicamente las medidas de confinamiento y de protección aplicadas. Esta revisión debe realizarse siempre que las medidas de confinamiento aplicadas ya no resulten adecuadas o el tipo asignado a la utilización confinada ya no sea correcto, o cuando haya motivos para suponer que, a la luz de nuevos conocimientos científicos o técnicos, la evaluación del riesgo ya no es adecuada (principio de actualización progresiva de los conocimientos y las medidas de seguridad y de evaluación continuada en función de la cláusula de progreso).

También desde esta perspectiva obligacional puede colegirse la trascendencia de la utilización de las técnicas de IA en materia de utilización confinada. La seguridad pública depende, en el fondo, de la complitud y adecuación de las evaluaciones previas (privadas) de los riesgos —y de su actualización y revisión—. Estas evaluaciones científicas han de apoyarse en la obtención de los mayores datos posibles. La IA permite ordenarlos, integrarlos con otras bases de datos y extraer —al instante— toda la información relevante desde el punto de vista de la fundamentación técnica de dicha evaluación de riesgos, como parámetro decisivo además de las posteriores decisiones de gestión. Se persigue, pues, una mayor complitud, estructuración y comprensión de la información, a fin de sustentar en "parámetros de conocimiento" la toma correspondiente de decisiones (evaluación de riesgos, clasificación de la actividad, vinculación de medidas de confinamiento específicas, etc.).

La IA puede permitir por lo demás en esta materia una mayor individualización y adaptación (técnica) de las medidas específicas de control, seguimiento y reacción posteriores, mejorando la automatización y perfilado de datos desde el punto de vista de las decisiones científico-técnicas correspondientes.

La predeterminación técnica —artificial— de dichas medidas no puede implicar la exoneración decisional y de responsabilidad tanto de los promotores privados como de los responsables públicos (competentes), pero sí sustentar en una mayor y más estructurada (comprensible) cantidad de datos dichas decisiones últimas. Éstas serán siempre humanas, pero es previsible que mejor fundadas.

Una vez clasificadas las actividades a desarrollar y cumplidos los requisitos mínimos exigidos legalmente, la ordenación jurídico-pública de las actividades biotecnológicas impone la exigencia de un título habilitante de actuación por parte de los interesados. La Administración puede controlar así, de forma preventiva, el ajustamiento de las actividades con OMG a la legalidad. No obstante, y en función de la gravedad o nivel de riesgo, esta potestad de fiscalización y control previo se bifurca en dos posibilidades, de diferente intensidad y operatividad: para las actividades de bajo riesgo basta una mera comunicación previa a la Administración, mientras que para las actividades de riesgo moderado o alto es necesario solicitar —y obtener antes de comenzar— la autorización administrativa correspondiente. Si se trata finalmente de actividades de riesgo nulo o insignificante la norma no exige, por tanto, ningún tipo de actuación —comunicativa ni de solicitud— por parte de los responsables.

Es evidente que en el caso de sometimiento del inicio de las operaciones de utilización confinada a autorización administrativa previa se permite —y se impone— el control administrativo de legalidad necesario para evitar la producción de riesgos de las actividades de mayor peligrosidad (de riesgo moderado o alto). Hasta que el particular no obtiene dicha autorización expresa no pueden dar comienzo las operaciones. Pero también en el caso de la simple comunicación previa —con posibilidad de inicio de las mismas una vez pasado el plazo de espera y sin respuesta de la Administración— se garantizan las facultades públicas de control —en dicho plazo de estudio de la documentación aportada— y seguimiento —una vez puestas en marcha las instalaciones o comenzadas las actividades de experimentación—.

Las potestades administrativas de control, seguimiento y comprobación —de las actividades particulares, autorizadas o simplemente comunicadas— son, así, irrenunciables, y necesarias ante operaciones con riesgos en muchos casos desconocidos e imprevisibles.

También desde esta perspectiva, en fin, pueden ser de utilidad las herramientas de *big data* y de IA, para facilitar la recopilación, análisis, desagregación y comprensión de las informaciones correspondientes de las actividades de investigación y experimentación (evitándose, así, fallos o errores no vinculados a la subjetiva y final decisión humana de aplicación de la norma). Aunque los riegos sean menores en los supuestos de utilización confinada, se trata de la alteración exógena y utilización finalista de organismos vivos, donde la recepción de toda la información biológica de los mismos y su procesamiento técnico parecen imprescindibles desde el punto de vista (reactivo) de su control y evolución, de la toma, en fin, de auténticas "decisiones inteligentes", también desde el punto de vista de la manipulación humana del potencial genético de los demás seres vivos.

3. INTELIGENCIA ARTIFICIAL Y LIBERACIÓN VOLUNTARIA DE OMGS CON FINES DISTINTOS A SU COMERCIALIZACIÓN

Como se sabe, se entiende por liberación voluntaria la introducción deliberada en el medio ambiente de un organismo o combinación de organismos modificados genéticamente sin que hayan sido adoptadas medidas específicas de confinamiento, para limitar su contacto con la población y el medio ambiente y proporcionar a éstos un elevado nivel de seguridad.

Se trata, pues, de las actividades de investigación o experimentación en campo abierto, con liberación directa e intencionada de los OMGs al ambiente, lo que evidentemente plantea mayores problemas de seguridad, control y seguimiento que en los casos anteriores. El riesgo de contaminación genética, invasión de cultivos, afección a la salud humana y animal, cruzamientos no deseados, etc., es evidentemente mucho mayor.

Estas actividades se someten por ello a un régimen de autorización más estricto y formalizado y a un sistema armonizado a nivel comunitario para la evaluación del riesgo en relación con los factores ambientales y de salud.

Cualquier persona física o jurídica que se proponga realizar una actividad de liberación voluntaria de OMGs deberá solicitar autorización administrativa a la Administración competente. No cabe ya aquí la simple comunicación, con o sin reserva de veto. Es necesario solicitar formalmente el permiso de actuación a la Administración, y esperar a su contestación expresa, autorizando o denegando la actividad, normalmente, en este segundo caso, de acuerdo con una serie de condiciones. Se condiciona así la actividad investigadora, por los propios riesgos inherentes a la misma, a la previa evaluación pública (técnica y jurídica) de ajustamiento de la propuesta a las exigencias normativas aplicables.

Con la correspondiente solicitud de autorización, debe remitirse necesariamente a la Administración un estudio técnico, con las informaciones y datos exigidos reglamentariamente y, además, una específica evaluación de los riesgos para la salud humana y el medio ambiente, que deberá incluir la metodología utilizada y las conclusiones sobre su impacto potencial en el medio ambiente (con información precisa, así, sobre el personal investigador y su formación, las condiciones de liberación y del posible entorno receptor, las posibles interacciones biológicas, los sistemas de control, reparación, tratamiento de residuos y planes de actuación en caso de emergencia, etc.).

En este punto resulta esencial la ponderación de los posibles riesgos de contaminación cruzada de material genético, invasión de cultivos convencionales o afección a las especies de la zona o ámbito de liberación. La propia normativa comunitaria ha reconocido el riesgo de que estos organismos, una vez liberados, puedan reproducirse en el medio ambiente, afectando de manera irreversible incluso a otros Estados miembros, vía transferencia involuntaria de material genético vertical (entre la misma especie) u horizontal (de una especie a otra). La reciente reforma de la Directiva 2001/18/CE por la Directiva (UE) 2018/350, de 8 de marzo, persigue precisamente reforzar la evaluación, por una entidad científica independiente, de los efectos medioambientales de estos organismos a largo plazo —y sobre todo de naturaleza acumulativa— a través de la inclusión y el desarrollo directos de orientaciones de análisis científico y de seguimiento y control tras su liberación deliberada. Se insiste en ella también en que la evaluación del riesgo medioambiental debe realizarse necesariamente de forma casuística.

A todo ello hay que unir, además, la especificidad propia de las medidas de control previstas en la también importante normativa sobre coexistencia de cultivos modificados genéticamente con los cultivos tradicionales y ecológicos.

La Administración competente, una vez analizados los documentos y datos aportados, los resultados de la información pública —necesaria en este caso, y durante un plazo de 30 días— y, en su caso, los resultados de las consultas e informaciones adicionales practicadas (el órgano competente para resolver puede exigir al responsable que proporcione cualquier información adicional o realice cuantas pruebas se estimen convenientes, justificando dicha exigencia) y las observaciones realizadas por otros Estados miembros o por otras Administraciones públicas (con lo que nos encontramos ante un claro procedimiento administrativo de naturaleza colaborativa y transnacional), resolverá sobre la liberación en campo abierto solicitada, autorizándola o denegándola, e imponiendo, en su caso, las condiciones necesarias para su realización. En todo caso, la resolución que autorice la liberación voluntaria, con dichas condiciones impuestas, deberá ser expresa y notificarse por escrito al titular de la actividad en el plazo de tres meses desde la recepción de la solicitud de autorización (exigiéndose necesariamente autorización expresa —y habrá que interpretar que también en el caso de utilizaciones confinadas sometidas a autorización— el silencio de la Administración, por transcurso del plazo máximo sin resolver, será siempre negativo).

En tanto títulos habilitantes de control continuado (a causa de los posibles riesgos sobrevenidos una vez otorgados) y fundamentadores realmente de una auténtica relación jurídico-administrativa continuada de colaboración/corresponsabilización entre la Administración (no sólo de autorización, sino de control y seguimiento ulteriores) y los responsables de las actividades de liberación de OMGs, la Ley impone a éstos últimos expresamente que informen al órgano competente de los resultados de la liberación voluntaria en relación con los riesgos para la salud humana y el medio ambiente, en los intervalos establecidos, haciendo constar, en su caso, la intención de proceder a la futura comercialización del organismo liberado o de un producto que lo contenga.

Es evidente que en estos supuestos los riesgos para los bienes jurídicos protegidos son mucho más intensos. Las consideraciones vertidas con anterioridad sobre la posible utilización de las técnicas de obtención y procesamiento masivo de datos (minería de datos), desagregación computacional de informaciones, seguimiento automatizado, interoperabilidad comunicativa entre Administraciones públicas, etc., se encuentran, por ello, más justificadas.

Como hace tiempo se ha puesto ya de manifiesto, hoy en día la *"técnica ha superado las posibilidades del conocimiento de muchas Administraciones Públicas"*[18]. La capacidad cognitiva —y secuencialmente, decisional— de la Administración ha resultado desbordada en muchos ámbitos, sobre todo desde el punto de vista del control y evaluación del riesgo científico-técnico de determinadas actividades y actuaciones de experimentación. Esta superación ha provocado, como se sabe, el propio reenvío del Derecho a la técnica en muchos casos (y a la colaboración del Derecho privado), con una cierta difuminación de garantías pero con el objetivo de conseguir un mayor conocimiento técnico para adoptar, en el fondo, la mejor decisión posible. Este déficit puede ser solventado, quizás, por las técnicas de *big data* e IA en el seno —propio— de las mismas Administraciones públicas (Derecho público de la comunicación y el conocimiento electrónicos[19]). La incapacidad pública técnica puede ser compensada por una mayor capacidad de obtención de datos, y la seguridad pública fundamentada, así, en el procesamiento automático de los mismos, la automatización objetiva de actuaciones y unas decisiones de control e intervención

---

18   ESTEVE PARDO, J., *Técnica, riesgo y Derecho*, Ariel, Barcelona, 1999, pág. 23.
19   Para una aproximación general a los problemas derivados de la obtención y procesamiento de datos en la actualidad, en relación concretamente con la salud, puede verse COTINO HUESO, L., "Inteligencia artificial, *big data* y aplicaciones contra la COVID-19: privacidad y protección de datos", *Revista de Internet, Derecho y Política*, 31, (2020). Citando a MONTALVO JÄÄSKELÄINEN, F., "Una reflexión desde la teoría de los derechos fundamentales sobre el uso secundario de los datos de salud en el marco del *Big Data*", *Revista de Derecho Político*, 106, (2019), págs. 47-48, señala, así, que *"la IA es esencial para que estos datos de usos secundarios y especialmente desestructurados puedan ser datos útiles para la investigación y los usos médicos"*.

finalista articuladas objetivamente en el mejor conocimiento posible de los riesgos para el medio ambiente y la salud humana y animal de este tipo de actuaciones biotecnológicas.

El "análisis de datos" está cambiando el panorama de la industria biotecnológica con su contribución a la investigación genética en la creación de organismos modificados genéticamente, sustituyendo el paradigma tradicional basado en la experimentación local (o nacional), utilizando métodos de bajo rendimiento, por la obtención masiva —y transnacional— de datos —de alto valor añadido— imprescindibles para el avance —y progreso en conocimiento— de la investigación. Hoy en día, en un mundo hiperconectado[20], parece casi imposible realizar investigaciones de vanguardia en biotecnología sin usar las bases de datos y las tecnologías de inteligencia artificial para procesar, explorar y explotar las vastas cantidades de datos disponibles, públicos y privados[21].

La combinación entre la IA y la biotecnología, como "tecnologías convergentes"[22], puede conducir, así, a potenciales avances en materia de seguimiento de precisión de la evolución de los OMGs liberados (a través singularmente de las tecnologías de GPS), la mejora de la biovigilancia y el descubrimiento de nuevas "contramedidas" de control e inactivación de los organismos genéticamente modificados, así como facilitar una respuesta (técnica) de seguridad y salud pública más efectiva[23]. Aparte de ello, la IA puede mejorar el propio rendimiento de los cultivos, facilitar su supervivencia a las condiciones cambiantes y permitir la obtención de plantas libres de enfermedades.

Cabría pensar, incluso, en la utilización "predictiva" de los métodos computacionales para el control y seguimiento de los posibles

---

[20] Como se ha dicho, "un mundo interdependiente es un mundo de profunda conectividad sistémica, en el que todos los riesgos se afectan entre sí a través de una red de interacciones complejas", SCHWAB, K. y MALLERET, T., *COVID-19: el gran reinicio*, Forum Publishing, Ginebra, 2020.

[21] *Vide* OLIVEIRA, A. L., "Biotechnology, Big Data and Artificial Intelligence", *Biotechnology Journal*, 14 (2019).

[22] ROMEO CASABONA, C. M. (Ed.), *Tecnologías convergentes: desafíos éticos y jurídicos*, Comares, Granada, 2016.

[23] *Vide* O'BRIEN, J. T. y NELSON, C., "Assessing the Risks Posed by the Convergence of Artificial Intelligence and Biotechnology", *Health Security*, junio 2020, págs. 219 y ss.

riesgos (sobrevenidos) de la liberación de OMG en el ambiente. Se trataría del uso de algoritmos para anticipar comportamientos —aún desde la relativa imprevisibilidad de los organismos vivos liberados— y analizar tendencias a través de la acumulación y tratamiento masivo de datos.

El objetivo sería pasar de la incertidumbre —y su manifestación más intensa en el principio de precaución— a la predictibilidad, el conocimiento y la capacidad de respuesta, si no proscribiendo o eliminando todos los riesgos, sí recabando la mayor cantidad posible de información para permitir su adecuada gestión pública. No es sólo que el conocimiento sea poder, también científico, sino que la comprensión de la vida pasa, en última instancia, por la agregación de toda la información disponible sobre las actividades llevadas a cabo, a fin de permitir decisiones mejor fundadas y programar sistemas de reacción y respuesta, en algunos casos automática, más eficaces y rápidos.

Como fácilmente puede intuirse, la técnica está guiada por criterios pragmáticos: se rige por el principio de la maximización de la eficiencia, el criterio de utilidad y el imperativo de la innovación[24]. Las nuevas técnicas de automatización y datificación computacionales pueden amortiguar el rigor de tal pragmatismo: no se trata de "ralentizar" el conocimiento y el progreso tecnocientífico, sino de racionalizarlo, sistematizarlo y dotarlo de una mayor fundamentación técnica, tanto desde un punto de vista cuantitativo (obtención y agregación de datos) como cualitativo (análisis y decisiones motivadas a partir de los mismos). La inteligencia artificial puede "completar", así, a la inteligencia humana, en una simbiosis de "inteligencia colectiva" susceptible de permitir un avance biotecnológico más sólido, ético y racional.

En general, en fin, la Biotecnología actual, y futura, no se puede comprender sin la utilización de métodos computacionales y sin el manejo masivo de información requerida por la exigencia cada vez

---

Vide BESTANI, A., "Riesgo, Biotecnología y Precaución (Un abordaje desde las ciencias jurídicas)", en AUGUSTO GONZÁLEZ, J. (Coord.), *La dimensión social de la justicia como reguladora del desarrollo científico-tecnológico. Su impacto en Biotecnología, energías renovables e inteligencia artificial*, Tirant lo Blanch, Valencia, 2020, pág. 91.

mayor de evidencias científicas. Puede hablarse, así, de una cierta evolución (natural) de las actividades biotecnológicas y de biología sintética hacia la "cuantificación" (a través de los denominados "macrodatos"), facilitando una mayor predicción y comprobación de las actuaciones de los sistemas biológicos y los seres vivos, comprensión que ha de orientarse, lógicamente, a una mayor eficiencia y rigurosidad de los sistemas de control, seguimiento y vigilancia, sobre todo en el caso de la liberación de OMGs en el ambiente, con fines o no de comercialización de los mismos.

Como se ha dicho, "*necesitamos herramientas computacionales más avanzadas, refinadas a través de su confrontación con resultados experimentales, para obtener, mediante modelos teóricos y funcionales, información no accesible experimentalmente, para maximizar el desempeño y el resultado de actividades de investigación costosas en recursos materiales y humanos, y para manejar y analizar eficientemente la creciente cantidad de información que se genera en Biología y Medicina*"[25]. La experimentación se densifica, y el conocimiento se especializa y cuantifica. Las nuevas tecnologías científicas y electrónicas se alían[26], para simplificar, agilizar y capacitar para un mayor control, con predicción incluso de efectos adversos, de las actividades de manipulación exógena del material genético de los seres vivos.

4. FINAL CONCLUSIVO: RIESGO, CIENCIAS CONVERGENTES Y SINERGIA DEL CONOCIMIENTO

Se ha intentado en este estudio combinar una parte más expositiva, teórica y positivamente ordenada ya con otra mucho más propositiva, convencional y en proceso de normativización, a fin de extraer, a través de esta convergencia teorética, una serie de ideas clave sobre el tema de la ineludible imbricación entre las actividades de manipu-

---

[25] VELÁZQUEZ-CAMPOY, A., "La Biotecnología en el siglo XXI: Retos y oportunidades", *Anales de la Real Academia Nacional de Medicina*, 135, (2018).

[26] OLIVEIRA, A. L., "Biotechnology, Big Data and Artificial Intelligence", *Biotechnology Journal*, 14, (2019).

lación genética de seres vivos y las nuevas técnicas de IA y gestión masiva de datos.

La exposición de las técnicas biotecnológicas se apoya, así, en las previsiones legales correspondientes, mientras que las propuestas de utilización de la IA en este campo responden más bien a proyecciones posibilistas de aplicación, a falta de una regulación —general y específica— correspondiente.

No obstante, es posible extraer una serie de ideas o propuestas clave, como conclusiones fundamentales del estudio.

La revolución tecnoindustrial ha implicado la integración de tecnologías convergentes en ámbitos estratégicos y fundamentales desde el punto de vista de la innovación del conocimiento, como es el caso de las actividades biotecnológicas.

Las técnicas emergentes de IA y *big data* implican potencialidades importantes para el conocimiento de los propios sistemas biológicos (complejos).

La industria del conocimiento puede simplificar, racionalizar y perfeccionar los propios procesos de gestión con Organismos Modificados Genéticamente.

Las actuaciones y decisiones inteligentes, basadas en el uso masivo de datos, pueden contribuir a un desarrollo más seguro y "confiable" de las técnicas de secuenciación, manipulación y aprovechamiento genético, desde las propias premisas (funcionales) de la adaptabilidad, la automatización y la complitud del control efectivo de los riesgos.

La utilización confinada y la liberación voluntaria de OMGs son dos de las operaciones más importantes con este tipo de organismos, aunque con algunos riesgos sanitarios y ecológicos.

Nuestro grupo normativo sobre OMGs se orienta básicamente a la prevención y gestión de sus riesgos, desde una perspectiva de equilibrio entre las posibilidades (potencialidades) privadas de investigación y avance y las potestades públicas de control y seguimiento, tanto en el caso de la normativa horizontal (procedimental) o genérica como vertical o sobre productos.

El modelo vigente, de base transnacional, se basa en un sistema de autorización articulado sobre la evaluación científica de los riesgos para la salud humana y el medio ambiente a nivel comunitario, pero con la posibilidad de objeciones o límites estatales de carácter no estrictamente científico.

Los principios nucleares de prevención, precaución, paso a paso (progresividad) y caso por caso (evaluación singular) pueden ser fortalecidos (desde el punto de vista fundamentalmente instrumental) por los instrumentos y técnicas actuales en materia de Inteligencia Artificial.

Los avances en IA pueden contribuir, así, a un mejor conocimiento —y su evaluación de riesgos— de las actividades de utilización confinada de OMGs, además de una mayor singularización y adaptación tecnológica de las medidas de seguridad y control.

La IA puede coadyuvar a la superación de los déficits de conocimiento técnico-científico de la Administración, facilitando una mejor gestión (automatizada) de los procesos de liberación voluntaria de OMGs y el control ambiental de sus riesgos, sin necesidad de remisiones a reglamentaciones privadas.

La IA, en fin, resulta esencial, en estos ámbitos, para la automatización y procesamiento masivo de datos técnicos (a partir del seguimiento de los organismos liberados), su trazabilidad, el intercambio global de informaciones y el procesamiento de la información con vistas a una adecuada toma de decisiones.

La información, también de los sistemas, procesos e interacciones biológicas y ecológicas, es conocimiento, avance y progreso, pero también seguridad, control y confianza en la actuación de las autoridades, a través de la mejor predictibilidad y seguimiento sobre todo en el caso de los organismos manipulados genéticamente y liberados al ambiente con fines experimentales y de investigación.

BIBLIOGRAFÍA

AMER, B. y BAIDOO, E. K., "Omics-Driven Biotechnology for Industrial Applications", Frontiers in Bioengineering and Biotechnology, 9, (2021).

ANDRÉS SEGOVIA, B., "El reinicio tecnológico de la inteligencia artificial en el servicio público de salud", Ius et Scientia, Vol. 7, 1, (2021).

BATARSEH, F. A. y YANG, R. (Eds.), Data Democracy. At the nexus of artificial intelligence, software development, and knowledge engineering, Academic Press, Elsevier, London, 2020.

BESTANI, A., "Riesgo, Biotecnología y Precaución (Un abordaje desde las ciencias jurídicas)", en AUGUSTO GONZÁLEZ, J. (Coord.), La dimensión social de la justicia como reguladora del desarrollo científico-tecnológico. Su impacto en Biotecnología, energías renovables e inteligencia artificial, Tirant lo Blanch, Valencia, 2020.

CANTLEY, M. F., "The Regulation of Modern Biotechnology: A Historical and European Perspective", en AA.VV., Biotechnology: Legal, Economic and Ethical Dimensions, Vol. 12, 2ª ed., Wiley India Pvt Ltd, London, 2010.

CÁRCAR BENITO, J. E., "La inteligencia artificial (IA) como aplicación jurídica y razonable: la cuestión sanitaria", Ius et Scientia, Vol. 7, 1, (2021).

COTINO HUESO, L., "Inteligencia artificial, big data y aplicaciones contra la COVID-19: privacidad y protección de datos", Revista de Internet, Derecho y Política, 31, (2020).

COTINO HUESO, L., "Riesgos e impactos del Big Data, la inteligencia artificial y la robótica: enfoques, modelos y principios de la respuesta del Derecho", Revista General de Derecho Administrativo, 50, (2019).

DE MONTALVO JÄÄSKELÄINEN, F., Principios éticos de la inteligencia artificial, en SÁNCHEZ-CARO, J. y ABELLÁN-GARCÍA SÁNCHEZ, F. (Coords.), Inteligencia artificial en el campo de la salud. Un nuevo paradigma: aspectos clínicos, éticos y legales, Fundación Merck Salud, Madrid, 2021.

ESTEVE PARDO, J., Técnica, riesgo y Derecho, Ariel, Barcelona, 1999.

FERNÁNDEZ AGIS, D., "Ética, derecho y progreso científico. La apuesta por la verdad y la lucha contra los prejuicios", Ius et Scientia, Vol. 7, 1, (2021).

INNERARITY, D., "El impacto de la Inteligencia Artificial en la democracia", Revista de las Cortes Generales, 109, (2020).

KARTAN, P. (ed.), Artificial Intelligence in Biotechnology, Delve Publishing, Londres, 2020.

LEE, M., EU Regulation of GMOs. Law and Decisión Making for a New Technology, University College London, Londres, 2002.

LIZ GUTIÉRREZ, A. M., "¿Un mundo nuevo? Realidad virtual, realidad aumentada, inteligencia artificial, humanidad mejorada, internet de las cosas", Arbor, Vol. 196-797, (2020).

MONTALVO JÄÄSKELÄINEN, F., "Una reflexión desde la teoría de los derechos fundamentales sobre el uso secundario de los datos de salud en el marco del Big Data", Revista de Derecho Político, 106, (2019).

O'BRIEN, J. T. y NELSON, C., "Assessing the Risks Posed by the Convergence of Artificial Intelligence and Biotechnology", Health Security, junio 2020.

OLIVEIRA, A. L., "Biotechnology, Big Data and Artificial Intelligence", Biotechnology Journal, 14, (2019).

ROMEO CASABONA, C. M. (Ed.), Tecnologías convergentes: desafíos éticos y jurídicos, Comares, Granada, 2016.

SCHWAB, K. y MALLERET, T., COVID-19: el gran reinicio, Forum Publishing, Ginebra, 2020.

Mejoras de la sanidad pública a través de ciudades inteligentes. Consideraciones sobre regulación relacionada[1]

BEGOÑA JIMÉNEZ DELGADO

*Abogada ejerciente y Doctoranda de la Facultad de Derecho de la
Universidad de Sevilla, colaboradora de la Red de Derecho e Inteligencia
Artificial aplicada a la Salud y a la Biotecnología*

1. INTRODUCCIÓN

Durante los últimos treinta años —y si cabe, también en la actualidad, aunque en menor medida— hemos asistido a un cambio radical en el modo de vida de las personas del que siempre ha sido partícipe, casi simultáneamente gran parte del mundo. Los niños ya no buscan en las enciclopedias la información para sus trabajos escolares, ya no esperamos al hombre del tiempo en la televisión para saber si mañana lloverá, y tampoco escribimos cartas para saber de nuestra familia o amigos. Ahora mismo todas estas actuaciones se pueden rea-

[1] El presente estudio ha sido realizado en el marco del Grupo de Investigación "UMA REDIAS Red de Derecho e Inteligencia Artificial aplicada a la Salud y a la Biotecnología", financiada con cargo al Plan Propio de la Universidad de Málaga Acción D-5, Resolución de 3 de junio de 2020 y con la colaboración de la Prof. Dra. Dª Encarnación Montoya Martín, Catedrática de Dº Administrativo de la Facultad de Derecho de la Universidad de Sevilla.

lizar haciendo una pregunta a un sistema inteligente tipo Siri, Alexa o Google. Y esto sólo es un ejemplo que pone de manifiesto que la irrupción de la tecnología en nuestras vidas ha cambiado el modo que tenemos de comunicarnos entre nosotros y con las instituciones y con ello el modo de interactuar con las mismas.

Enlazando con lo anterior, el cambio sufrido en la sociedad hace que la sanidad, necesite adaptarse a ella para poder beneficiarse de la misma y de esta forma aumentar la eficacia, eficiencia y calidad del servicio público sanitario. Utilizando una de las mayores crisis sanitarias vividas en las últimas décadas (la provocada por la COVID-19) como ejemplo, es preciso recalcar que el uso de la Inteligencia Artificial (en adelante IA) y de las nuevas tecnologías, habría sido un gran aliado para evitar con mayor eficacia el contagio y conseguir parar la propagación del virus más rápido. Prueba de ello es lo que sucedió en Corea del Sur, donde las instituciones públicas en poco tiempo desarrollaron aplicaciones que permitían, entre otras cuestiones, localizar las zonas en las que personas contagiadas habían pasado recientemente, evitando así el trasiego de gente por las mismas y permitiendo la desinfección de la zona con mayor velocidad[2].

2. NUEVOS CONCEPTOS

A continuación se hace referencia a tres ideas conceptuales consideradas básicas para la integración de las ideas que se expondrán. En primer lugar se hace una breve descripción del concepto de "ciudad inteligente", lo cual ayudará a centrar la cuestión en un ámbito concreto; en segundo lugar se hace una (también) breve referencia al concepto de IA por estar estrechamente relacionado con el de ciudad inteligente, entendido desde el punto de vista de lo que aquí se expone; y en tercer lugar se centrará aún más el foco, poniendo de relieve la vinculación existente entre la ciudad inteligente y la sa-

---

[2]   SÁNCHEZ BRAUN, A. (16 de marzo de 2020). El método de Corea del Sur para vencer al coronavirus: de 909 casos diarios a 74. *La Vanguardia* [en línea]. [Consulta: 24 de marzo de 2020]. Recuperado de: https://www.lavanguardia. com/vida/20200316/474191370262/coronavirus-corea-del-sur-metodo.html.

nidad pública, dando paso de este modo a los siguientes apartados que tratarán de mostrar las posibles mejoras para la sanidad que podría tener la transformación de nuestras ciudades ordinarias en *inteligentes*.

2.1. La *"Ciudad Inteligente"*

Es muy posible que, de forma abstracta, la mayor parte de las personas intuyan qué es una "Ciudad Inteligente", no obstante, definirla es una tarea ardua porque es un concepto que engloba numerosos y diversos aspectos provocando que una definición totalmente diferente a otra puede ser igualmente correcta.

La ciudad inteligente en la actualidad no tiene una definición consensuada por la doctrina, ya que como se apuntaba anteriormente y también indica Velasco Rico "se puede defender que el concepto de «Smart city» es un fenómeno transversal que puede, y debe, ser abordado desde múltiples ramas del conocimiento[3]". Una de las definiciones que encajan mejor con el tema aquí tratado es la que da el Focus Group de la Unión Internacional de Telecomunicaciones de las Ciudades Inteligentes, a la que se hace referencia en el programa Hábitat de la ONU: "Una ciudad inteligente sostenible es una ciudad innovadora que utiliza las TICs y otros medios para mejorar la calidad de vida, eficiencia de las operaciones y servicios urbanos, y competitividad, a la vez que satisface las necesidades de las generaciones presentes y futuras con respecto a los aspectos económicos, sociales y ambientales[4]".

A los efectos de este trabajo, se podría resumir el concepto de "Ciudad Inteligente" en aquel espacio público en el que conviven multitud de personas, que es capaz de proporcionar diversas prestaciones en función de las necesidades de cada una de ellas. Esas prestaciones serán aplicadas por la ciudad inteligente gracias al uso de tecnologías como la inteligencia artificial, dentro de un marco regulatorio de ca-

---

[3]   VELASCO RICO, C. I. (2019). "La ciudad inteligente: entre la transparencia y el control". *Revista General de Derecho Administrativo*, *50*, pág. 3.

[4]   Conferencia de las Naciones Unidas sobre la vivienda y el desarrollo urbano sostenible. (2015). Documento temático sobre ciudades inteligentes. *Hábitat III*, pág. 1.

rácter público, lo que implica el respeto a las garantías contempladas en derecho para la protección de los ciudadanos.

2.2. La Inteligencia Artificial (IA)

Como sucede con el concepto de ciudad inteligente, el de IA no es sencillo de construir pues, además de su complejidad técnica, se trata de una materia que afecta a muchos sectores y el consenso, en cuestiones descriptivas, puede llegar a ser difícil. También contribuye el hecho de que este campo está en constante cambio y ello obliga a redefinir continuamente el concepto.

De forma añadida a lo anterior, hay mucha confusión y a menudo se utiliza el término "Inteligencia Artificial" para hacer referencia a otro tipo de tecnologías que realmente no lo son. Esto sucede por varios motivos, pero sobre todo por la dificultad que tenemos la mayoría de las personas para entender el funcionamiento de este tipo de sistemas, y por la visión fantástica que generalmente se tiene de ella, provocada en gran medida por la literatura y el cine.

Como punto de partida, podemos tomar de referencia la definición que la Comisión Europea realiza en su comunicación "Inteligencia artificial para Europa":

> El término "inteligencia artificial" (IA) se aplica a los sistemas que manifiestan un comportamiento inteligente, pues son capaces de analizar su entorno y pasar a la acción —con cierto grado de autonomía— con el fin de alcanzar objetivos específicos.
>
> Los sistemas basados en la IA pueden consistir simplemente en un programa informático (p. ej. asistentes de voz, programas de análisis de imágenes, motores de búsqueda, sistemas de reconocimiento facial y de voz), pero la IA también puede estar incorporada en dispositivos de hardware (p. ej. robots avanzados, automóviles autónomos, drones o aplicaciones del internet de las cosas)[5].

De acuerdo con lo anteriormente expuesto, podríamos decir que la IA tiene dos características básicas: *autonomía*, es decir, la habilidad de llevar a cabo tareas en ambientes complejos sin la dirección

---

[5]   Comisión Europea, UE Comunicación de 25 de abril de 2018 sobre "Inteligencia artificial para Europa", *Diario Oficial de las Comunidades Europeas*, COM/2018/237 final, pág. 1.

constante de un usuario[6]; *ser adaptable*, es decir, tener la habilidad de mejorar su forma de actuar aprendiendo de la experiencia.

Para acercarnos un poco más a la concepción de sistema de inteligencia artificial con la que se trabaja en la actualidad, se incluye a continuación la definición contenida en el artículo tercero de la Propuesta de reglamento realizada por el Parlamento Europeo y por el Consejo:

> [...] software que se desarrolla empleando una o varias de las técnicas y estrategias que figuran en el Anexo I y que puede, para un conjunto determinado de objetivos definidos por seres humanos, generar información de salida como contenidos, predicciones, recomendaciones o decisiones que influyan en los entornos con los que interactúa[7].

Las técnicas a las que se refiere el mencionado Anexo I son:

> (a) Estrategias de aprendizaje automático, incluidos el aprendizaje supervisado, el no supervisado y el realizado por refuerzo, que emplean una amplia variedad de métodos, entre ellos el aprendizaje profundo.
>
> (b) Estrategias basadas en la lógica y el conocimiento, especialmente la representación del conocimiento, la programación (lógica) inductiva, las bases de conocimiento, los motores de inferencia y deducción, los sistemas expertos y de razonamiento (simbólico).
>
> (c) Estrategias estadísticas, estimación bayesiana, métodos de búsqueda y optimización[8].

Como se puede observar, poco a poco se van desarrollando definiciones para este nuevo concepto pero, dado que la intención de este apartado es simplemente acercar al lector a una idea primigenia del

---

6   International Organization for Standardization. (2012). ISO 8373 *Robots and robotic devices*. Recuperado el 13 de junio de 2021, desde: https://www.iso.org/obp/ui/#iso:std:iso:8373:ed-2:v1:en.

7   Parlamento Europeo. (2021). Propuesta de Reglamento del Parlamento Europeo y del Consejo de 21 de abril de 2021, por el que se establecen normas armonizadas en materia de IA (Ley de IA) y se modifican determinados actos legislativos de la Unión. *Diario Oficial de las Comunidades Europeas, COM (2021) 206 final*, pág. 39.

8   Parlamento Europeo (2021). Anexos de la Propuesta de Reglamento del Parlamento Europeo y del Consejo por el que se establecen normas armonizadas en materia de IA (Ley de IA) y se modifican determinados actos legislativos de la Unión. *Diario Oficial de las Comunidades Europeas, COM (2021) 206 final*, pág. 1.

concepto de IA, no me extenderé mucho más, no sin antes apuntar algunas cuestiones de relevancia.

Uno de los mecanismos que hacen posible la existencia de la IA son los *algoritmos* ya que al ser parte de la ciencia informática es imprescindible que sus actuaciones sean programadas para la consecución de un determinado fin. Así pues el profesor Huergo Lora define el algoritmo como "cualquier procedimiento formalizado en una serie de pasos para solucionar un problema o conseguir un resultado[9]".

Por otro lado, también es importante señalar las diferencias entre nuestro concepto y otros con los que habitualmente se confunde.

La IA forma parte de la ciencia informática y está estrechamente relacionada con la ciencia que estudia los datos (o *"data science"* como se denomina en inglés), dentro de la cual encontramos disciplinas muy diversas como la estadística o el almacenamiento de datos[10]. Como "subtipo" de la IA encontramos el denominado *"machine learning"*, que se podría traducir al español como *"aprendizaje automático[11]"*, y que engloba aquellos sistemas capaces de mejorar su actuación gracias a su propia experiencia o a los datos. Es importante tener presente que no todo sistema de IA llevará aparejado el *"machine learning"* pero que cualquier sistema que tenga esta tecnología será un sistema de IA.

Dentro de esta amalgama compleja de tipos de inteligencia, también se encuentran los sistemas de *"deep learning"*, (que se puede traducir al español como sistemas de *"aprendizaje profundo[12]"*). Estos sistemas han sido diseñados emulando el proceso de visualización de imágenes que tiene nuestro cerebro humano, es decir, han sido diseña-

---

[9]   HUERGO LORA, A. (2021). Una aproximación a los algoritmos desde el derecho. En G. M. DÍAZ GONZÁLEZ (Coord.), *La regulación de los algoritmos*, pág. 27.

[10] Ciencia de datos, machine learning y deep learning | datos.gob.es. (s. f.). Recuperado el 13 de junio de 2021, desde: https://datos.gob.es/es/blog/ciencia-de-datos-machine-learning-y-deep-learning.

[11] CERRILLO I MARTÍNEZ, A. (2019). "El impacto de la inteligencia artificial en el derecho administrativo ¿nuevos conceptos para nuevas realidades técnicas". *Revista General de Derecho Administrativo, 50,* pág. 4.

[12] CERRILLO I MARTÍNEZ, A., *op. cit.,* 2019, pág. 4.

dos imitando el comportamiento de nuestras redes neuronales[13] cuando vemos una imagen, pero en realidad no se comporta igual ya que existe un componente biológico que para este tipo de sistemas resulta insalvable. Su funcionamiento es muy complejo y difícil de explicar, tanto que a veces no se puede seguir el "hilo de pensamientos" que ha llevado a un sistema de *"deep learning"* a tomar una determinada decisión *("deep"* se refiere a la *profundidad* de los modelos matemáticos utilizados), pero básicamente su mayor ventaja es que son sistemas capaces de aprender estructuras complejas sin necesidad de muchos datos. El *"deep learning"* es un subtipo del *"machine learning"* por lo que también forma parte del concepto de IA.

Esta estructura descrita con anterioridad se puede resumir en el siguiente diagrama de Euler[14]:

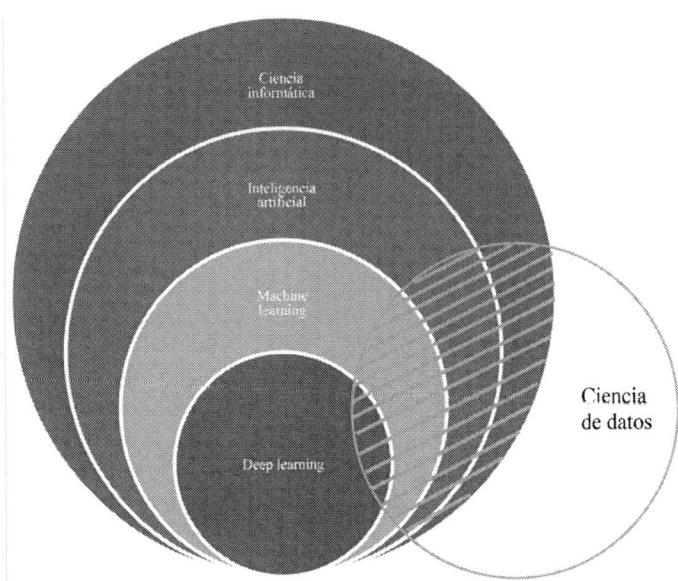

---

13   COTINO HUESO, L. (2019). "Riesgos e impactos del Big Data, la Inteligencia Artificial y la Robótica. Enfoques, modelos y principios de la respuesta del derecho". *Revista General de Derecho Administrativo*, *50*, pág. 4.
14   Ciencia de datos, machine learning y deep learning | datos.gob.es. (s. f.). Recuperado el 13 de junio de 2021, desde: https://datos.gob.es/es/blog/ciencia-de-datos-machine-learning-y-deep-learning.

Como se puede ver por lo expuesto anteriormente, así como por la imagen, no todos los sistemas de IA funcionan con *"machine learning"* o con *"deep learning"*, pero cualquier sistema que lleve integrada cualquiera de estas dos tecnologías es un sistema de IA. Además de ello, hay que tener en cuenta que, mientras que existen dispositivos que cuentan con IA, hay otros muchos que sólo aplican "un poco" de esta tecnología, es decir, que pueden llevar aparejadas ciertas funciones que la utilicen, pero no todo el dispositivo hace uso de la misma.

Para terminar este apartado con una idea clara de aquellos sistemas en los que ya se está utilizando IA, podríamos hacer una clasificación de tres tipos de sistemas que la usan:

1. *Automovilismo autónomo*: Los coches autónomos aplican este tipo de tecnología[15].

2. *Sistemas de recomendación de contenido*: Ejemplos de este grupo son *Spotify* o *Youtube*[16].

3. *Procesamiento de imágenes y vídeos*: Ejemplos de esto son los sistemas de reconocimiento facial implantados en algunas empresas para dar acceso a sus empleados a un determinado edificio, o los sistemas de control de pasaporte, o las aplicaciones móviles que convierten nuestro rostro en uno más popular.

2.3. La integración de la Sanidad Pública en la Ciudad Inteligente

Puede que el encaje de las innovaciones tecnológicas aplicables a la sanidad en la ciudad inteligente sea difícil de ver, pero esa relación existe. La sanidad, entendida desde el prisma del derecho público y más concretamente desde el del derecho administrativo por su concepción como servicio público, debe ser una parte importante de las prestaciones que ofrezca la ciudad inteligente. El uso de la tecnología y de la IA se ha empezado a implantar en la sanidad y este hecho es un conductor directo para que el servicio sanitario se posicione como

---

[15] PONCE SOLÉ, J. (2019). "Inteligencia artificial, Derecho administrativo y reserva de humanidad: algoritmos y procedimiento administrativo debido tecnológico". *Revista General de Derecho Administrativo*, 50, pág. 5.
[16] PONCE SOLÉ, J., *op. cit.*, 2019, pág. 5.

uno de los servicios públicos que la ciudad inteligente puede ofrecer a la sociedad.

Obviamente, los servicios relacionados con la sanidad que la ciudad inteligente podrá ofrecer no englobarán la totalidad de servicios sanitarios disponibles, y quizás ni siquiera serán tangibles para las personas, pero mejorarán los tres aspectos fundamentales que señalaba en la introducción: su eficacia, eficiencia y calidad.

3. ¿SE UTILIZA IA EN SANIDAD?

Como en otros ámbitos de nuestras vidas, la IA ha irrumpido en la medicina y se está haciendo un uso efectivo de ella. Actualmente "la IA se perfila, sobre todo, como una herramienta capaz de aprender y analizar con rapidez enormes cantidades de información de los historiales de pacientes, de las pruebas de imagen y de los avances científicos para ayudar a los profesionales a ofrecer mejores diagnósticos y tratamientos[17]".

Como bien indica Cárcar Benito, los sistemas de IA deben ser aplicables al ámbito médico en la medida en que proporcionan ayuda a los profesionales de la medicina para prestar un servicio de mayor calidad. La medicina también es una ciencia de carácter social, y los sistemas de IA carecen de estas habilidades sociales que hacen que el ser humano se diferencie de un sistema automatizado, de las "máquinas". Así pues, "Los seres humanos no somos capaces de navegar y analizar toda la documentación que se encuentra digitalizada, entonces lo que nos permite la IA es analizar toda esa información elaborada para llegar antes a las opciones que se plantean y poder elegir[18]".

No obstante, a pesar de que parece clara la finalidad de uso de la IA en el ámbito de la medicina, su utilización en los diferentes sectores de salud no es uniforme debido a las características de cada uno de ellos. Así, por ejemplo, en el ámbito de la cirugía, cada vez son más utilizados robots que, si bien son controlados en su mayor parte por el

---

[17]   CÁRCAR BENITO, J. E. (2019). La Inteligencia Artificial (IA): Aplicación Jurídica y regulación en los Servicios de Salud. En *Extraordinario XXVIII Congreso 2019: Ética, innovación y transparencia en salud*, pág. 265.

[18]   CÁRCAR BENITO, J. E., *op. cit.*, 2019, pág. 268.

cirujano, existen algunos que son autónomos. Un ejemplo de este último tipo de robots es el denominado "ViRob", desarrollado en Israel y cuya finalidad principal es la de localizar un tumor y tratarlo con medicamentos dentro del propio cuerpo del paciente. Su tamaño es tan diminuto (un milímetro de largo y cuatro de ancho) que se puede desplazar por las diversas cavidades del cuerpo humano sin dañarlo[19].

Es en especialidades como la cirugía (neurocirugía, radiocirugía), la rehabilitación, la dermatología o radiología en las que el uso de sistemas de IA se está extendiendo con mayor facilidad. Un ejemplo de ello es un sistema de IA capaz de detectar el melanoma (el cáncer de piel más frecuente y con mayor impacto en la población) mediante la captura, a través de una aplicación que se puede descargar en un móvil, de una imagen de la zona de la piel afectada. El sistema que recibe esta imagen ha sido entrenado con miles de imágenes, y gracias a ello es capaz de detectar la enfermedad con una sensibilidad y especificidad comparable a los métodos disponibles hasta ahora. Es un sistema de diagnóstico que, bien utilizado, puede servir de forma preventiva (diagnóstico precoz), pero que en ningún caso sustituye la figura del médico puesto que el tratamiento deberá ser determinado por un especialista en la materia[20].

Por otro lado, en el ámbito de la radiología, con un sistema de IA entrenado con una cantidad ingente de imágenes debidamente identificadas y que continúa aprendiendo conforme se utiliza al ser un sistema de *deep learning* (un sistema muy parecido al descrito anteriormente para la dermatología), se han realizado grandes progresos que han trascendido a otras especialidades. Este sistema, al realizar el cribado de imágenes con mayor rapidez, detecta eficazmente lesiones cancerosas en pulmones, mamas, etc., así como masas tumorales en el cerebro. Esta detección rápida hace que las intervenciones quirúrgicas se reduzcan, suponiendo ello un beneficio no sólo para el paciente, sino para el sistema sanitario en general. Además, este sistema tam-

---

[19] LEÓN-RODRÍGUEZ, H. (2019). "Sistema Macro y Micro robótico para aplicaciones médicas". *Revista de Tecnología*, 16(2), pág. 105.

[20] ESTEVA, A., KUPREL, B., NOVOA, R. A., KO, J., SWETTER, S. M., BLAU, H. M. y THRUN, S. (2017). Dermatologist-level classification of skin cancer with deep neural networks. *Nature*, 542(7639), 115-118. [en línea]. [Consulta: 12 de junio de 2021]. Disponible en: https://doi.org/10.1038/nature21056.

bién es capaz de detectar fracturas de huesos y de clasificar biopsias cancerosas, irrumpiendo de este modo también en laboratorios.

Con relación al ámbito de la cirugía, se han desarrollado los denominados "Macro Robots" que permiten que la cirugía sea mínimamente invasiva —el ejemplo más representativo de este tipo de tecnología es el sistema quirúrgico "Da-Vinci"— cuyo objetivo principal es "potenciar las capacidades y habilidades del cirujano[21]" y se están realizando investigaciones para desarrollar los denominados "Micro Robots" con los que se pretende evitar la cirugía y tratar los problemas desde dentro del cuerpo humano (un ejemplo de esto sería el "ViRob" que mencionaba en líneas precedentes). En este último caso, el avance está siendo más lento porque el hecho de miniaturizar los componentes de estos robots supone un reto para los desarrolladores de estos sistemas que actualmente están investigando sobre el uso de sistemas electromagnéticos para permitir un funcionamiento relativamente autónomo de estos sistemas[22].

Además de ello, esta tecnología también está siendo utilizada en el ámbito farmacéutico, como por ejemplo en la mezcla y medición de los medicamentos utilizados en la quimioterapia. Debido a que son medicaciones muy delicadas que pueden poner en peligro tanto al paciente como al personal sanitario, se utilizan sistemas robotizados para su elaboración, que, de forma añadida, tienen menos riesgo de error que si los elaborara una persona. Otro ejemplo, es el uso de este tipo de sistemas para dispensar medicamentos dentro de hospitales. El robot se encarga tanto del almacenaje como de que los fármacos lleguen al lugar correcto[23].

No obstante, como señalaba al principio de este epígrafe, hay materias en las que resulta más compleja la aplicación de sistemas de IA. Son especialidades en las que la presencia de un médico resulta crucial (asistencia a un parto complejo, tratamiento de enfermedades psiquiátricas, etc.) y la ayuda que puede proporcionar la IA, de momento, se limita al suministro de información de una forma más eficaz

---

[21]   LEÓN-RODRÍGUEZ, H. (2019). "Sistema Macro y Micro robótico para aplicaciones médicas". *Revista de Tecnología*, 16(2), pág. 106.
[22]   LEÓN-RODRÍGUEZ, H., *op. cit.*, 2019, pág. 106.
[23]   *Ibidem*, págs. 105-106.

y rápida que si el propio médico realizara la búsqueda de información por su cuenta.

Como podemos ver, es cierto que la tecnología y la IA están irrumpiendo en todos los campos, sin embargo, hay cuestiones en las que no podrán intervenir o en las que su participación estará supeditada a la decisión final de un humano, aunque existe mucha controversia al respecto. A pesar de que la finalidad principal de los sistemas de IA sea la de hacer más fácil la vida a las personas, no se puede olvidar que esa comodidad que se propugna con su utilización no puede menoscabar los derechos fundamentales de los ciudadanos. El Estado tiene el deber de garantizar los derechos fundamentales y al mismo tiempo propiciar un entorno que no bloquee el avance de las investigaciones en esta dirección.

3.1. Ideas de mejora de la sanidad a través de la ciudad inteligente

Las mejoras se podrían implantar en todos los ámbitos en los que la sanidad se vea afectada. Es decir, tanto en todos los niveles de investigación científica (básica, traslacional y clínica o aplicada), como en todos los niveles de prevención (primaria, secundaria y terciaria), así como en todos los niveles asistenciales[24]. A continuación, se recoge un cuadro de elaboración propia en el que, además de explicar brevemente cada uno de estos niveles, se incluyen ejemplos de servicios que la ciudad inteligente puede prestar para que los ciudadanos puedan disfrutar de los beneficios de la implantación de sistemas de IA en el ámbito de la sanidad. Como bien se indica en el título de este apartado, son, simplemente, ideas de mejoras.

---

[24]   PIÉDROLA GIL, Gonzalo; FERNÁNDEZ-CREHUET NAVAJAS, Joaquín; GESTAL OTERO, Juan Jesús; DELGADO RODRÍGUEZ, Miguel; BOLÚMAR MONTRULL, Francisco; HERRUZO CABRERA, Rafael; SERRA MAJEM, Lluís; RODRÍGUEZ ARTALEJO, F. (2016). *Medicina preventiva y salud pública. Elsevier España SLU* (12ª Edición). Madrid. Recuperado de ClinicalKey, págs. 1.065-1.066.

Niveles de investigación	**Básica:** Son aquellas investigaciones llevadas a cabo en los laboratorios	La ciudad inteligente, mediante un sistema de recogida constante de datos de los ciudadanos, podría proporcionar los elementos necesarios para desarrollar estudios epidemiológicos que actualmente, dada la cantidad de datos que son necesarios recoger, son complejos de realizar. De esta forma se podrían "conocer las razones que justifican el porqué de un determinado estado de salud o las causas de un proceso[25]".
	Traslacional: Son aquellas investigaciones destinadas a la prueba de productos desarrollados por la investigación básica en humanos.	
	Clínica o aplicada: Es aquella que se basa en el estudio y la observación tanto de pacientes con patologías como de los fármacos desarrollados por la investigación básica, para utilizarlos en otras aplicaciones para las que no fueron desarrollados.	
Niveles de prevención	**Primaria:** Es aquella desarrollada para que la gente sana no desarrolle enfermedades.	Siguiendo con la propuesta planteada en el apartado anterior, los estudios realizados gracias a la recogida de datos proporcionada por la ciudad inteligente podrían permitir planes para la prevención de enfermedades de todo tipo. De esta forma, se podría fomentar, entre otras cosas, actividades que eviten el desarrollo de enfermedades generadas como consecuencia de malos hábitos, *v.gr.* la obesidad infantil.
	Secundaria: Es aquella desarrollada para que la gente con una enfermedad pueda detectarla en una fase temprana y prevenir algunas consecuencias de la misma (un ejemplo es el diagnóstico precoz).	
	Terciaria: Es aquella desarrollada para que las personas que ya han padecido una enfermedad tengan buena calidad de vida y no desarrollen nuevas enfermedades.	

---

[25] PIÉDROLA GIL, Gonzalo; FERNÁNDEZ-CREHUET NAVAJAS, Joaquín; GESTAL OTERO, Juan Jesús; DELGADO RODRÍGUEZ, Miguel; BOLÚMAR MONTRULL, Francisco; HERRUZO CABRERA, Rafael; SERRA MAJEM, Lluís; RODRÍGUEZ ARTALEJO, F., *op. cit.*, 2016, pág. 73.

Niveles asistenciales	**Atención primaria:** Es aquella que se presta generalmente en los centros de salud y se centra en la prestación de los servicios básicos de salud como la medicina de familia, la pediatría, etc.	La aplicación de lo expuesto anteriormente traería como consecuencia una población más saludable que necesite con menor asiduidad asistencia médica, lo que supone *per se* un beneficio social enorme.
	Atención especializada: Es aquella que tiene mayor complejidad técnica. Es una atención que requiere de un especialista y en función de la gravedad de la patología varía la forma en la que se presta el servicio (dependiendo de ello la asistencia consistirá en una consulta con el especialista, una intervención de cirugía mayor, hospitalización, etc.).	No obstante, las ventajas de la ciudad inteligente también se podrían aplicar directamente a estos niveles, estableciendo, por ejemplo, centros de diagnósticos mediante IA, cuyo tratamiento no genere controversias y pueda ser prescrito de forma automatizada tras el diagnóstico. Como se verá más adelante, la IA ya es capaz de diagnosticar enfermedades mediante imágenes (por ejemplo, una neumonía).

Las ideas mencionadas en la tabla son simplemente propuestas sobre las que recapacitar, ya que la implantación de sistemas de IA en nuestra vida diaria es compleja por la cantidad de aspectos que se ven involucrados en la misma. Uno de ellos, es, en Estados descentralizados como España, la cuestión de la distribución de competencias en materia de sanidad entre las distintas Administraciones Públicas, que podría dar lugar, entre otras cuestiones, en una implantación desigual de esta tecnología. Sin embargo, es así como se avanza y no por su complejidad se deben dejar de lado cuestiones que el día de mañana harán la vida mejor a todos los ciudadanos.

4. ALGUNOS ASPECTOS SOBRE LA REGULACIÓN

4.1. *La actitud de la UE respecto del uso de nuevas tecnologías y sistemas de IA en sanidad*

Para que la sanidad pueda sumarse a esos servicios públicos prestados por la ciudad inteligente, es necesario que la tecnología y la IA se implanten en la medicina. Actualmente hay áreas en las que las nuevas tecnologías llevan utilizándose hace algún tiempo (como hemos podido observar) y otras, en las que su implementación es más compleja y por ello no se encuentran tan adaptadas a las nuevas tecnologías.

Con el objetivo de fomentar el uso de estos nuevos sistemas en la sanidad, la UE ha emitido con asiduidad comunicaciones y ha desarrollado planes para la implantación en Europa (de la forma que permita la mayor uniformidad posible) de modelos sanitarios que utilicen las TIC para "mejorar la salud de los ciudadanos, la eficacia y la productividad de su prestación[26]".

Uno de esos documentos es la Comunicación de la Comisión Europea al Parlamento Europeo, al Consejo, al Comité Económico y Social Europeo y al Comité de las Regiones sobre el Plan de acción sobre la salud electrónica 2012-2020: atención sanitaria innovadora para el siglo XXI (COM (2012) 736 final). Esta Comunicación, a pesar de haber sido emitida en 2012, hace una puesta en escena tanto de los retos, como de las barreras a las que se enfrenta la UE para la implementación de nuevas tecnologías en el sector sanitario, que, si bien es cierto que fueron pensadas para las TIC y no para una tecnología como la IA, son perfectamente aplicables a la implantación de la misma.

A modo de resumen, los principales retos a los que se enfrenta son tres: gastos en sanidad; envejecimiento de la población; y garantías para la sostenibilidad de los sistemas sanitarios y para el acceso a los servicios por todos los ciudadanos[27].

Por otro lado, las barreras a las que se hacen referencia, y que son salvables según el mismo son: falta de conocimiento y confianza en la tecnología; falta de interoperabilidad entre las soluciones de salud electrónica; escasez de pruebas de la rentabilidad de las herramientas y servicios tecnológicos; falta de claridad jurídica; marcos jurí-

---

[26]   Comisión Europea, UE (2012). Informe de 6 de diciembre de 2012, "Plan de acción sobre la salud electrónica 2012-2020: atención sanitaria innovadora para el siglo XXI". *Diario Oficial de las Comunidades Europeas*, COM/2012/736 final, pág. 4.

[27]   Comisión Europea, UE (2012). Informe de 6 de diciembre de 2012, "Plan de acción sobre la salud electrónica 2012-2020: atención sanitaria innovadora para el siglo XXI". *Diario Oficial de las Comunidades Europeas*, COM/2012/736 final, pág. 5.

dicos inadecuados o fragmentados; altos costes iniciales de la puesta en marcha; y diferencias regionales en el acceso a los servicios[28]. Asimismo, las posibles vulneraciones a derechos fundamentales de los ciudadanos que se verán afectados por esta tecnología. Un ejemplo de vulneraciones de este tipo son los sesgos que un algoritmo podría estar aplicando aún sin intencionalidad.

Las soluciones que se proponen se centran en lo que denominan "interoperabilidad", es decir, en el intercambio de información médica relevante, así como de conocimientos y demás datos relacionados con la salud, entre los diferentes sistemas sanitarios. Existen cuatro niveles de interoperabilidad, el semántico, el técnico, el organizativo y el jurídico[29], y en todos ellos la UE pretende fomentar medidas que hagan que los Estados miembros colaboren para avanzar en esta misma dirección, compartiendo información, conocimientos y experiencia. Para ello, desde el momento de la publicación (2012), la UE creó la red de sanidad electrónica, permitiendo que a través de ella se intercambiaran la información necesaria entre diversas instituciones y fomentando así el uso de nuevas tecnologías.

Además de lo anterior, establece una serie de objetivos a corto y largo plazo para la adopción de medidas que fomenten la utilización de nuevas tecnologías en la sanidad. Algunos de esos objetivos son:

- El apoyo a la investigación para poder desarrollar aplicaciones que permitan "analizar y extraer grandes cantidades de datos en beneficio de los particulares, los investigadores, los médicos, las empresas y los responsables políticos[30]".

---

[28]   Comisión Europea, UE (2012). Informe de 6 de diciembre de 2012, "Plan de acción sobre la salud electrónica 2012-2020: atención sanitaria innovadora para el siglo XXI". *Diario Oficial de las Comunidades Europeas*, COM/2012/736 final, pág. 7.

[29]   Comisión Europea, UE (2012). Informe de 6 de diciembre de 2012, "Plan de acción sobre la salud electrónica 2012-2020: atención sanitaria innovadora para el siglo XXI". *Diario Oficial de las Comunidades Europeas*, COM/2012/736 final, pág. 8.

[30]   Comisión Europea, UE (2012). Informe de 6 de diciembre de 2012, "Plan de acción sobre la salud electrónica 2012-2020: atención sanitaria innovadora para el siglo XXI". *Diario Oficial de las Comunidades Europeas*, COM/2012/736 final, pág. 13.

- La proporción de ayudas económicas para la investigación y la innovación de la atención sanitaria.

- El apoyo al crecimiento del mercado en el ámbito de la salud electrónica, proporcionando "las condiciones jurídicas y de mercado adecuadas para que los empresarios puedan crear productos y servicios en materia de salud electrónica y bienestar[31]".

- Facilitar los medios adecuados para proporcionar mecanismos que permitan la implantación de servicios tecnológicos mediante los que se puedan intercambiar datos.

- Cooperar con otros organismos internacionales con el fin de que estos sistemas puedan ser implantados en todo el mundo, siguiendo una serie de criterios comunes en todas las áreas geográficas que se vean afectadas.

En el ámbito de la interoperabilidad jurídica, la UE ya mostraba especial interés por la protección de los datos de los usuarios (para así generar confianza) y por su accesibilidad a los sistemas de salud electrónica. Con posterioridad a esta Comunicación, la UE ha desarrollado el Reglamento General de Protección de Datos, cumpliendo así con el compromiso que anunciaba, de armonizar la regulación de protección de datos. Además de ello, la UE es consciente de la complejidad en cuanto a la regulación de la aplicación de esta tecnología y por ese motivo propone que:

> [...] hace falta aclarar más la normativa legal aplicable en esos ámbitos concretos. La rápida evolución de la situación en este sector plantea dudas acerca de la aplicabilidad de las normas vigentes, así como sobre el uso de los datos recogidos a través de esas aplicaciones por los particulares y los profesionales médicos y si deben integrarse en los sistemas de asistencia sanitaria y cómo habría que hacerlo, en caso afirmativo. La claridad de la información y la facilidad de uso son también aspectos importantes que hay que tener en cuenta. Esto ha de lograrse sin caer en una reglamentación excesiva, ya que se trata de una serie nueva de

---

[31]   Comisión Europea, UE (2012). Informe de 6 de diciembre de 2012, "Plan de acción sobre la salud electrónica 2012-2020: atención sanitaria innovadora para el siglo XXI". *Diario Oficial de las Comunidades Europeas*, COM/2012/736 final, pág. 15.

tecnologías con bajos costes y riesgos, pero también con una rentabilidad baja[32].

Antes de proseguir es importante destacar que, dado que la Comunicación es de 2012, posteriormente se ha podido comprobar que esta tecnología no tiene una rentabilidad baja como en el año 2012 se podía prever.

Por otro lado, la UE durante estos últimos años, ha emitido Comunicaciones siguiendo la línea de pensamiento que se señalaba anteriormente, aunque ya no tan enfocada en el ámbito de la sanidad sino enfocada en la IA y todas sus aplicaciones posibles.

Así pues, en su Comunicación COM (2018) 237 final, la UE hace una apuesta fuerte por la aplicación de sistemas de IA y se presenta como una potencia competitiva en la implantación de estos nuevos sistemas proponiendo un camino a seguir para su puesta en marcha en todos los ámbitos. En dicho documento se hacen propuestas de regulación de las nuevas tecnologías que más adelante veremos.

También ha emitido la Comunicación "Generar confianza en la IA centrada en el ser humano" COM (2019) 168 final cuya finalidad principal es hacer ver a los ciudadanos que "la IA no es un fin en sí mismo, sino un medio que debe servir a las personas con el objetivo último de aumentar su bienestar[33]". Esta comunicación está, en cierta medida, ligada al documento titulado "Directrices éticas para una IA fiable" emitido por el Grupo de expertos de alto nivel sobre IA constituido por la Comisión Europea en junio de 2018 en el que se proporcionan unas orientaciones básicas para hacer que la IA sea fiable. Ambas comunicaciones se analizarán con mayor profundidad en los epígrafes que siguen a este, puesto que en ellos se establecen una serie de medidas que afectan a la perspectiva de

---

[32]   Comisión Europea, UE (2012). Informe de 6 de diciembre de 2012, "Plan de acción sobre la salud electrónica 2012-2020: atención sanitaria innovadora para el siglo XXI". *Diario Oficial de las Comunidades Europeas*, COM/2012/736 final, pág. 13.

[33]   Comisión Europea, UE Comunicación de 8 de abril de 2019 sobre "Generar confianza en la inteligencia artificial centrada en el ser humano", *Diario Oficial de las Comunidades Europeas*, COM/2019/168 final, pág. 2.

las garantías de los ciudadanos y a la ética del uso de estos nuevos sistemas.

Como se puede observar, la UE, está poniendo sus mayores esfuerzos por aplicar esta nueva tecnología a todos los ámbitos que le sean posible, pero sobre todo está preocupada porque ese uso sea responsable y garantista para los ciudadanos, pretendiendo ser con ello pionera en la creación de regímenes normativos fiables.

4.2. La regulación de la IA aplicada a la sanidad en relación con la ciudad inteligente

Como suele suceder en derecho, la sociedad ha cambiado (habiendo adaptado su estilo de vida a las nuevas tecnologías y a la IA), pero la norma aún no lo ha hecho. Como sabemos, es habitual que la regulación vaya siempre un paso por detrás de cualquier cambio que se produzca. Este hecho no sería un problema si no se viera tan lejos una regulación eficaz para estos sistemas. Y es que parece que hay un consenso generalizado no escrito de no regularizar todo lo relacionado con la IA y que hoy supone situaciones que inundan nuestras vidas y nuestras conductas. A continuación se ofrece una breve visión de la situación actual, aplicable al caso del que trata la presente comunicación: la sanidad en el ámbito de la ciudad inteligente.

4.2.1. El protagonismo de la Ética en esta nueva realidad

Continuando con la idea que se apuntaba en la introducción, si bien es cierto que hace poco tiempo hemos asistido a una regulación bastante exhaustiva de un área que está estrechamente relacionada con la IA (los datos), aún no existe una normativa vinculante para el resto de materias que rodean a esta "nueva" ciencia, pero sí existe, en el contexto de la UE, un intento por entrar a regular las implicaciones que la aplicación de la IA podría tener en diversos campos (lo cual se describirá brevemente en el apartado siguiente). La idea generalizada es que, como los sistemas de IA van a ser muy útiles ahorrando costes, facilitando la realización de tareas que hasta ahora eran repetitivas, y, en definitiva, haciéndonos la vida más fácil, no es preciso "bloquear" su investigación con normas que provoquen que el avance tecnológico sea más lento.

Para solventar esta situación en Europa, la UE comenzó planteándose medios alternativos para intentar que se cumplan unos estándares mínimos con respecto a los ciudadanos. No obstante, este proceder de la UE planteaba ciertas dudas sobre si realmente merecía la pena hacer esfuerzos en crear unas normas de carácter ético cuyo cumplimiento no es obligatorio y que, por ello, ni siquiera garantizarían *per se* el respeto a los derechos fundamentales que en ocasiones se vulneran con la aplicación de la IA (partiendo de la base de que existen cuerpos normativos, tanto a nivel estatal como de la UE e internacional, que promulgan el respeto a los derechos fundamentales de forma vinculante, *v.gr.* la Constitución Española, la Carta de los Derechos Fundamentales o la Declaración Universal de los Derechos Humanos). En este sentido se pronuncia la profesora Dª Montserrat Pereña Vicente:

> La ética no es suficiente. La ética es necesaria pero sólo será eficaz si está incorporada a normas jurídicas, ya que el Derecho es el garante del respeto de los valores éticos que deben así transitar del ámbito de las declaraciones, reconocimientos, cartas o normas de "soft law" hacia el de las normas jurídicas vinculantes, en las que cada supuesto de hecho tiene una consecuencia jurídica y el Estado, y no los actores implicados en el desarrollo de la IA, ha de velar para que se cumplan[34].

Siguiendo con esta línea, aunque más enfocado en la gestión de la Administración Pública ante el impacto de las nuevas tecnologías y más concretamente, ante la IA, se pronuncia también el profesor D. Carles Ramió, quien ve un riesgo en la toma de control, desde el punto de vista normativo, de las empresas[35]:

> Hoy en día, la Administración pública posee unos déficits tan enormes, se ve lastrada por tantas losas institucionales y corporativas que carece de la agilidad y de la inteligencia necesarias para poder ejercer este papel de metagobernador. Por ejemplo, una alianza entre Google, Amazon, Facebook y algunas otras empresas similares es más potente ágil, posee más información e inteligencia que cualquier poder público del mundo

---

[34]   PEREÑA VICENTE, M. (2020). "Robots inteligentes y personalidad jurídica: dilemas éticos y jurídicos". OTROSÍ, *Revista del Colegio de Abogados de Madrid, 7ª Época*, pág. 30.

[35]   RAMIÓ, Carles y SALVADOR, M. (2018). *La nueva gestión del empleo público: Recursos humanos e innovación de la Administración*. Barcelona: Tibidabo Ediciones.

o incluso ante una eventual y difícil agregación de estos poderes públicos. Estas empresas van a ejercer, si no lo hacen ya, de directores de una orquesta en la que el poder público, en el mejor de los casos, sólo puede aspirar a ser un solista destacado; y en el peor, a ser un músico más de los muchos que posee esta orquesta que es la gobernanza[36].

Quizás es por estos motivos por los que actualmente ya se ha planteado una propuesta de regulación a la que se hará referencia en el apartado siguiente.

En el ámbito de la regulación sanitaria, los problemas existentes son los mismos que los mencionados. No existe una regulación específica que rija la forma de intervenir de los sistemas de IA en la sanidad, ni a nivel estatal, ni europeo, ni mucho menos, a nivel Comunidades Autónomas. Lo que sí existe (además de la ya mencionada propuesta de regulación) y se está promoviendo a nivel europeo son comunicaciones y recomendaciones de la UE en las que se indica el modo de enfrentarnos a este nuevo reto desde perspectivas éticas no vinculantes. Son instrumentos denominados de *"soft law"* que no restringen la actividad investigadora (entre otras) de las empresas dedicadas a estos sectores. El *"soft law"* es una técnica legislativa que está siendo muy utilizada en la actualidad, sobre todo para cuestiones relacionadas con la IA. El Diccionario Panhispánico del español jurídico de la Real Academia de la Lengua Española la define como:

> Conjunto de normas o reglamentaciones no vigentes que pueden ser consideradas por los operadores jurídicos en materias de carácter preferentemente dispositivo y que incluye recomendaciones, dictámenes, códigos de conducta, principios, etc. Influyen asimismo en el desarrollo legislativo y pueden ser utilizadas como referentes específicos en la actuación judicial o arbitral[37].

En contraposición a las posturas anteriormente mencionadas, encontramos autores más favorables a la actuación que está llevando a cabo la UE:

---

36 RAMIÓ, C. (2019). *Inteligencia artificial y administración pública. Robots y humanos compartiendo el servicio público*. Madrid: Catarata, pág. 34.

37 Real Academia Española. (s f.). Definición de soft law - En *Diccionario Panhispánico del español jurídico*. Recuperado el 25 de julio de 2021, de https://dpej.rae.es/lema/soft-law.

Ante la dificultad para adoptar normas y que no devengan obsoletas al poco tiempo, otro recurso importante para facilitar la adaptación del ordenamiento jurídico son los instrumentos de "soft law". Un buen ejemplo es la labor que lleva a cabo el Comité Europeo de Protección de Datos o la Agencia Española con sus guías e informes, los cuales aportan seguridad jurídica. Como se ha señalado, hay acuerdo de que en ciertos campos son necesarias las menos leyes posibles, porque en materia fluctuante y siempre singular, como es la IA, no se presta a un tratamiento uniforme[38].

Continuando con la idea del *"soft law"*, la UE ha emitido numerosas comunicaciones estableciendo una serie de pautas para poder mantener un respeto mínimo a los derechos fundamentales de las personas y un mínimo orden jurídico a pesar de los cambios en la sociedad.

En su Comunicación COM (2018) 237 final, denominada "Inteligencia Artificial para Europa" anunciaba la elaboración de unas directrices éticas en relación con la IA "como primer paso para responder a las preocupaciones relacionadas con las cuestiones éticas[39]" y además marcaba un camino a seguir para que la UE no se quedara rezagada en el avance tecnológico, mediante el que se pretendía que se "potenciara la capacidad tecnológica e industrial de la UE e impulsar la adopción de todos los ámbitos de la economía[40]". Con esta propuesta la UE pretende ser competitiva en una materia en la que potencias como EE. UU. o China, están unos pasos por delante. La UE promueve la investigación y la innovación sobre IA, el incremento de volumen de datos para así tener mayor superficie sobre la que avanzar en IA, y para ello necesita promover y atraer inversiones que apoyen estas investigaciones. Además en este camino, como medidas un tanto sociales, pretende que la IA llegue a todos

---

[38]   CÁRCAR BENITO, J. E. (2019). La Inteligencia Artificial (IA): Aplicación Jurídica y regulación en los Servicios de Salud. En *Extraordinario XXVIII Congreso 2019: Ética, innovación y transparencia en salud*, pág. 272.

[39]   Comisión Europea, UE Comunicación de 25 de abril de 2018 sobre "Inteligencia artificial para Europa", *Diario Oficial de las Comunidades Europeas*, COM/2018/237 final, pág. 17.

[40]   Comisión Europea, UE Comunicación de 25 de abril de 2018 sobre "Inteligencia artificial para Europa", *Diario Oficial de las Comunidades Europeas*, COM/2018/237 final, pág. 4.

los ciudadanos de la UE, que su uso se extienda a todos los niveles y evitar que ciertos colectivos queden rezagados en su aplicación. Con la mencionada Comunicación, la UE pretendía movilizar a los Estados miembro para que desarrollaran estrategias relacionadas con la IA, pero de forma supervisada para que el conjunto de la UE avanzara al mismo ritmo.

En su Comunicación COM (2019)168 final, denominada "Generar confianza en la IA centrada en el ser humano", la UE pretendía aclarar y complementar la comunicación referida en el párrafo anterior, dejando claro que el ser humano es el protagonista del cambio en favor de la IA, ya que será el mayor beneficiario de su implantación. Para suplir esa carencia que tenía la COM (2018) 237, en esta nueva comunicación daba unas pautas para que la IA fuera fiable y así generara confianza en los ciudadanos para utilizarla. Los requisitos que entendía la UE que eran indispensables para entender que la IA era fiable son los siguientes: intervención y supervisión humanas; solidez y seguridad técnicas; privacidad y gestión de datos; transparencia; diversidad, no discriminación y equidad; bienestar social y medioambiental; rendición de cuentas.

Justo esos siete requisitos son los que se incluían en las Directrices Éticas para una IA fiable emitidas por el Grupo de Expertos de Alto nivel sobre IA designado por la Comisión Europea. El mencionado Grupo deja claro que se centran en el marco ético, no en el normativo, haciendo un enfoque que busque "beneficiar, empoderar y proteger tanto la prosperidad humana a nivel individual como el bien común[41]".

El esquema que plantea este grupo para conseguir una IA fiable es el siguiente:

---

[41]   Grupo Independientes de Expertos de alto nivel sobre IA constituido por la Comisión Europea, U. (2019). Directrices Éticas para una IA Fiable, pág. 6. Recuperado de: https://ec.europa.eu/digital-single-market/en/high-level-expert-group-artificial-intelligence.

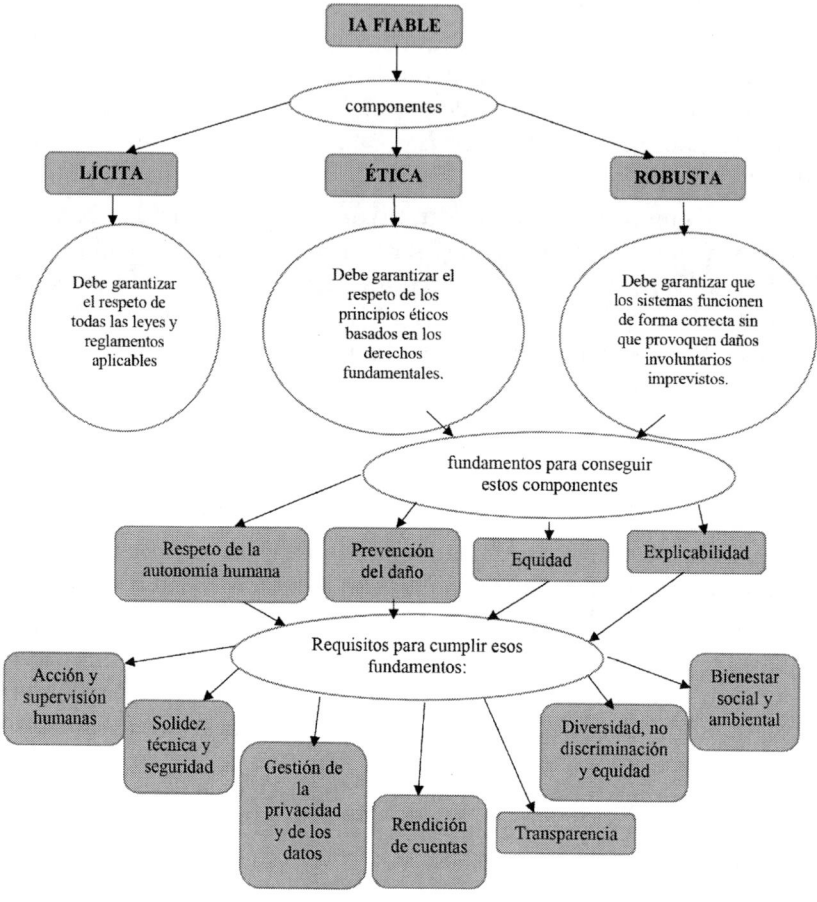

Los siete requisitos antes mencionados son igualmente relevantes para llevar a cabo la finalidad que persigue la UE. No obstante, creo que gana una especial importancia, para el asunto tratado en la presente comunicación, el de transparencia. Este requisito está vinculado al principio de explicabilidad y trata de garantizar que los usuarios de IA tengan a su disposición toda la información sobre los elementos que componen ese sistema que está utilizando, es decir, los datos utilizados para desarrollar el sistema, el algoritmo utilizado para su desarrollo y el modelo de negocio utilizado para comercializarlo. Los expertos disgregan este requisito en tres partes: la trazabilidad, que es la capacidad de tener a disposición del usuario los conjuntos de datos, algoritmos y demás procesos que dan lugar a la decisión final del sistema de IA; la explicabilidad, que es la capacidad de poder explicar de una forma comprensible para todos, los procesos técnicos llevados a cabo por el sistema de IA; y la comunicación, que no es más que el hecho de poner en conocimiento de los usuarios que están interactuando con sistemas de IA.

Como bien indica el documento sobre una IA fiable, todas las consideraciones en él recogidas no son relativas a normativa, sino que son meras consideraciones basadas en los derechos fundamentales promulgados por la UE. Es por ello por lo que habría que plantearse cómo hacer que todos estos requisitos se integren en los nuevos sistemas: si mediante normas vinculantes o bien mediante el propio código fuente del algoritmo desarrollado para el sistema de IA. La forma debe ser la que proporcione al ciudadano un acceso más fácil al ejercicio de sus derechos frente a la administración que ha hecho uso de un determinado sistema de IA.

4.2.2. La última propuesta de regulación de la UE

Recientemente (el 21 de abril de 2021) el Parlamento Europeo y el Consejo Europeo han emitido una propuesta de Reglamento por el que se establecen normas armonizadas en materia de IA (Ley de Inteligencia Artificial). Como bien indica su título, este documento es tan solo una propuesta de regulación, pero es mucho más de lo que se había avanzado hasta ahora en materia de regulación de esta tecnología[42].

La propuesta de reglamento contiene una serie de definiciones de elementos relevantes en la aplicación de la IA que son útiles para determinar el ámbito de aplicación del mismo. Como aspecto destacado, esta propuesta también contiene un listado de los sistemas de IA cuyo uso queda prohibido, se trata de una lista tasada con posibilidad

---

[42] Parlamento Europeo. (2021). Propuesta de Reglamento del Parlamento Europeo y del Consejo de 21 de abril de 2021, por el que se establecen normas armonizadas en materia de IA (Ley de IA) y se modifican determinados actos legislativos de la Unión. *Diario Oficial de las Comunidades Europeas, COM (2021) 206 final*, 1-120.

de revisión. Uno de los aspectos que más puede llamar la atención es la prohibición de los sistemas de identificación biométrica, para casos muy concretos como son los que se produzcan en espacios de acceso público con fines de aplicación de la ley[43]. Por otro lado, reconoce la

---

[43] Artículo 5 de la propuesta de reglamento:
"1. Estarán prohibidas las siguientes prácticas de inteligencia artificial:
a) La introducción en el mercado, la puesta en servicio o la utilización de un sistema de IA que se sirva de técnicas subliminales que trasciendan la conciencia de una persona para alterar de manera sustancial su comportamiento de un modo que provoque o sea probable que provoque perjuicios físicos o psicológicos a esa persona o a otra.
b) La introducción en el mercado, la puesta en servicio o la utilización de un sistema de IA que aproveche alguna de las vulnerabilidades de un grupo específico de personas debido a su edad o discapacidad física o mental para alterar de manera sustancial el comportamiento de una persona que pertenezca a dicho grupo de un modo que provoque o sea probable que provoque perjuicios físicos o psicológicos a esa persona o a otra.
c) La introducción en el mercado, la puesta en servicio o la utilización de sistemas de IA por parte de las autoridades públicas o en su representación con el fin de evaluar o clasificar la fiabilidad de personas físicas durante un período determinado de tiempo atendiendo a su conducta social o a características personales o de su personalidad conocidas o predichas, de forma que la clasificación social resultante provoque una o varias de las situaciones siguientes:
i) un trato perjudicial o desfavorable hacia determinadas personas físicas o colectivos enteros en contextos sociales que no guarden relación con los contextos donde se generaron o recabaron los datos originalmente;
ii) un trato perjudicial o desfavorable hacia determinadas personas físicas o colectivos enteros que es injustificado o desproporcionado con respecto a su comportamiento social o la gravedad de este.
d) El uso de sistemas de identificación biométrica remota «en tiempo real» en espacios de acceso público con fines de aplicación de la ley, salvo y en la medida en que dicho uso sea estrictamente necesario para alcanzar uno o varios de los objetivos siguientes:
i) la búsqueda selectiva de posibles víctimas concretas de un delito, incluidos menores desaparecidos;
ii) la prevención de una amenaza específica, importante e inminente para la vida o la seguridad física de las personas físicas o de un atentado terrorista;
iii) la detección, la localización, la identificación o el enjuiciamiento de la persona que ha cometido o se sospecha que ha cometido alguno de los delitos mencionados en el artículo 2, apartado 2, de la Decisión Marco 2002/584/JAI del Consejo62, para el que la normativa en vigor en el Estado miembro implicado imponga una pena o una medida de seguridad privativas de libertad cuya duración máxima sea al menos de tres años, según determine el Derecho de dicho Estado miembro.

existencia de sistemas de IA de alto riesgo, que son aquellos que reúnen las condiciones de:

---

2. El uso de sistemas de identificación biométrica remota «en tiempo real» en espacios de acceso público con fines de aplicación de la ley para conseguir cualquiera de los objetivos mencionados en el apartado 1, letra d), tendrá en cuenta los siguientes aspectos:
a) la naturaleza de la situación que dé lugar al posible uso, y en particular la gravedad, probabilidad y magnitud del perjuicio que se produciría de no utilizarse el sistema;
b) las consecuencias que utilizar el sistema tendría para los derechos y las libertades de las personas implicadas, y en particular la gravedad, probabilidad y magnitud de dichas consecuencias.
Además, el uso de sistemas de identificación biométrica remota «en tiempo real» en espacios de acceso público con fines de aplicación de la ley para cualquiera de los objetivos mencionados en el apartado 1, letra d), cumplirá salvaguardias y condiciones necesarias y proporcionadas en relación con el uso, en particular en lo que respecta a las limitaciones temporales, geográficas y personales.
3. Con respecto al apartado 1, letra d), y el apartado 2, cualquier uso concreto de un sistema de identificación biométrica remota «en tiempo real» en un espacio de acceso público con fines de aplicación de la ley estará supeditado a la concesión de una autorización previa por parte de una autoridad judicial o una autoridad administrativa independiente del Estado miembro donde vaya a utilizarse dicho sistema, que la otorgarán previa solicitud motivada y de conformidad con las normas detalladas del Derecho interno mencionadas en el apartado 4. No obstante, en una situación de urgencia debidamente justificada, se podrá empezar a utilizar el sistema antes de obtener la autorización correspondiente, que podrá solicitarse durante el uso o después de este.
La autoridad judicial o administrativa competente únicamente concederá la autorización cuando esté convencida, atendiendo a las pruebas objetivas o a los indicios claros que se le presenten, de que el uso del sistema de identificación biométrica remota «en tiempo real» es necesario y proporcionado para alcanzar alguno de los objetivos que figuran en el apartado 1, letra d), el cual se indicará en la solicitud. Al pronunciarse al respecto, la autoridad judicial o administrativa competente tendrá en cuenta los aspectos mencionados en el apartado 2.
4. Los Estados miembros podrán decidir contemplar la posibilidad de autorizar, ya sea total o parcialmente, el uso de sistemas de identificación biométrica remota «en tiempo real» en espacios de acceso público con fines de aplicación de la ley dentro de los límites y en las condiciones que se indican en el apartado 1, letra d), y los apartados 2 y 3. A tal fin, tendrán que establecer en sus respectivos Derechos internos las normas detalladas necesarias aplicables a la solicitud, la concesión y el ejercicio de las autorizaciones a que se refiere el apartado 3, así como la supervisión de estas. Dichas normas especificarán también para cuáles de los objetivos enumerados en el apartado 1, letra d), y en su caso en relación

– Estar destinado a ser utilizado como componente de seguridad de uno de los productos contemplados en la legislación de armonización de la Unión [...];

– y que el producto del que el sistema de IA es componente de seguridad o el propio sistema de IA como producto, deba someterse a una evaluación de la conformidad realizada por un organismo independiente para su introducción en el mercado o puesta en servicio[44].

Asimismo, el apartado segundo del artículo 6 en el que se mencionan estas condiciones también señalan como sistemas de alto riesgo (citaré sólo el grupo en el que se engloban):

1. Identificación biométrica y categorización de personas físicas [...];
2. Gestión y funcionamiento de infraestructuras esenciales [...];
3. Educación y formación profesional [...];
4. Empleo, gestión de los trabajadores y acceso al autoempleo [...];
5. Acceso y disfrute de servicios públicos y privados esenciales y sus beneficios [...];
6. Asuntos relacionados con la aplicación de la ley [...];
7. Gestión de la migración, el asilo y el control fronterizo [...];
8. Administración de justicia y procesos democráticos [...][45];

Pero, a pesar de catalogarlos como de alto riesgo, no prohíbe su uso, sino que los somete a un control durante toda su vida útil basado en el cumplimiento por parte de cada partícipe de la cadena de valor, de una serie de requisitos y evaluaciones sin que todos estos deban ser cumplimentados por cada uno de ellos, sino que tendrán obligaciones específicas. Estas obligaciones comprenderán el cumplimiento de requisitos en cuento a los datos (que cumplan ciertos estándares de calidad, revisión de posibles sesgos, etc.); transparencias (en cuanto al funcionamiento del sistema y a la identidad del proveedor); cumplimentación de la llamada "reserva de humanidad" (esto es que exista una persona que esté capacitada para controlar riesgos generados por el sistema y poder mitigarlos en su caso). Además también se propone la inscripción de los mismos en una base de datos a nivel europeo,

---

con cuáles de los delitos indicados en su inciso iii), se podrá autorizar que las autoridades competentes utilicen esos sistemas con fines de aplicación de la ley".

[44]   Artículo 6.1 de la propuesta de reglamento.
[45]   Anexo III de la propuesta de reglamento.

de forma previa a su introducción en el mercado[46], así como una superación de test de conformidad y obtención de la correspondiente certificación.

La propuesta hace hincapié en principios sobre los que, a lo largo de los últimos años, se ha ido incidiendo por su relevancia y necesidad de cara a proteger a los usuarios. Un ejemplo de ellos es el principio de transparencia, así como la seguridad y protección a los usuarios.

Esta propuesta de regulación es aún lo que su propia denominación indica, una mera propuesta y por ello las consecuencias de su aplicación están lejos de ser aún comprobadas, pues quedan muchos obstáculos que sortear para su aprobación. Sin embargo, es un paso de gigante sobre el que todos los Estados miembro pueden trabajar en una misma dirección y que puede llegar a ser pionera en todo el mundo.

4.2.3. Un apunte sobre la protección del ciudadano ante las AAPP, ¿nuevas garantías?

Entrando en el ámbito de las garantías de los ciudadanos respecto de la Administración Pública, actualmente, desde la perspectiva de la gestión de la Administración, en España conviven varios sistemas. Este hecho, que es mucho más palpable en el ámbito sanitario, no implica que la gestión de la Administración sea peor o menos eficiente. Hay expertos que la apoyan, pero que ven en el momento actual, con la irrupción de la "cuarta revolución industrial", una oportunidad para poner en orden los sistemas de gestión y para que el sistema público otorgue a los usuarios, los ciudadanos, "mayor calidad institucional[47]".

Es importante resaltar este aspecto, puesto que, independientemente del modo de gestión (directa, indirecta, institucional o conjunta[48]) imperante en una determinada actividad llevada a cabo por la

---

[46] Artículo 51 de la propuesta de Reglamento y artículo 60 en lo que se refiere a la base de datos europea.

[47] RAMIÓ, C. (2019). *Inteligencia artificial y administración pública. Robots y humanos compartiendo el servicio público*. Madrid: Catarata, pág. 41.

[48] Modelos de gestión del contrato de servicios regulados en la Ley 9/2017 de 8 de noviembre de Contratos del Sector Público.

Administración Pública, siempre rige el derecho del ciudadano a una buena administración. Este derecho se ha ido consagrando de una forma más técnica en los últimos años, hasta tal punto que en el artículo 41 de la Carta de Derechos Fundamentales de la UE[49] se recogían una serie de obligaciones para las instituciones públicas derivadas de este derecho de buen gobierno.

Pero la regulación de este derecho no se ha visto suscrita exclusivamente a la normativa europea, sino que también se ha abordado desde los sectores autonómicos, encontrándose el mismo recogido en diversos Estatutos de Autonomía de la denominada nueva generación[50]. El derecho a una buena administración es un derecho extensible a cualquier tipo de administración, con independencia del tipo de gestión que impere en la misma.

La buena administración, implica que el ciudadano pueda valorar y evaluar, a través de los mecanismos legalmente establecidos, la actividad llevada a cabo por la Administración en cualquiera de sus

---

[49]   Artículo 41: "Derecho a una buena administración.
1. Toda persona tiene derecho a que las instituciones y órganos de la Unión traten sus asuntos imparcial y equitativamente y dentro de un plazo razonable.
2. Este derecho incluye en particular: el derecho de toda persona a ser oída antes de que se tome en contra suya una medida individual que le afecte desfavorablemente; el derecho de toda persona a acceder al expediente que le afecte, dentro del respeto de los intereses legítimos de la confidencialidad y del secreto profesional y comercial; la obligación que incumbe a la administración de motivar sus decisiones.
3. Toda persona tiene derecho a la reparación por la Comunidad de los daños causados por sus instituciones o sus agentes en el ejercicio de sus funciones, de conformidad con los principios generales comunes a los Derechos de los Estados miembros.
4. Toda persona podrá dirigirse a las instituciones de la Unión en una de las lenguas de los Tratados y deberá recibir una contestación en esa misma lengua".

[50]   Por ejemplo, la última reforma del Estatuto de Autonomía para Andalucía recoge en su artículo 31 este derecho:
"Se garantiza el derecho a una buena administración, en los términos que establezca la ley, que comprende el derecho de todos ante las Administraciones Públicas, cuya actuación será proporcionada a sus fines, a participar plenamente en las decisiones que les afecten, obteniendo de ellas una información veraz, y a que sus asuntos se traten de manera objetiva e imparcial y sean resueltos en un plazo razonable, así como a acceder a los archivos y registros de las instituciones, corporaciones, órganos y organismos públicos de Andalucía, cualquiera que sea su soporte, con las excepciones que la ley establezca".

ámbitos. Para que este derecho se gestione de una forma adecuada, se hace uso de otras garantías que se ven subsumidas por ésta pero que no son equitativas. Así pues, la transparencia garantiza, en la medida en la que permite que los ciudadanos sean partícipes de las decisiones tomadas por la Administración, que ésta cumpla con sus funciones de forma correcta, evitando la corrupción, los sistemas clientelares y la prevaricación[51].

Esta garantía que se le otorga a los ciudadanos rige, para todos los ámbitos de la administración, ya sea en el ámbito de la sanidad pública, ya sea a nivel local. Con el cambio de paradigma social al implantarse en las ciudades la IA, se plantea la duda de si sería conveniente modificar el planteamiento de derechos y garantías existente hasta hoy en día y adaptarlo a la nueva realidad. A pesar de la diversidad de opiniones con relación a la regulación que indicaba en el epígrafe anterior, parece que hay unanimidad en cuanto al mantenimiento de las garantías existentes[52], pero ¿se deberían ampliar?

Como se indicaba previamente, la UE no quiere "entrometerse" en cuestiones internas de cada Estado, pero sí que da unas pautas éticas para concienciar de esta forma a los Estados miembros sobre el respeto a los derechos fundamentales y para moverles a realizar cambios en sus sistemas.

Para finalizar, creo que sería conveniente dejar apuntadas algunas cuestiones en este sentido que son tendencia en cuanto a temas a tratar en el ámbito del Derecho administrativo: ¿quedan recogidos los requisitos promulgados por el grupo de expertos en el derecho de los ciudadanos a la buena administración? ¿necesitaríamos ampliar nuestro sistema de control con vistas a poder controlar los algoritmos creadores de IA aplicables en la Administración Pública? ¿debería existir un organismo que de oficio controle las decisiones tomadas

---

[51]   PONCE SOLÉ, J. (2018). "La prevención de riesgos de mala administración y corrupción, la Inteligencia Artificial y el derecho a una buena administración". *Revista Internacional de Transparencia e Integridad (RITI)*, 6, páginas 5-6.

[52]   CÁRCAR BENITO, J. E. (2019). La Inteligencia Artificial (IA): Aplicación Jurídica y regulación en los Servicios de Salud. En *Extraordinario XXVIII Congreso 2019: Ética, innovación y transparencia en salud* y PEREÑA VICENTE, M. (2020). "Robots inteligentes y personalidad jurídica: dilemas éticos y jurídicos". *OTROSÍ, Revista del Colegio de Abogados de Madrid, 7ª Época.*

por un sistema de IA en el ámbito de la Administración Pública y que controle también los datos utilizados por estos sistemas? ¿cómo se podría asegurar la posición de la Administración desde la perspectiva de la regulación y la preservación de las garantías de los ciudadanos ante la palpable falta de conocimientos sobre la materia?

5. CONCLUSIONES

Los sistemas de IA aplicados en los ámbitos locales, si se instauran en la forma adecuada, pueden generar ciudades muy funcionales, ambientalmente sostenibles y con innumerables beneficios para los ciudadanos que las habitan. No obstante, estos sistemas, sea cual sea el ámbito territorial o el sector en el que se aplique, traen consigo grandes dilemas normativos porque han cambiado el paradigma del comportamiento social regulado.

Una gran parte de las normas vigentes en la actualidad no son aplicables a los sistemas de IA porque no contemplan los supuestos que provocan este tipo de tecnología. Los algoritmos que contienen el lenguaje básico para que el programa informático desarrollado se ejecute correctamente, son estructuras complejas que muy pocas personas son capaces de comprender. Además de ello, conllevan un problema aparejado que son los sesgos en los datos utilizados para configurar los algoritmos. Si bien es cierto que sí existe una regulación más profunda y uniforme respecto de los datos tanto a nivel estatal como a nivel comunitario, su uso por los algoritmos es complejo. Es preciso que para el desarrollo de estos sistemas se utilicen datos de calidad, que no contengan sesgos para evitar resultados discriminatorios. Es en este aspecto en el que la ciudad inteligente puede ser muy útil para la sanidad, puesto que los datos que pueda proporcionar la misma seguramente tengan una calidad superior a los datos que hasta ahora mismo se manejan. Sin embargo, en aras de otorgar un ambiente seguro para la implantación de esta tecnología, es necesario que la Administración Pública siga manteniendo el estatus actual de único ente regulador y garante de los derechos fundamentales. Este puede ser uno de los mayores retos a los que nos enfrentamos puesto que actualmente, la Administración carece de conocimientos y medios para controlar esta tecnología y así poder proteger a los ciudadanos.

Los problemas aparejados al uso de estas nuevas tecnologías son diversos y se pueden enfocar desde muchas perspectivas, como por ejemplo el tema de la contratación pública. La pretensión última de este capítulo es poner de manifiesto las actuaciones que ha estado llevando a cabo la UE con relación a la IA y ver qué implicaciones tienen las mismas en el ámbito de la sanidad incardinado en la ciudad inteligente. Los resultados son breves pero considero que se dejan apuntadas cuestiones muy interesantes para continuar profundizando en el tema y sobre las que contrastar opiniones porque aún queda mucho por hacer y aún más que reflexionar.

BIBLIOGRAFÍA

Libros, artículos de revista y otros

CÁRCAR BENITO, J. E. (2019). La Inteligencia Artificial (IA): Aplicación Jurídica y regulación en los Servicios de Salud. En *Extraordinario XXVIII Congreso 2019: Ética, innovación y transparencia en salud*, (págs. 265-277). Bilbao.

CERRILLO I MARTÍNEZ, A. (2019). "El impacto de la inteligencia artificial en el derecho administrativo ¿nuevos conceptos para nuevas realidades técnicas". *Revista General de Derecho Administrativo*, 50, 1-38.

CONFERENCIA DE LAS NACIONES UNIDAS sobre la vivienda y el desarrollo urbano sostenible. (2015). Documento temático sobre ciudades inteligentes. *Hábitat III*, págs. 1-3.

COTINO HUESO, L. (2019). "Riesgos e impactos del Big Data, la Inteligencia Artificial y la Robótica. Enfoques, modelos y principios de la respuesta del derecho". *Revista General de Derecho Administrativo*, 50, 1-37.

ESTEVA, A., KUPREL, B., NOVOA, R. A., KO, J., SWETTER, S. M., BLAU, H. M. y THRUN, S. (2017). "Dermatologist-level classification of skin cancer with deep neural networks". *Nature*, 542(7639), 115-118 [en línea]. [Consulta: 12 de junio de 2021]. Disponible en: https://doi.org/10.1038/nature21056.

HUERGO LORA, A. (2021). Una aproximación a los algoritmos desde el derecho. En G. M. Díaz González (Coord.), *La regulación de los algoritmos* (págs. 23-87).

LEÓN-RODRÍGUEZ, H. (2019). "Sistema Macro y Micro robótico para aplicaciones médicas". *Revista de Tecnología*, 16(2), 104-113.

PEREÑA VICENTE, M. (2020). "Robots inteligentes y personalidad jurídica: dilemas éticos y jurídicos". *OTROSÍ, Revista del Colegio de Abogados de Madrid*, 7ª Época, 28-31.

PIÉDROLA GIL, G.; FERNÁNDEZ-CREHUET NAVAJAS, J.; GESTAL OTERO, J. J.; DELGADO RODRÍGUEZ, M.; BOLÚMAR MONTRULL, F.; HERRUZO CABRERA, R.; SERRA MAJEM, L. y RODRÍGUEZ ARTALEJO, F. (2016). *Medicina preventiva y salud pública. Elsevier España SLU* (12ª Edición). Madrid. Recuperado de ClinicalKey, 1-1.150.

PONCE SOLÉ, J. (2018). "La prevención de riesgos de mala administración y corrupción, la Inteligencia Artificial y el derecho a una buena administración". *Revista Internacional de Transparencia e Integridad (RITI)*, 6, 1-19.

PONCE SOLÉ, J. (2019). "Inteligencia artificial, Derecho administrativo y reserva de humanidad: algoritmos y procedimiento administrativo debido tecnológico". *Revista General de Derecho Administrativo*, 50, 1-52.

RAMIÓ, C. (2019). *Inteligencia artificial y administración pública. Robots y humanos compartiendo el servicio público.* Madrid: Catarata.

RAMIÓ, Carles y SALVADOR, M. (2018). *La nueva gestión del empleo público: Recursos humanos e innovación de la Administración.* (Tibidabo Ediciones, Ed.). Barcelona: Tibidabo Ediciones.

VALERO TORRIJOS, J. (2019). "Las garantías jurídicas de la inteligencia artificial en la actividad administrativa desde la perspectiva de la buena administración". *Revista Catalana de Dret Públic*, 58, 82-96.

VELASCO RICO, C. I. (2019). "La ciudad inteligente: entre la transparencia y el control". *Revista General de Derecho Administrativo*, 50, 1-29.

Normativa

International Organization for Standardization. (2012). ISO 8373 *Robots and robotic devices*. Recuperado el 13 de junio de 2021, desde: https://www.iso.org/obp/ui/#iso:std:iso:8373:ed-2:v1:en

Carta de los Derechos Fundamentales. (s.f.). Recuperado 26 de julio de 2021, de https://eur-lex.europa.eu/legal-content/ES/TXT/HTML/?uri=LEGISSUM:l33501&from=ES

Comisión Europea, UE (2012). Informe de 6 de diciembre de 2012, "Plan de acción sobre la salud electrónica 2012-2020: atención sanitaria innovadora para el siglo XXI". *Diario Oficial de las Comunidades Europeas*, COM/2012/736 final, págs. 1-17.

Comisión Europea, UE Comunicación de 25 de abril de 2018 sobre "Inteligencia artificial para Europa", *Diario Oficial de las Comunidades Europeas*, COM/2018/237 final, págs. 1-22.

Comisión Europea, UE Comunicación de 8 de abril de 2019 sobre "Generar confianza en la inteligencia artificial centrada en el ser humano", *Diario Oficial de las Comunidades Europeas*, COM/2019/168 final, págs. 1-11.

Grupo Independientes de Expertos de alto nivel sobre IA constituido por la Comisión Europea, UE (2019). Directrices Éticas para una IA Fiable, 1-52.

Ley Orgánica 2/2007, de 19 de marzo, de reforma del Estatuto de Autonomía para Andalucía, *Boletín Oficial del Estado, 68*, de 20 de marzo de 2007, págs. 11871-11909.

Ley 9/2017, de 8 de noviembre, de Contratos del Sector Público, por la que se transponen al ordenamiento jurídico español las Directivas del Parlamento Europeo y del Consejo 2014/23/UE y 2014/24/UE, de 26 de febrero de 2014. *Boletín Oficial del Estado 272*, de 9 de noviembre de 2017, págs. 107714-108007. https://www.boe.es/boe/dias/2017/11/09/pdfs/BOE-A-2017-12902.pdf

Parlamento Europeo. (2021). Propuesta de Reglamento del Parlamento Europeo y del Consejo de 21 de abril de 2021, por el que se establecen normas armonizadas en materia de IA (Ley de IA) y se modifican determinados actos legislativos de la Unión. *Diario Oficial de las Comunidades Europeas, COM (2021) 206 final*, 1-120.

Parlamento Europeo. (2021). Anexos de la Propuesta de Reglamento del Parlamento Europeo y del Consejo de 21 de abril de 2021, por el que se establecen normas armonizadas en materia de IA (Ley de IA) y se modifican determinados actos legislativos de la Unión. *Diario Oficial de las Comunidades Europeas, COM (2021) 206 final*, 1-18.

Unión Europea. (2000). *Carta de los Derechos Fundamentales de la Unión Europea*.

Recursos web

Ciencia de datos, machine learning y deep learning | datos.gob.es. (s. f.). Recuperado el 13 de junio de 2021, desde: https://datos.gob.es/es/blog/ciencia-de-datos-machine-learning-y-deep-learning

Real Academia Española (s.f.). Definición de soft law - *Diccionario panhispánico del español jurídico* - RAE. Recuperado 25 de julio de 2021, de https://dpej.rae.es/lema/soft-law

Sánchez Braun, A. (16 de marzo de 2020). El método de Corea del Sur para vencer al coronavirus: de 909 casos diarios a 74. *La Vanguardia* [en línea]. [Consulta: 24 de marzo de 2020]. Recuperado de: https://www.lavanguardia.com/vida/20200316/474191370262/coronavirus-corea-del-sur-metodo.html

La salud digital: la convergencia de la salud, la tecnología y los pacientes en la sociedad digital[1]

MIGUEL ÁNGEL NAVAS MARTÍN
Sociólogo y Máster en Comunicación y Educación en Red
Escuela Nacional de Sanidad
Instituto de Salud Carlos III

TERESA CUERDO VILCHES
Dra. Arquitecta. Máster en Gamificación y Narrativa Transmedia. Instituto
de Ciencias de la Construcción Eduardo Torroja IETcc-CSIC. Consejo Superior
de Investigaciones Científicas (CSIC)

SUMARIO: 1. DE LA SOCIEDAD INDUSTRIAL A LA SOCIEDAD DIGITAL. 2. EL USUARIO EN LA SOCIEDAD DIGITAL. 2.1. Políticas públicas en la Sociedad de la Información (SI). 2.2. El ciudadano digital del siglo XXI. 3. LA DIGITALIZACIÓN DE LA SALUD EN LA SOCIEDAD DIGITAL. 4. LA SALUD (DIGITAL) EN LA SOCIEDAD DIGITAL. 4.1. El paciente 2.0 en la sociedad digital. 5. LOS RIESGOS DE LA SALUD DIGITAL. 6. LOS RETOS Y DESAFIOS DE LA SALUD DIGITAL. 6.1. La inteligencia artificial en el ámbito sanitario. 6.2. La cadena de bloque o blockchain aplicado a la salud. 6.3. La vivienda conectada en la sociedad digital. 6.4. La consulta invertida o cómo repensar un nuevo modelo de atención sanitaria. 6.5. La gamificación aplicada a la salud.

Nos encontramos en un nuevo modelo de sociedad. Hemos dejado atrás una sociedad industrial, pasando a una sociedad postindustrial. En este nuevo contexto social, la transformación digital ha alterado las dimensiones sociales, éticas y políticas. Nos encontramos con un nuevo usuario, más conectado y más capacitado para la gestión de la información. Si un ámbito ha tenido especial relevancia en la sociedad digital, ese ha sido la salud. La digitalización de la salud ha transformado los sistemas sanitarios, ha fomentado un nuevo tipo de paciente y ha cambiado la relación entre profesionales y usuarios de los sistemas sanitarios, además de ser pionero en muchos casos, llegando a inspirar a otras disciplinas. La salud digital afronta nuevos retos, desafíos y amenazas en la nueva sociedad digital.

---

[1]   Publicación realizada en el marco de la Red temática de Inteligencia Artificial Aplicada a la salud Acción D-6, Universidad de Málaga, Plan Propio de Investigación de la UMA.

1. DE LA SOCIEDAD INDUSTRIAL A LA SOCIEDAD DIGITAL

La evolución de una sociedad industrial basada en una economía de producción manufacturada a una sociedad postindustrial basada en la producción de servicios es un hecho (Coll Morales, 2020; Westreicher, 2020). En esta transición, además de caracterizarse por el desplazamiento de los trabajadores que pasaron del sector industrial al sector de servicios, destaca por la implantación de la tecnología (Rodríguez Ávila, 2008). La irrupción de las nuevas tecnologías produjo un cambio en los sistemas económicos y las estructuras sociales, provocando un revulsivo abrupto y radical, o lo que es lo mismo, una revolución. Son tres las revoluciones industriales que precedieron a la sociedad actual, las cuales se comprendieron entre el siglo XVIII y el siglo XX. Si sólo tenemos en cuenta el factor innovador, la primera revolución se caracterizó por la invención de la máquina de vapor, la segunda revolución por el uso de la electricidad y la tercera por el surgimiento de la informática. El economista alemán Klaus Schwab, propone una cuarta revolución que se caracteriza por el uso de Internet y el desarrollo tecnológico (Schwab, 2016).

El cambio de la segunda a la tercera revolución industrial supuso también la transición del modelo de sociedad, con el cambio de una sociedad industrial a una sociedad postindustrial. Son diversos los nombres que se refieren a este nuevo modelo de sociedad: sociedad de la información, sociedad del conocimiento, sociedad-red y sociedad digital (Ballesteros Jaraiz et al., 2018).

La sociedad de la información se caracteriza por el uso de las nuevas tecnologías de la información y de la comunicación (TIC), como son los ordenadores, los teléfonos móviles e Internet, entre otros (Ruiz de Querol y Buira, 2007). La irrupción de las TIC, supuso un desafío para la humanidad. Esto originó una cumbre mundial sobre la sociedad de la información organizado por las Naciones Unidas (UN) y la Unión Internacional de Telecomunicaciones (IUT). Esta cumbre se llevó a cabo en dos fases, una en 2003 en Ginebra y otra en el 2005 en Túnez, estableciendo las bases para el desarrollo sostenible y el respeto de los derechos humanos (Unión Internacional de Telecomunicaciones, 2004). La sociedad del conocimiento (SC) según la UNESCO, es más completa que la sociedad de la información (SI), pues si bien la SI se centra más en la gobernanza y las infraestructuras, es decir, en los progresos tecnológicos, en cambio la SC transciende a las dimensiones sociales, éticas y políticas (UNESCO, 2005). La SI y SC se han utilizado cómo sinónimos. El sociólogo Manuel Castells propone una denominación, sociedad-red, que es una nueva forma de organización social y se caracteriza por el uso de las TIC basadas en la microelectrónica (Castells, 2006).

En el contexto presente, es más habitual referirnos a la sociedad actual como sociedad digital. En la sociedad digital lo que ha supuesto un cambio realmente, ha sido la forma de acceder, consumir y producir contenidos. El usuario se activa, deja de ser un usuario pasivo que se limitaba a consultar la información y ahora, además de consumirla la produce. Las herramientas para la creación de contenidos son ahora más sencillas, accesibles y transparentes. Esto además, ha ocasionado el aumento de las relaciones entre los usuarios (Silva Robles *et al.*, 2012), lo cual, unido a la transformación digital en la que nos encontramos inmersos, está provocando cambios disruptivos en nuestras vidas y nuestra forma de trabajar (Fundación Telefónica, 2020). Si en la sociedad-red estamos conectados a la red, en la sociedad digital vivimos en la red. Hemos creado un espacio virtual en nuestras vidas, dónde además de estar conectadas las personas, también lo están los dispositivos inteligentes. Los servicios básicos y las relaciones personales son digitales o virtuales (Polo Roca, 2020).

En España, si tenemos en cuenta el Índice de Economía y Sociedad Digital (DESI), en 2020 ocupó el undécimo lugar entre los 28 Estados miembros del ranking con 57,5 puntos por encima de la media europea, situada en 52,6, según el grado de competitividad digital (Comisión Europea, 2020). El DESI, se basa en el uso de cinco indicadores —conectividad, capital humano, uso de Internet, integración de la tecnología digital y servicios públicos digitales— (Gobierno de España. Portal administración electrónica, n.d.).

2. EL USUARIO EN LA SOCIEDAD DIGITAL

2.1. *Políticas públicas en la Sociedad de la Información (SI)*

Con el cambio de modelo sociedad y la irrupción de las TIC, fueron las Administraciones públicas las que empezaron a incluir políticas públicas para favorecer el desarrollo tecnológico en el nuevo contexto económico, político y social. El primer país en desarrollar un Plan Tecnológico fue Estados Unidos en 1993. A este nuevo plan se le conoció por su principal valedor, el entonces vicepresidente Al Gore. Junto al Plan Gore, justo al año siguiente en 1994, Europa desarrolló el Plan Delors para afrontar los retos sociales que supondría la sociedad de la información en el siglo XXI (Rodríguez Cela, 2005). A lo largo de este tiempo han sido diversas las iniciativas políticas llevado a cabo por la Unión Europea (UE) para el desarrollo en la SI. Una de las primeras iniciativas fue el plan de acción eEurope 2002, que tenía como objetivos: mejorar la conectividad, capacitar a las personas y fomentar el uso de Internet (Caridad-Sebastián et al., 2011).

El desarrollo de la SI sigue siendo una prioridad para la UE, con el objetivo de relanzar la economía europea estableció una Agenda Digital para fomentar el uso de las tecnologías digitales a los ciudadanos y empresas de los países miembros (Unión Europea, 2014).

En España, fueron diversos los programas que el gobierno español realizó para el avance digital. Programas como Info XXI, el Plan Avanza, España.es, y Agenda Digital han permitido una mejora en la infraestructuras, digitalización, formación y mejora de Administración pública (Gobierno de España. Ministerio de Asuntos Económicos y Transformación Digital, 2020). Algunos cosecharon más éxitos que otros. Así, por ejemplo, en la actualidad, según el DESI, España con respecto a la conectividad se sitúa el 5° puesto con 60,8 puntos por encima de la media europea (50,1). En relación al uso de servicios de internet, España se encuentra en el puesto 11 con 60,8 puntos, mejorando la media europea (58,0). Con respecto a los servicios públicos digitales España ocupa el segundo lugar (87,3) siendo uno de los re ferentes de la Unión Europea (la media se sitúa en 72) en la relación entre ciudadanos, sector público y privado de forma electrónica. En cambio, con respecto al capital humano, indicador que se relaciona con las competencias digitales se sitúa en el puesto 16 con 47,6 puntos, estando por debajo de la media europea (49,3). Actualmente el gobierno español tiene como objetivo mejorar esta capacitación (Comisión Europea, 2020).

Sin duda alguna, el principal reto de las Administraciones públicas es la capacitación de la Sociedad. Podemos disponer del acceso y medios, pero si la sociedad no es capaz de utilizar estos medios, para nada habrá servido todo el desarrollo tecnológico y de las infraestructuras para integrar a la ciudadanía en un nuevo mundo digital.

2.2. *El ciudadano digital del siglo XXI*

En España, en el 2020, el 95,3% de hogares disponen de acceso a Internet, siendo la banda ancha el principal tipo de conexión. Asimismo, con respecto al uso de Internet, tanto los menores (10 a 15 años) con un 94,5%, como los adultos (16 a 74 años), un 93,2%, han utilizado Internet en los últimos tres meses. En cambio, si desglosamos los grupos por edad, según vamos avanzando el porcentaje de uso se sitúa por debajo de la media, siendo los grupos de edad entre 55 a 64 años con 89,5% y de 65 a 74 años con 69,7% los que más diferencias presentaron en el uso de Internet en los tres últimos meses (Instituto Nacional de Estadística. INE, 2020).

Un indicador para conocer si los ciudadanos están preparados o no para su integración en la sociedad digital, es el indicador global de competencias digitales. Este indicador se basa en la capacidad de manejo de la información (manejo de ficheros, interactuar con la Administración pública de forma electrónica o buscar información sobre bienes, servicio o salud), de comunicaciones en entornos digitales (uso del correo electrónico, uso de redes sociales, realizar videollamadas, llamadas o subir contenido a la red), la resolución de problemas a través de herramientas digitales (pasar contenidos de un ordenador a otro dispositivo, instalar programas y aplicaciones informáticas, comprar, vender, usar recursos educativos o acceder al banco electrónico) y programas informáticos (uso de programas ofimáticos, edición de imagen y/o vídeo, creación de presentaciones con elementos multimedia, usar funciones avanzadas en hojas cálculos o uso de lenguaje de programación). Para ello establece tres niveles de tipos de competencias: ninguna, básicas o avanzadas (Velasco *et al.*, 2021).

En España, en 2020 según el informe de Velasco *et al.*, el 64,6% de los internautas que utilizaron Internet en los últimos 3 meses declararon tener competencias digitales básicas y avanzadas. Sólo el 1,7% declaró no tener ninguna competencia. Si tenemos en cuenta el nivel de competencia más alto (avanzadas), a nivel del manejo de la información (84,8%) y de comunicación (83,5%) la mayoría de los usuarios reconocen tener un nivel alto. En cambio, en relación a la resolución de problemas el porcentaje baja al 67,9%, siendo aún más bajo en el caso del uso de programas informáticos con el 49,4%. Asimismo, en el mismo informe, en el análisis sociodemográfico de la población según el nivel de competencias digitales, si tenemos en cuenta el grupo de edad, el perfil de personas que poseen competencias digitales avanzadas sobresalen los más jóvenes (entre 16 a 24 años). En cambio, el perfil de la población que tienen competencias digitales más bajas son personas mayores de 55 años, y son los mayores de 65 años los que representan más a las personas que no poseen competencias (Velasco *et al.*, 2021).

El surgimiento de la Web 2.0, proporcionó a los internautas un conjunto de herramientas que facilitaban la participación en Internet. Esto supuso un cambio disruptivo. Antes, la creación y la gestión de los contenidos las realizaban los administradores de los sitios webs. Ahora con la Web 2.0, son todos los usuarios los que pueden participar en la producción y gestión de los contenidos (Santiago Campión y Navaridas Nalda, 2012). Esto impulsó el liderazgo de los más jóvenes en la distribución de contenidos, permitiéndole una emancipación digital de sus padres, por no tener que depender de ellos para el uso de Internet. Son muchas las generaciones y tipología de usuarios que se han ido identificando desde el surgimiento de Internet (Herrero-Diz *et al.*, 2016). Entre ellas, están los llamados nativos e inmigrantes digitales.

A nivel generacional, podemos diferenciar dos grandes grupos: los nacidos durante las décadas de los 80 o 90, que poseen una facilidad innata para el manejo tecnológico con respecto a los nacidos con anterioridad a 1980 (Ferrer-Mico, 2012). Estos jóvenes son denominados nativos digitales, que han crecido en un entorno tecnológico y cuyo lenguaje materno son los ordenadores, videojuegos e Internet. Prefieren las imágenes mas que lo textos. Por su parte, los inmigrantes digitales serían todos aquellos que se han incorporado con posterioridad al mundo digital, pero que sienten fascinación e interés por la tecnología, habiendo experimentado un proceso de adaptación a la misma. El inmigrante digital prefiere imprimir el correo electrónico o documento para verlo que leerlo en pantalla, o bien prefiere acercarse al despacho de un compañero de trabajo para enseñarle un sitio Web en vez de enviar un correo facilitando el enlace (Prensky, 2001).

3. LA DIGITALIZACIÓN DE LA SALUD EN LA SOCIEDAD DIGITAL

Uno de los grandes hitos del desarrollo tecnológico entre la combinación de la computación y las telecomunicaciones, ha sido la digitalización. La digitalización básicamente es el paso de cualquier señal analógica en datos digitales (Serrano Santoyo *et al.*, 2010). Así, la información de imágenes, textos y sonidos se codifican por bits. Un bit es la unidad mínima de información y que almacena un único valor que puede ser uno o cero (Portugal Iglesias, 2017). La digitalización ha supuesto una transformación de la realidad económica, social y política mundial. A nivel de consumo, a modo de ejemplo, hemos pasado de escuchar música en un disco de vinilo o en una cinta de casete, pasando por escucharla en un reproductor mp3 a escuchar música por streaming.

La innovación tecnológica a través de la digitalización ha supuesto un cambio en la sociedad, tanto en ámbito del consumo cómo en el ámbito laboral. Si la digitalización ha supuesto un cambio en la forma de consumir contenidos, los usuarios acceden a Internet, escuchan música o ven vídeos en línea, utilizan las redes sociales para interactuar con otros usuarios. También en el ámbito laboral ha supuesto un cambio en la forma de trabajar y de la organización del trabajo. La digitalización permite la deslocalización del lugar de trabajo, siendo el teletrabajo la modalidad de trabajo referente. Asimismo, el trabajar desde cualquier lugar, hace que la movilidad sea una característica fundamental en la nueva forma de trabajo, otorgando libertad a los trabajadores (Cedrola Spemolla, 2017).

La Comisión Europea publicó un Eurobarómetro especial en 2017 para conocer las opiniones de los ciudadanos europeos sobre el impacto de la digitalización y la automatización en la vida diaria. Con respecto a los servicios de atención médica en línea, una minoría (18%) de los encuestados europeos respondieron que los habían utilizado en los últimos 12 meses. En España sólo el 29% utilizaron el servicio de atención médica en línea. En cambio, la mayoría de europeos (52%) reconocían que le gustaría tener acceso a sus registros médicos y de salud digitalmente, siendo mayor el interés de los ciudadanos españoles (62%). Asimismo, la mayoría de ciudadanos europeos compartirían sus datos de salud y bienestar con profesionales sanitarios (65%).

La gran mayoría de españoles (71%) serían también partidarios de compartir sus datos de salud (Comisión Europea, 2017).

En la actualidad, el Gobierno de España, dentro del proceso de digitalización nacional, ha puesto en marcha un proceso de digitalización a través de tres planes específicos dentro del marco de la Agenda Digital 2025. El Plan de Digitalización de PYMES (Gobierno de España, 2021b) para fomentar el crecimiento, competitividad e internacionalización del sector empresarial; el Plan de Digitalización de las Administraciones Públicas (Gobierno de España, 2021a) para facilitar un servicio público más sencillo, ágil y eficiente a los ciudadanos; y por último, un Plan Nacional de Competencias Digitales (Gobierno de España, 2021c) para reducir las brechas digitales y la capacitación de la ciudadanía en general.

En España, el proceso de aplicación de las TIC en el sector sanitario ha sido más lento con respecto a otros sectores como el comercio o la banca. La dificultad de llevarlo a cabo en todo el Sistema Nacional de Salud (SNS) debido a ser un proyecto de gran envergadura, unido a la necesidad de infraestructuras básicas a gran escala, hace que el proceso de informatización sea más dificultoso que en otros ámbitos. Entre los logros que se han ido alcanzando en el SNS destaca la implantación de la historia clínica electrónica (HSE). La HSE ha sido una de las prioridades de los servicios sanitarios en los últimos tiempos (Aleixandre-Benavent *et al.*, 2010).

La Federación española de empresas de tecnología sanitaria (FENIN) en colaboración con la Fundación COTEC, realizaron un informe para conocer el grado de madurez digital en los Servicios de Salud en España. Según el informe, el grado de madurez digital es bajo (31,7%). Si bien, a nivel de infraestructuras IT de salud (42,3%) y de profesionales (41,3%) se situaron en un nivel medio, en cambio a nivel da pacientes (22,8%) y de sistemas analíticos (17,8%) son bajos (Federación española de empresas de tecnología sanitaria, 2020).

La consultora Deloitte realizó cinco predicciones sanitarias para el 2025, dentro de la aceleración de la digitalización en salud. Según la consultora, el hogar será un factor clave para el cuidado y el seguimiento de los pacientes. En cambio, los hospitales estarán reservados para servicios asistenciales más específicos. Se impondrá la modalidad virtual de las consultas entre médicos y pacientes, estimándose que más de 70% de las consultas serán por videollamadas. Por último, los pacientes estarán más empoderados, teniendo mayor información de su estado de salud, perfil genético y futuras patologías (Deloitte, 2021).

La digitalización no sólo supone cambios evolutivos en los sistemas de salud, sino también transformadores. Son varios los ejemplos sobre cómo la digitalización ha permitido mejora la calidad de vida a los pacientes, además de reducir el gasto sanitario (Alarcón, 2014). Es el caso del Complejo Hospitalario de Navarra que ha implantado la plataforma SocialDiabetes para el control de los pacientes con diabetes a distancia sin necesidad de tener que acudir a la consulta (SocialDiabetes, 2021).

4. LA SALUD (DIGITAL) EN LA SOCIEDAD DIGITAL

Con el incremento de las necesidades de la salud mundial, el sector sanitario ha cambiado. Desde el comienzo de la medicina moderna en el siglo XVIII, la atención sanitaria se ha vuelto dependiente de las tecnologías, siendo mayor con la integración de las TIC y la infraestructura sanitaria (Syed-Abdul *et al.*, 2021). Con el surgimiento de la nueva sociedad digital, han surgido nuevas necesidades de los servicios sanitarios. Esto, unido además al empoderamiento de los pacientes, hace que sea necesario una actualización de los modelos y sistemas sanitarios.

Se denomina "salud digital" al ámbito de salud que utiliza las nuevas tecnologías de la información y comunicación para ampliar la atención sanitaria y los servicios de salud (Rivas, 2018). La salud digital amplía el concepto de cibersalud, pues además de incluir a los usuarios digitales en el uso de dispositivos inteligentes y conectados, también incluye otros usos de otras tecnologías, como son la Inteligencia Artificial, el Internet de las cosas, el Big Data o la robótica (OMS, 2020a).

El desarrollo de la salud digital ha sido impulsado por diferentes políticas públicas, viéndose como una oportunidad para resolver los grandes desafíos de la sociedad como son el envejecimiento de la población, aumento de las enfermedades crónicas y reducción de gasto público. La salud digital persigue una mayor eficiencia del sistema de salud y mejorar el acceso y la calidad de la atención sanitaria (Svalastog *et al.*, 2021).

La Organización Mundial de la Salud (OMS), considera que las tecnologías digitales pueden conseguir la cobertura sanitaria universal. Son diversas las iniciativas realizadas por la OMS, desde la elaboración de un manual de estrategias nacionales de cibersalud hasta un Atlas de Salud Digital (OMS, 2019). Actualmente, la OMS ha desarrollado un proyecto de estrategia mundial sobre salud digital, para que los Estados Miembros incluyan en su agenda política un plan estratégico para implantar los servicios de salud digital (OMS, 2020a). A través del proyecto, la OMS ha elaborado un documento definitivo sobre la Estrategia global de salud digital 2020-2025, alineado con la Agenda 2030 de Desarrollo Sostenible (WHO, 2021).

4.1. El paciente 2.0 en la sociedad digital

Antes de la Era Digital, los pacientes buscaban información sobre la salud en las bibliotecas, consultaban la Enciclopedia Médica Familiar o bien preguntaban a algún conocido o familiar para informarse. Ahora, los pacientes buscan información sobre su salud en Internet. Según la Asociación para la Investigación de Medios de Comunicación (AIMC), en su informe de marzo 2021 en España, entre las diferentes actividades que se ha realizado en Internet en los últimos 30 días, los internautas reconocieron utilizar la Red para la búsqueda de temas de salud con un 44,1%, siendo la décima tarea más realizada entre todas las actividades propuestas. Todos los participantes afirmaron disponer conexión de Internet desde casa. El 85,8% se habían accedido a una red social recientemente; casi la mitad (46,5%) poseen un nivel medio en conocimientos informáticos; la mayoría (92,2%) acceden casi constantemente o varias veces al día a Internet; al 59,3% les gusta leer la prensa de forma electrónica y sólo el 0,7% no poseen estudios (Asociación para la Investigación de Medios de Comunicación, 2021). Hablamos, por tanto, que los internautas están permanentemente conectados y utilizan los medios digitales como algo habitual en sus vidas. Si bien, no todos los usuarios acceden a Internet, ya sea por falta de infraestructura, de conocimientos informáticos, habilidades sociales o falta de interés (Instituto Nacional de Estadística, 2020).

La web 2.0 ha jugado un papel primordial en la integración del paciente en el uso de las nuevas tecnologías de la información y comunicación (TIC), permitiéndole a los pacientes buscar información y relacionarse con otros pacientes a través de ella (Oliver-Mora y Íñiguez-Rueda, 2017).

La relación del profesional sanitario con los pacientes ha cambiado. Hemos pasado de una relación paternalista a una relación centrada en los pacientes. Antes, los médicos eran los encargados de la planificación de los procedimientos diagnósticos y terapéuticos. Ahora los usuarios de los servicios sanitarios tienen el derecho de decidir sobre su propio cuidado (Svalastog *et al.*, 2021). Los avances tecnológicos y bioéticos han transformado las relaciones unidireccionales en bidireccionales (Navas Martín, 2020a; Svalastog *et al.*, 2021). Ahora la comunicación entre el paciente y el médico es en ambos sentidos. En el nuevo modelo de la atención centrada en el paciente, la información necesaria para poder establecer esa relación bidireccional, es necesario que el paciente adquiera el conocimiento fuera del sistema de salud, como es el mundo digital. Hemos pasado de recursos de información sin conexión (amigos o libros) a un entorno en línea con el panorama digital (Svalastog *et al.*, 2021).

También ha cambiado el tipo de paciente. El cambio de rol del paciente frente a la forma de recibir su atención médica, ha hecho que el paciente se preocupe por su salud, y quiera participar en el control de su propia enfermedad, esto es lo que se conoce como "paciente activo". Si además, el paciente tiene capacidades y competencias para gestionar su salud, hace que el paciente sea empoderado (Navas Martín, 2020b). El acceso a la información a través de las TIC ha propiciado un replanteamiento del cambio de relación entre profesionales sanitarios y pacientes, activando al paciente a través de elementos empoderadores. Esto hace también replantear la necesidad que los profesionales sanitarios utilicen herramientas de comunicación para fortalecer la nueva relación (Cruz Montoya *et al.*, 2019). Según el informe elaborado por el Observatorio Nacional de las Telecomunicaciones y de la Sociedad de la Información (ONTSI) en 2016 sobre opiniones y expectativas de los ciudadanos sobre el uso y aplicación de las TIC en el ámbito sanitario, el 37,3% de los participantes reconocieron que le gustaría comunicarse por correo electrónico con los profesionales sanitarios. Asimismo, reconocieron que le gustaría que por parte de los médicos se les recomendará algún dispositivo o aplicación (38,9%) y/o alguna página web (36,9%) (Observatorio Nacional de las Telecomunicaciones y de la Sociedad de la Información, 2016).

En la actualidad, el gobierno de España a través de la Agenda España Digital 2025, impulsará la Transformación Digital en el ámbito sanitario a través de la innovación, investigación, el servicio asistencial y el empoderamiento a la población para mejorar la calidad de vida de los pacientes. Entre las áreas como mayor capacidad de transformación destaca la Salud Digital. La estrategia transformadora gira en torno a tres ejes: la investigación (para mejorar y medir los resultados de salud y diseñar sistemas preventivos); la asistencia al paciente a través de herramientas automatizadas que le permita una mejor toma de decisiones y el empoderamiento, con herramientas como la telemedicina, además de la mejora de accesibilidad a las prestaciones o favorecer el autodiagnóstico (Gobierno de España. Ministerio de Asuntos Económicos y Transformación Digital, 2020).

5. LOS RIESGOS DE LA SALUD DIGITAL

En Internet no toda la información que está disponible es fiable (Navas-Martín, 2020). Cuando utilizamos un motor de búsqueda, utilizamos un buscador que nos facilita información de forma fácil y rápida en la Red (Navas-Martin et al., 2012), como Google. Para buscar información relativa a salud, entre los resultados que nos muestra aparecen desde enlaces de remedios caseros hasta empresas privadas, entre otros resultados (Navas-Martín, 2020). En Internet hay mucha información y esta información puede llegar a ser excesiva. Esto puede ser perjudicial tanto para los profesionales de la salud como a los pacientes. Este fenómeno es lo que se conoce como infoxicación. La infoxicación es el exceso de información o intoxicación de información (Cornella, 1999). Este exceso de información puede provocar angustia, porque hay tanta información que ya no se la puede asimilar o por no sentirse en condiciones de encontrar la información buscada, y de esta manera el exceso de información incapacita para tomar decisiones sensatas, y entonces provoca un aumento del estrés (Cornella, 2002; Franganillo, 2010). Pero no únicamente puede provocar angustia por la incapacidad de poder gestionar tal cantidad de datos, también puede afectar a la salud de los propios pacientes, pues existe una gran cantidad de información que carece base científica (Almodóvar *et al.*, 2018). Esta cantidad tan amplia de resultados, puede suponer un problema de exceso de información, si los contenidos no tienen validez ni calidad. En la Red, hay información fraudulenta o engañosa, siendo un problema mayor cuando afecta a la salud de las personas (Navas-Martín, 2020). Cuando esa información es potencialmente engañosa, hablamos de "infodemia" (WHO, 2021). La infodemia se caracteriza por ser información falsa y errónea, con intereses determinados para deslegitimar las intervenciones de salud pública. Durante el tiempo de pandemia por la COVID-19, con una sociedad conectada y con gran presencia en las redes sociales, la infodemia se ha visto amplificada(OMS, 2020c).

Las principales recomendaciones para combatir la infodemia son siete: (1) evaluar la fuente, es decir, de dónde procede la información. (2) no conformarse con los titulares, hay que leer la noticia completa. (3) identificar al autor, y comprobar si la autoría es real. (4) comprobar la fecha, mirar que la información sea reciente. (5) examinar las pruebas aportadas, ver si la información estar respaldada. (6) Olvidar los prejuicios, en particular los que puedan influir en su propia opinión. (7) consultar a instituciones que verifican la información, contraste en instituciones que se encargan de verificar los contenidos (OMS, 2020b).

Pero no sólo la información supone un riesgo, también el uso que se haga de los datos personales, en particular con los datos relativos a la salud. En España, la protección de datos es un derecho fundamental que está recogido en la Constitución Española (CE) en los artículos 18.1 y 18.4 (Ávalos Giménez y Fernández García, 2020). En Europa, a través del nuevo Reglamento General de Protección de Datos (RGPD), que entró en vigor el 24 de mayo de 2016, y tiene como objetivo fortalecer los derechos fundamentales de los ciudadanos en la sociedad digital (Comisión Europea, n.d.). La propia RGPD tipifica la información de salud como información sensible, por lo que los datos deben estar especialmente protegidos.

Cada vez va más en aumento el número de ataques contra los sistemas sanitarios. En el caso de EEUU, se calcula que, en los últimos cinco años, se ha producido un aumento del 125% de ciberataques, afectando a uno de cada tres ciudadanos (Zubieta, 2018). Recientemente, son varios los hospitales que han sido atacados por piratas informáticos para robar o secuestrar información, en la mayoría de los casos con intereses económicos, como son los casos producidos en Estados Unidos (BBC, 2016), Francia (Morán, 2021), España (Ortega Dolz y Pérez Colomé, 2020) o Alemania, provocando en este caso el fallecimiento de un paciente (Carbajosa y Pérez Colomé, 2020). Unido, además, a la hiperconectividad de los sistemas sanitarios, hace que la tendencia a recibir ataques vaya aumentando con el paso del tiempo. Así, por ejemplo, en el ámbito de la atención médica, se estima que las empresas de tecnología médica fabrica cerca de más de 500.000 dispositivos médicos. En EEUU, se estima que los hospitales tienen un promedio de 10-15 dispositivos conectados por cama hospitalaria. La creciente interconectividad de los dispositivos, el uso de conexiones remotas, unido a la falta de presupuestos y recursos de ciberseguridad, hacen que el sector de salud especialmente vulnerable (European Union Agency for Cybersecurity, 2020).

6. LOS RETOS Y DESAFIOS DE LA SALUD DIGITAL

6.1. La inteligencia artificial en el ámbito sanitario

La Inteligencia Artificial (IA) o Artificial Intelligence en su denominación en inglés, se considera cualquier tecnología que permita a los ordenadores imitar la inteligencia humana (Microsoft, 2021). La IA está concebida para realizar tareas complejas, repetitivas o peligrosas para facilitarnos la vida diaria (Pombo *et al.*, 2018). Dentro de la IA se incluye el Aprendizaje Automático (AA) o Machine Learning. Es un subconjunto de la IA que se caracteriza por utilizar técnicas que permiten a las máquinas a mejorar las tareas a través del aprendizaje. Dentro del AA se incluye el Aprendizaje Profundo (AP) o Deep Learning. El AP es un subjconjunto del AA y se basa en el uso de redes neuronales para que la máquina se entrene a sí misma para realizar una tarea (Microsoft, 2021).

La Inteligencia Artificial (IA) es sin duda, unas de las tecnologías que está creciendo con mayor rapidez a lo largo de todo el planeta. Su versatilidad le hace ser una tecnología con aplicación en diversos ámbitos, como son la agricultura, la protección del medio ambiente o la sanidad, entre otros. En Europa se considera su aplicación como un objetivo estratégico. Es tal la relevancia, que la UE creó en 2018 la Estrategia y un Plan Coordinado de IA. En España, en 2019 se aprobó la Estrategia española de I+D+i en Inteligencia Artificial (Gobierno de España. Ministerio de Asuntos Económicos y Transformación Digital, 2020).

En el ámbito sanitario, son diversas sus aplicaciones, desde la creación de un asistente robótico para cirugía, permitiendo realizar operaciones sin necesidad que el paciente y el doctor se encuentren en el mismo sitio, hasta enfermeras virtuales que permiten hacer un seguimiento de sus pacientes a través de un dispositivo móvil con conexión a Internet para la toma de valores y mediciones que el paciente lo puede realizar desde su casa (D. N. Martínez García *et al.*, 2019).

6.2. La cadena de bloque o blockchain aplicado a la salud

El blockchain es una estructura de datos que permite realizar un asiento digital de transacciones compartida a través de una red distribuida. Las operaciones son registradas con criptografía para asegurar la transacción de forma segura. El blockchain también se le conoce como cadena de bloques, por ser la forma en que se almacenan las transacciones (Pombo *et al.*, 2018). La consultora Gartner incluye el blockchain como una de las 10 tendencias tecnológicas para el 2020 (Panetta, 2019). Se calcula que para el 2025 el blockchain obtenga en el mercado sanitario un valor de 5,61 mil millones de dólares (J. M. Martínez García y Pérez Campilla, 2021).

Son distintas las líneas de investigación basadas en la tecnología de blockchain en el sector de la salud. Entre sus posibles usos destaca su aplicación en los datos clínicos. Su principal funcionalidad es garantizar la integridad de los datos, además de asegurar la trazabilidad de los datos. Entre sus posibles aplicaciones destacan su uso en las historias clínicas o datos médicos. Asimismo, facilitará el intercambio de datos clínicos con fines de investigación, pues permitiría la comunicación más eficiente entre los profesionales y los pacientes. En relación a los pacientes, el blockchain permitirá a los pacientes ser los propietarios de sus propios datos y poder acceder a ellos desde cualquier sitio y en cualquier momento con total garantía. Asimismo, esta tecnología aportaría mayor seguridad al garantizar la privacidad y evitar accesos no deseados. También favorecerá a una mayor integración del ecosistema global de salud, permitiendo tener unificados los registros de salud. Por último, uno de los sectores más prometedores en el uso de esta tecnología es el sector farmacéutico, pues este sistema permitirá combatir contra la falsificación de los medicamentos, además de asegurar la trazabilidad de los productos, como son las vacunas (Elsevier, 2018).

6.3. *La vivienda conectada en la sociedad digital*

Según la Organización Mundial de la Salud (OMS), debido al aumento de la población y las consecuencias del cambio climático, la vivienda se considera elemento clave para la salud (OMS, 2018). Son varios los problemas más habituales asociados a la vivienda y la salud, principalmente la mala calidad de aire, la contaminación acústica o una temperatura inadecuada, y pueden generar o agravar enfermedades a los ocupantes de los hogares (Abellán García *et al.*, 2021). Según la consultora Deloitte, entre las cinco predicciones sobre el sector de la salud para el 2025, la vivienda será el lugar predominante para el cuidado y/o seguimiento habitual de la salud (Deloitte, 2021).

Durante la pandemia por COVID-19, la cuarentena domiciliaria ha sido la medida de salud pública más utilizada por la mayoría de los países. En España, fueron casi 4 meses lo que duró el confinamiento. Esto provocó una situación sin precedentes donde el hogar se convirtió en centro neurálgico en el que se desarrollaron todo tipo de actividades, desde el trabajo, ocio, convivencia, tareas ordinarias, extraordinarias (Cuerdo-Vilches *et al.*, 2020), estudio y descanso (Cuerdo-Vilches y Navas-Martín, 2021). El teletrabajo fue una de las consecuencias del confinamiento, no sólo como una forma de trabajo sino como medida preventiva para evitar los contagios con otros trabajadores (Cuerdo-Vilches *et al.*, 2021). No todas las personas han podido teletrabajar, según las características propias del tipo de trabajo, pues no todos los trabajos se pueden hacer a distancia, y ha sido fundamental disponer de equipamiento informático adecuado y conexión a Internet para trabajar desde casa.

Con la irrupción del Internet de las cosas, cada vez son más los internautas que utilizan dispositivos o sistemas conectados. Según la

ONTSI, el 79,5% de los internautas reconocen tener algún dispositivo conectado a Internet. Si bien, sólo el 31,1% conectaron un dispositivo de domótica en sus hogares (Observatorio Nacional de las Telecomunicaciones y de la Sociedad de la Información, 2021). Cada vez es más amplio el ecosistema de dispositivos conectables en el hogar, desde bombillas inteligentes, cámaras, hasta medidores de temperatura o de calidad de aire. Entre los dispositivos que poco a poco van formando parte del uso cotidiano, destacan en los últimos años los asistentes virtuales de voz. Según la AIMC, el 70,6% lo utilizan a través del teléfono móvil pero casi la mitad, el 46,2% utilizan un altavoz inteligente. Entre los asistentes virtuales más utilizados destacan el asistente de Google (47,7%), el asistente de Amazon (42%) y el asistente de Apple (33,8%). La mayoría de los participantes respondieron a la pregunta de nivel de satisfacción en el uso de estos asistentes (57,8%) mostraron estar satisfecho con su uso (Asociación para la Investigación de Medios de Comunicación, 2021).

La Asociación Española Contra el Cáncer (AECC), dentro del plan de digitalización, ha lanzado un proyecto que permite a través del asistente virtual Alexa de la empresa Amazon, ofrecer consejos de vida saludable. Según los datos ofrecidos por la AECC, se han ofrecido más de 6.000 consejos saludables en España. La Asociación estima que entre el 30 y 50% de los casos diagnosticados de cáncer pueden ser prevenibles llevando a cabo una vida saludable (Asociación Española Contra el Cáncer, 2021).

6.4. La consulta invertida o cómo repensar un nuevo modelo de atención sanitaria

Los profesionales sanitarios deben afrontar nuevos retos en el nuevo modelo de sociedad digital. Uno de ellos es mejorar la relación entre paciente y el profesional sanitario. Para ello, la mejor forma para fomentar la activación del paciente, que obtenga mayor autonomía, y sea partícipe en la toma de decisiones sobre salud, es a través de la consulta invertida (Navas Martín, 2020a). La consulta invertida consiste en que el paciente venga previamente informado sobre la atención que va a tener con el profesional sanitario. De esta forma, cuando el paciente acuda a consulta ya viene con un conocimiento que le permitirá establecer un dialogo con el profesional sanitario, de esta forma además de optimizar más el tiempo de la consulta, pues ya el profesional se centraría en las cuestiones importantes de la atención, también reduciría el miedo y/o ansiedad al propio paciente por desconocimiento (Navas Martín, 2020b).

La forma que tendrían los profesionales de la salud sería a través de la prescripción de enlaces o contenidos digitales. Principalmente, serían a través del uso de vídeos y de otros recursos digitales como pueden ser páginas webs, blogs o aplicaciones, entre otros. Estos contenidos deben de estar adaptados para el lenguaje de los pacientes. Cada vez son más los recursos destinados a la población en general, como, por ejemplo, las guías de información para pacientes realizadas por el Instituto Joanna Briggs en Adelaida. Estás guías han sido traducidas por el Centro Español para los cuidados de salud basados en la evidencia para su uso en España (Navas Martín, 2020a).

Son cada vez más los profesionales que cada día utilizan los contenidos digitales para informar a sus pacientes, siendo uno de ellos es el Dr. Neuhofel. El Dr. Neuhofel utiliza el video para explicar a sus pacientes la prueba de hemoglobina A1c. Además de ahorrar tiempo en explicar la prueba a sus pacientes, también permite a los pacientes poder ver el video las veces que sean necesarias hasta comprender el funcionamiento de la prueba (Oldenburg *et al.*, 2013).

6.5. *La gamificación aplicada a la salud*

La gamificación consiste en aplicar elementos y estrategias procedentes de los juegos en contextos no lúdicos (Werbach y Hunter, 2012). Utilizar el juego como estrategia es una solución apropiada para cualquier tipo de propuesta, solución o actividad. El juego no entiende de edades, a todas las personas le gusta jugar, por ello, son muchas las iniciativas en todos los ámbitos que utilizan la gamificación. La tecnología es sin duda el mejor aliado y el medio más adecuado para el desarrollo de las estrategias de gamificación (Elsevier, 2021). La empresa de consultoría e inteligencia de mercado Prescient y Strategic Intelligence Private Limited (P&S Intelligence), en el informe elaborado sobre el mercado de la gamificación, estimó que el mercado global de gamificación generará aproximadamente 65.000 millones de euros en ingresos en 2030. Asimismo, estimó que el mercado anual en el sector tendrá un incremento del 24,2% entre 2020-2030 (Prescient y Strategic Intelligence Private Limited, 2020).

La gamificación ha irrumpido en todos los sectores, podemos encontrar propuestas en el ámbito de la educación (Leal y de Castro Vila, 2020; Valda Sánchez y Arteaga Rivero, 2015) hasta en el ámbito de la edificación o gestión energética (Cuerdo-Vilches y Navas Martín, 2020; Cuerdo Vilches y Navas-Martín, 2015). Si bien, uno de los ámbitos que se está teniendo en cuenta la gamificación es la salud. Unido además al desarrollo tecnológico, son cada vez más las propuestas que utilizan elementos y estrategias gamificadas o también los "serious games" en la salud. Con el cambio de los principales riesgos para la salud en la sociedad, en particular en las sociedades occidentales, son las enfermedades crónicas las principales causas de muerte. Este motivo, junto al cambio en el estilo de vida de la sociedad actual, donde el sedentarismo es uno de los principales problemas, hace que la gamificación sea un elemento clave para fomentar el cambio de hábitos más saludables (Maturo y Moretti, 2018).

En la actualidad, existen una gran variedad de experiencias memorables (sean juegos, serious games o propuestas gamificadas) de salud para diferentes objetivos. Según los objetivos, estas experiencias están dirigidas a la educación, promoción y gestión de la salud. Podemos encontrar desde juegos serios para combatir la obesidad infantil, para incrementar la adherencia a tratamientos de cáncer infantil, comprender el funcionamiento de un antibiótico, o para conocer mejor la enfermedad de la diabetes, entre otros (Rivas, 2018).

BIBLIOGRAFÍA

ABELLÁN GARCÍA, A.; ACEITUNO NIETO, P.; ALLENDE, A.; ANDRÉS, A. DE; ARENILLAS, A.; BARTOMEUS, F.; BASTOLLA, U.; BENAVIDES, J.; CABAL, B.; CASTILLO BELMONTE, A. B.; CHICA LARA, A.; CHINER-OMS, Á.; CODERCH NEGRA, M. L.; COMAS, I.; CUERDO-VILCHES, T.; DAMBORENEA, J. DE; DOMINGO-CALAP, P.; DURÁN HERAS, M. Á.; ETXABE, J. y MARCO, J. (2021). Una visión global de la pandemia COVID-19: qué sabemos y qué estamos investigando desde el CSIC. In Informe elaborado desde la Plataforma Temática Interdisciplinar Salud Global/Global Health del CSIC. Consejo Superior de Investigaciones Científicas (España). http://hdl.handle.net/10261/236992.

ALARCÓN, G. (2014, mayo 8). La salud en la era digital. Nae. https://nae. global/es/la-salud-en-la-era-digital-2/.

ALEIXANDRE-BENAVENT, R.; FERRER-SAPENA, A. y PESET, F. (2010). Informatización de la historia clínica en España. Profesional de La Informacion, 19(3), 231-239. https://doi.org/10.3145/epi.2010.may.02.

ALMODÓVAR, R.; GRATACÓS, J. y ZARCO, P. (2018). Information needs of patients with spondyloarthritis about their disease. Reumatologia Clinica, 14(6), 367-371. https://doi.org/10.1016/j.reuma.2017.02.004.

ASOCIACIÓN ESPAÑOLA CONTRA EL CÁNCER (2021). Nota de prensa. La AECC llega a Alexa para ofrecer consejos de vida saludable. https://www.aecc.es/sites/default/files/content-file/NdP_AECC_llega_Alexa.pdf.

ASOCIACIÓN PARA LA INVESTIGACIÓN DE MEDIOS DE COMUNICACIÓN (2021). 23o Navegantes en la Red. Encuesta AIMC a usuarios de Internet. http://download.aimc.es/aimc/cc8ke5T/macro2020/.

ÁVALOS GIMÉNEZ, S. y FERNÁNDEZ GARCÍA, N. (2020). Evolución histórica del cumplimiento de la normativa de protección de datos en hospitales públicos de España. Ene, 14(1).

BALLESTEROS JARAIZ, A.; BORDIGNON, F.; DOMÍNGUEZ FIGAREDO, D.; FERNÁNDEZ, V.; GARCÍA, M.; SACRISTÁN LUCAS, A.; ROMÁN, M.; RUIZ GARCÍA, F.; SALA, I.; SANTOVEÑA CASAL, S. y TAMAYO, P. (2018). Sociedad digital, tecnología y educación. UNED.

BBC (2016, february 16). El hospital de Estados Unidos secuestrado por piratas informáticos - BBC News Mundo. BBC News Mundo. https://www.bbc.com/mundo/noticias/2016/02/160216_tecnologia_hospital_eeuu_hackers_ransomware_piratas_informaticos_lb

CARBAJOSA, A. y PÉREZ COLOMÉ, J. (2020, October 4). Ciberataque a un hospital alemán en tiempos de pandemia. El País. https://elpais.com/internacional/2020-10-03/ciberataque-a-un-hospital-aleman-en-tiempos-de-pandemia.html

CARIDAD-SEBASTIÁN, M.; MORALES GARCÍA, A. M. y GARCÍA LÓPEZ, F. (2011). Las políticas de información europeas como acción clave para el desarrollo de la ciencia de la información. Ciência Da Informação, 40(3), 439-459.

CASTELLS, M. (2006). La sociedad red: una visión global. Alianza Editorial.

CEDROLA SPEMOLLA, G. (2017). El trabajo en la era digital: Reflexiones sobre el impacto de la digitalización en el trabajo, la regulación laboral y las relaciones laborales. Relaciones Laborales y Revista Internacional y Comparada de Relaciones Laborales y Derecho Del Empleo, 5(1). http://ejcls.adapt.it/index.php/rlde_adapt/article/view/452.

COLL MORALES, F. (2020, December 22). Sociedad industrial. Economipedia. https://economipedia.com/definiciones/sociedad-industrial.html

COMISIÓN EUROPEA (n.d.). La protección de datos en la UE. Retrieved July 30, 2021, from https://ec.europa.eu/info/law/law-topic/data-protection/data-protection-eu_es

COMISIÓN EUROPEA (2017). Attitudes towards the impact of digitisation and automation on daily life. Eurobarometer. https://europa.eu/eurobarometer/surveys/detail/2160.

COMISIÓN EUROPEA (2020). Spain in the Digital Economy and Society Index. https://ec.europa.eu/newsroom/dae/document.cfm?doc_id=66959.

CORNELLA, A. (1999). Cómo sobrevivir a la infoxicación. Infonomia.Com.

CORNELLA, A. (2002). la gestión inteligente de la información en las organizaciones. Infonomia.Com, 11853.

CRUZ MONTOYA, M. J.; DURANTE MONTIEL, I.; HINCAPIÉ SÁNCHEZ, J. y FAJARDO DOLCI, G. E. (2019). La voz del paciente. Revista de La Facultad de Medicina, 62(6), 52-55. https://doi.org/10.22201/fm.24484865e.2019.62.6.08.

CUERDO-VILCHES, T. y NAVAS-MARTÍN, M. Á. (2021). Confined Students: A Visual-Emotional Analysis of Study and Rest Spaces in the Homes. International Journal of Environmental Research and Public Health, 18(11), 5506. https://doi.org/10.3390/ijerph18115506.

CUERDO-VILCHES, T.; NAVAS-MARTÍN, M. Á. y OTEIZA, I. (2020). A Mixed Approach on Resilience of Spanish Dwellings and Households during COVID-19 Lockdown. Sustainability, 12(23), 10198. https://doi.org/10.3390/su122310198.

CUERDO-VILCHES, T.; NAVAS-MARTÍN, M. Á. y OTEIZA, I. (2021). Working from Home: Is Our Housing Ready? International Journal of Environmental Research and Public Health, 18(14), 7329. https://doi.org/10.3390/IJERPH18147329.

CUERDO-VILCHES, T. y NAVAS MARTÍN, M. Á. (2020). Propuesta de participación activa del usuario a través de las TICs para alcanzar objetivos EECN. Prototipo App móvil en un edificio singular de Madrid. http://hdl.handle.net/10261/214788.

CUERDO VILCHES, M. T. y NAVAS-MARTÍN, M. (2015). User empowerment as environmental co-manager agent of a building through gamification. Universidad de Sevilla, Departamento de Construcciones Arquitectónicas I. https://idus.us.es/handle/11441/43512.

DELOITTE (2021). La aceleración de la digitalización en salud. https://www2.deloitte.com/es/es/pages/operations/articles/digitalizacion-sector-salud.html

ELSEVIER (2018, june 18). Blockchain, la revolución en la gestión de nuestros datos de salud. https://www.elsevier.com/es-es/connect/ehealth/blockchain-aplicaciones-salud

ELSEVIER (2021, january 21). Gamificación: posibilidades y ventajas de los videojuegos y otros enfoques "gamer" en el ámbito de la salud. https://www.elsevier.com/es-es/connect/ehealth/gamificacion-posibilidades-y-ventajas-de-los-videojuegos-y-otros-enfoques-gamer-en-el-ambito-de-la-salud

EUROPEAN UNION AGENCY FOR CYBERSECURITY (2020).Procurement Guidelines for Cybersecurity in Hospitals. https://www.enisa.europa.eu/publications/good-practices-for-the-security-of-healthcare-services

FEDERACIÓN ESPAÑOLA DE EMPRESAS DE TECNOLOGÍA SANITARIA (2020). Índice de Madurez Digital en Salud. https://cotec.es/proyecto/indice-de-madurez-digital-en-salud/1c0777c0-2451-4df4-8e34-933915f94daf

FERRER-MICO, T. (2012). Nativos digitales. Journal of Feelsynapsis, 2.

FRANGANILLO, J. (2010). La ansiedad informativa. Uno, 14. http://eprints.rclis.org/14717/

FUNDACIÓN TELEFÓNICA (2020). Sociedad digital en España 2019. Penguin Random House Grupo Editorial.

GOBIERNO DE ESPAÑA. Ministerio de Asuntos Económicos y Transformación Digital. (2020). España Digital 2025.

GOBIERNO DE ESPAÑA. Portal administración electrónica. (n.d.). Índice de Economía y Sociedad Digital (DESI). Retrieved July 17, 2021, from https://administracionelectronica.gob.es/pae_Home/pae_OBSAE/Posicionamiento-Internacional/Comision_Europea_OBSAE/Indice-de-Economia-y-Sociedad-Digital-DESI-.html

GOBIERNO DE ESPAÑA (2021a). Plan de Digitalización de las Administraciones Públicas 2021-2025. https://www.lamoncloa.gob.es/presidente/actividades/Documents/2021/270121-PlanDigitalizacionAdministracionesOptimizado.pdf

GOBIERNO DE ESPAÑA (2021b). Plan de Digitalización de PYMES 2021-2025. https://www.lamoncloa.gob.es/presidente/actividades/Documents/2021/270121-PlanDigitalizacionPYME01Optimizado.pdf.

GOBIERNO DE ESPAÑA (2021c). Plan Nacional de Competencias Digitales. https://www.lamoncloa.gob.es/presidente/actividades/Documents/2021/270121-PlanCompetenciasDigitales.pdf.

HERRERO-DIZ, P.; RAMOS-SERRANO, M. y NÓ, J. (2016). Los menores como usuarios creadores en la era digital: del prosumer al creador colaborativo. Revisión teórica 1972-2016. Revista Latina de Comunicación Social, 71, 1301-1322. https://doi.org/10.4185/RLCS-2016-1147.

INSTITUTO NACIONAL DE ESTADÍSTICA —INE— (2020). Nota de prensa. Encuesta sobre Equipamiento y Uso de Tecnologías de Información y Comunicación en los Hogares. https://www.ine.es/prensa/tich_2020.pdf

INSTITUTO NACIONAL DE ESTADÍSTICA (2020). Población que usa Internet (en los últimos tres meses). Tipo de actividades realizadas por Internet. https://www.ine.es/ss/Satellite?L=es_ES&c=INESeccion_C&cid=1259925528782&p=1254735110672&pagename=ProductosYServicios%2FPYSLayout

LEAL, G. G. y DE CASTRO VILA, R. (2020). Dispositivos Móviles en Educación Superior: La experiencia con Kahoot! Direccion y Organizacion, 70(70), 5-18. https://doi.org/10.37610/DYO.V0I70.565.

MARTÍNEZ GARCÍA, D. N.; DALGO FLORES, V. M.; HERRERA LÓPEZ, J. L.; ANALUISA JIMÉNEZ, E. I. y VELASCO ACURIO, E. F. (2019). Avances de la inteligencia artificial en salud. Dominio de Las Ciencias, ISSN-e 2477-8818, Vol. 5, No. 3, 2019 (Ejemplar Dedicado a: julio-septiembre), págs. 603-613, 5(3), 603-613. https://dialnet.unirioja.es/servlet/articulo?codigo=7154291&info=resumen&idioma=SPA

MARTÍNEZ GARCÍA, J. M. y PÉREZ CAMPILLA, L. (2021). La transformación del marketing sanitario: Cómo los datos son el petróleo del siglo XXI (ESIC Editorial).

MATURO, A. F. y MORETTI, V. (2018). Digital Health and the Gamification of Life: How Apps Can Promote a Positive Medicalization. In Digital Health and the Gamification of Life: How Apps Can Promote a Positive Medicalization. Emerald Publishing Limited. https://doi.org/10.1108/9781787543652.

MICROSOFT (2021, abril 11). Aprendizaje profundo frente a aprendizaje automático - Azure Machine Learning. https://docs.microsoft.com/es-es/azure/machine-learning/concept-deep-learning-vs-machine-learning

MORÁN, R. (2021, marzo 10). Tercer cíberataque contra un hospital francés en un mes. RFI. https://www.rfi.fr/es/francia/20210310-francia-tercer-cíberataque-contra-un-hospital-en-un-mes

NAVAS-MARTÍN, M. Á. (2020). Los riesgos en el manejo de la información sobre la salud en Internet: Enfermería Dermatológica, 14(39), 67-68. https://doi.org/10.5281/ZENODO.3780714.

NAVAS-MARTIN, M. Á.; ALBORNOS-MUÑOZ, L. y ESCANDELL-GARCÍA, C. (2012). Access to health information sources in spain. how to combat "infoxication". Enfermeria Clinica, 22(3). https://doi.org/10.1016/j.enfcli.2012.04.001.

NAVAS MARTÍN, M. Á. (2020a). La consulta invertida: empoderamiento de los pacientes a través de la prescripción de links. Evidentia: Revista de Enfermería Basada En La Evidencia, ISSN-e 1697-638X, Vol. 17, No.

17, 2020, 17(17), 17. http://ciberindex.com/index.php/ev/article/view/e12640.

NAVAS MARTÍN, M. Á. (2020b). Repensando un nuevo modelo de atención sanitaria: La consulta invertida como enfoque para el empoderamiento del paciente activo. Enfermería Dermatológica, 14(41), 52-54. https://doi.org/10.5281/zenodo.4503822.

OBSERVATORIO NACIONAL DE LAS TELECOMUNICACIONES Y DE LA SOCIEDAD DE LA INFORMACIÓN (2016). Los ciudadanos ante la e-Sanidad. Opiniones y expectativas de los ciudadanos sobre el uso y la aplicación de las TIC en el ámbito sanitario.

OBSERVATORIO NACIONAL DE LAS TELECOMUNICACIONES Y DE LA SOCIEDAD DE LA INFORMACIÓN (2021, mayo). Perfil sociodemográfico de los internautas. Análisis de datos INE 2020. https://www.ontsi.red.es/es/estudios-e-informes/Hogares-y-ciudadanos/perfil-sociodemografico-internautas-ine2020.

OLDENBURG, J.; CHASE, D.; CHRISTENSEN, K. y TRITLE, B. (2013). Engage! transforming healthcare through digital patient engagement. HIMSS Media.

OLIVER-MORA, M. y ÍÑIGUEZ-RUEDA, L. (2017). La contribución de las tecnologías Web 2.0 a la formación de pacientes activos. Ciência y Saúde Coletiva, 22, 901-910. https://doi.org/10.1590/1413-81232017223.08632015.

OMS (2018). Directrices de la OMS sobre vivienda y salud. https://apps.who.int/iris/bitstream/handle/10665/279743/WHO-CED-PHE-18.10-spa.pdf

OMS (2019, April 17). La OMS publica las primeras directrices sobre intervenciones de salud digital. Comunicado de Prensa. https://www.who.int/es/news/item/17-04-2019-who-releases-first-guideline-on-digital-health-interventions

OMS. (2020a). Proyecto de estrategia mundial sobre salud digital 2020-2025.

OMS (2020b, October 22). Aplanemos la curva de la infodemia. https://www.who.int/es/news-room/spotlight/let-s-flatten-the-infodemic-curve

OMS (2020c, October 23). Gestión de la infodemia sobre la COVID-19: Promover comportamientos saludables y mitigar los daños derivados de la información incorrecta y falsa. https://www.who.int/es/news/item/23-09-2020-managing-the-covid-19-infodemic-promoting-healthy-behaviours-and-mitigating-the-harm-from-misinformation-and-disinformation

ORTEGA DOLZ, P. y PÉREZ COLOMÉ, J. (2020, March 23). La policía detecta un ciberataque al sistema informático de los hospitales. El País. https://elpais.com/espana/2020-03-23/la-policia-detecta-un-ataque-masivo-al-sistema-informatico-de-los-hospitales.html

PANETTA, K. (2019, october 21). Gartner Top 10 Strategic Technology Trends for 2020. Garnet. https://www.gartner.com/smarterwithgartner/gartner-top-10-strategic-technology-trends-for-2020/

POLO ROCA, A. (2020). Sociedad de la Información, Sociedad Digital, Sociedad de Control. Inguruak. Revista Vasca de Sociología y Ciencia Política, 0(68). https://doi.org/10.18543/inguruak-68-2020-art05.

POMBO, C.; GUPTA, R. y STANKOVIC, M. (2018). Servicios sociales para ciudadanos digitales: Oportunidades para América Latina y el Caribe. https://doi.org/10.18235/0001105.

PORTUGAL IGLESIAS, R. (2017). Elaboración y modificación de imágenes u otros elementos gráficos. Ediciones Paraninfo.

PRENSKY, M. (2001). Digital Natives, Digital Immigrants Part 1. On the Horizon. https://doi.org/10.1108/10748120110424816.

PRESCIENT Y STRATEGIC INTELLIGENCE PRIVATE LIMITED (2020). Gamification Market Size, Share, Trends, Forecast to 2030. https://www.psmarketresearch.com/market-analysis/gamification-market

RIVAS, H. (2018). Digital Health: Scaling Healthcare to the World. Springer.

RODRÍGUEZ ÁVILA, N. (2008). Manual de sociología de las profesiones. Ediciones Universidad de Barcelona.

RODRÍGUEZ CELA, J. (2005). Sociedad del conocimiento y sociedad global de la información: Implantación y desarrollo en España Knowledge Society and Global Society of Information: Implantation and Development in Spain. Documentación de Las Ciencias de La Información, 28, 147-158. https://revistas.ucm.es/index.php/DCIN/article/view/DCIN0505110147A

RUIZ DE QUEROL, R. y BUIRA, J. (2007). La sociedad de la información. UOC.

SANTIAGO CAMPIÓN, R. y NAVARIDAS NALDA, F. (2012). La Web 2.0 en escena. Pixel-Bit. Revista de Medios y Educación, 41, 19-30. http://hdl.handle.net/11441/22655.

SCHWAB, K. (2016). La cuarta revolución industrial. Penguin Random House Grupo Editorial.

SERRANO SANTOYO, A.; CABRERA FLORES, M. R.; MARTÍNEZ MARTÍNEZ, E. y GARIBAY RUIZ, J. (2010). Digitalización y Convergencia Global. CONVER-GENTE.

SILVA ROBLES, C.; JIMÉNEZ MARÍN, G. y ELÍAS ZAMBRANO, R. (2012). De la información a la sociedad digital. Web 2.0 y redes sociales en el panorama mediático actual. Faro, 15.

SOCIALDIABETES (2021, April 12). Digitalizar la Diabetes. https://blog.socialdiabetes.com/digitalizar-la-diabetes/

SVALASTOG, A. L.; GAJOVIⵣ, S. y WEBSTER, A. (2021). Navigating Digital Health Landscapes. In Navigating Digital Health Landscapes. Springer. https://doi.org/10.1007/978-981-15-8206-6.

SYED-ABDUL, S.; ZHU, X. y FERNÁNDEZ-LUQUE, L. (2021). Digital Health: Mobile and Wearable Devices for Participatory Health. In Elsevier. Elsevier.

UNESCO. (2005). Hacia las sociedades del conocimiento. http://www.lacult. unesco.org/docc/2005_hacia_las_soc_conocimiento.pdf

UNIÓN EUROPEA (2014). Agenda Digital para Europa. https://europa.eu/european-union/file/1501/download_es?token=7ts4y-oP

UNIÓN INTERNACIONAL DE TELECOMUNICACIONES (2004, May 12). CMSI: Declaración de Principios. https://www.itu.int/net/wsis/docs/geneva/official/dop-es.html

VALDA SÁNCHEZ, F. y ARTEAGA RIVERO, C. (2015). Diseño e implementación de una estrategia de gamificacion en una plataforma virtual de educación. Fides Et Ratio, 9, 65-80. http://www.scielo.org.bo/pdf/rfer/v9n9/v9n9_a06.pdf

VELASCO, L.; URUEÑA, A.; CASTRO GARCÍA-MUÑOZ, R.; CADENAS VILLAVERDE, S. y SECO ARNEGAS, J. A. (2021). Competencias digitales de los internautas. Análisis de datos INE 2020. http://www.ontsi.red.es/sites/ontsi/files/2021-05/competenciasdigitalesinternautas2020.pdf

WERBACH, K. y HUNTER, D. (2012). For the Win: How Game Thinking Can Revolutionize Your Business. Wharton Digital Press.

WESTREICHER, G. (2020, March 29). Sociedad postindustrial. Economipedia. https://economipedia.com/definiciones/sociedad-postindustrial.html

WHO (2021). Global strategy on digital health 2020-2025. https://cdn.who.int/media/docs/default-source/documents/gs4dhdaa2a9f352b0445bafbc-79ca799dce4d.pdf?sfvrsn=f112ede5_75.

ZUBIETA, J. (2018). La seguridad de la información, pilar parala seguridad del paciente. El Médico, 1194. https://elmedicointeractivo.com/wp-content/uploads/2018/11/03-EL-MEDICO-1194-OCTUBRE-2018.pdf.

Administración electrónica e interoperabilidad en el servicio público de salud[1]

BELÉN ANDRÉS SEGOVIA
Doctora por la Universitat de València
Profesora asociada de Derecho Administrativo
en la Universitat Jaume I, Castellón
andresb@uji.es

1. INTRODUCCIÓN

En materia de Administración electrónica aflora el prejuicio emocional de considerar que debería convertirse en el instrumento clave para la correcta interacción entre las partes que componen la parte subjetiva de las relaciones administrativas. Posición que ocupan en la actualidad: la Administración pública, el regulador, los entes privados, los ciudadanos y ¿las máquinas?[2]. Cualquier daño lesivo que produzca esta interacción deberá ser previsto con el fin de poder afrontar los retos que las nuevas tecnologías proponen y que se ponen

---

[1]   El presente estudio ha sido realizado en el marco del Grupo de Investigación: "UMA REDIAS Red de Derecho e Inteligencia artificial aplicada a la Salud y a la Biotecnología", financiada con cargo al Plan Propio de la Universidad de Málaga Acción D-5, Resolución de 3 de junio de 2020.

[2]   ANDRÉS SEGOVIA, Belén, "El reinicio tecnológico de la inteligencia artificial en el servicio público de salud", *Ius et Scientia*, Vol. 7, núm. 1, 2021, págs. 340-347.

a disposición de los ciudadanos a fin de mejorar la calidad en la prestación de los diferentes servicios públicos[3].

A esta reflexión de fondo hay que unir el advenimiento de la COVID-19 que requerirá de un análisis serio sobre los diferentes instrumentos que disponemos, así como las técnicas que tenemos a nuestro alcance para erradicarla desde el punto de vista médico y administrativo. En esta senda Fernández Rodríguez quiso subrayar como la Ley Orgánica 4/1981, de 1 de julio, sobre los estados de alarma, excepción y sitio, *"no ha superado la prueba de la realidad[4]"*. Hasta la fecha, su papel había sido correcto ya que su aplicación tuvo lugar en la huelga de controladores aéreos señalada en el Real Decreto 1673/2010, de 4 de diciembre, por el que se declara el estado de alarma para la normalización del servicio público esencial de transporte aéreo. En esta ocasión sirvió para solventar una cuestión de orden público para la cual la Ley había sido pensada, a diferencia de lo que ocurrió con la pandemia para la que pareciere carecer de respuestas apropiadas. Aún así, el Real Decreto 463/2020, de 14 de marzo, por el que se declara el estado de alarma

---

[3]   En este sentido, se ha pronunciado la Sentencia del Tribunal Supremo (Sala de lo Contencioso-Administrativo), de 31 de mayo de 2021, rec. núm. 6119/2019 (*Tol 8454669*), por cuanto señala que, *"esta Sala no alberga ninguna duda sobre la respuesta: el deber de dar un plazo de diez días para la subsanación de las solicitudes que hayan omitido la «firma del solicitante o acreditación de la autenticidad de su voluntad expresada por cualquier medio», en palabras del vigente art. 66.1.e) de la Ley 39/2015, está expresamente previsto por el art. 68 del mismo cuerpo legal. Y que la vigente legislación de procedimiento administrativo ha sido ya pensada para la llamada «Administración electrónica» resulta evidente de la simple lectura de la citada Ley 39/2015, para la que el modo tendencialmente normal de comunicación entre la Administración y los particulares es el electrónico. Así las cosas, sería sumamente difícil —por no decir imposible— argumentar que la previsión legal del carácter subsanable de la omisión de firma en las solicitudes no es aplicable a las solicitudes presentadas por vía electrónica. Ello vale igualmente para aquellas omisiones que, sin referirse a la firma electrónica propiamente dicha, afectan a la «acreditación de la autenticidad de la voluntad» del solicitante, como podría ser el paso final de validar lo formulado y enviado por vía electrónica"* (FD 5º).

[4]   FERNÁNDEZ RODRÍGUEZ, Tomás Ramón, "El Estado de Derecho, a prueba", en la obra de AA.VV. de BLANQUER CRIADO, David (Coord.), *COVID-19 y Derecho Público (durante el estado de alarma y más allá)*, Tirant lo Blanch alternativa, Valencia, 2020, pág. 22.

para la gestión de la situación de la crisis sanitaria ocasionada por el COVID-19, pareciera buscar en esta modalidad su acomodo regulando, al igual que sucedió en la Ley, el estado de alarma asignándole las acciones más suaves, en esencia, la limitación de determinados derechos sin llegar a suspenderlos[5]. Sin embargo, encontramos un elemento que diverge del concepto que sugiere el estado de alarma y nos adentra en el estado de excepción marcado por el artículo 13.1 de la Ley 4/1981 que será de aplicación, *"Cuando el libre ejercicio de los derechos y libertades de los ciudadanos, el normal funcionamiento de las instituciones democráticas, el de los servicios públicos esenciales para la comunidad, o cualquier otro aspecto del orden público, resulten tan gravemente alterados que el ejercicio de las potestades ordinarias fuera insuficiente para restablecerlo y mantenerlo"*. A diferencia de lo anterior, este aspecto si que supone reprimir una serie de derechos de los ciudadanos que se manifestó en la crisis sanitaria a fin de llevar a cabo la suspensión de la libre circulación de los ciudadanos garantizado en virtud del artículo 19 CE. A pesar de que fue justificada su actuación con el fin de evitar la propagación del virus[6], para poder llevar a cabo su suspensión, con plenas

---

[5]   Así lo destacó el Preámbulo del Real Decreto 463/2020, de 14 de marzo, por el que se declara el estado de alarma para la gestión de la situación de crisis sanitaria ocasionada por el COVID-19, con especial mención en que, *"Las medidas que se contienen en el presente real decreto son las imprescindibles para hacer frente a la situación, resultan proporcionadas a la extrema gravedad de la misma y no suponen la suspensión de ningún derecho fundamental, tal y como prevé el artículo 55 de la Constitución"*.

[6]   Resulta muy interesante atender al voto particular que formuló el magistrado don Cándido Conde-Pumpido Tourón respecto de la Sentencia del Tribunal Constitucional (Pleno) 2054/2020, de 19 de julio de 2021 (*Tol 8510934*), por cuanto indica que, *"la medida establecida en el artículo 7 (apartados 1 y 3) del Real Decreto no puede ser tachada —en sí misma— de desproporcionada. Fue, cabría decir, una limitación razonablemente idónea y necesaria, en las circunstancias en las que se adoptó, para hacer frente de manera perentoria a una epidemia (pandemia, a escala universal) fuera de control entonces, de magnitud sin precedentes para las generaciones vivas y que no sólo ponía en riesgo máximo la salud de todos (art. 43 CE), sino que amenazaba también con deparar inmediatos estragos sociales y económicos. Así las cosas, esta extrema constricción de la libertad de circulación se puede considerar idónea a fin de detener la expansión de los contagios y en atención a las recomendaciones cursadas por la Organización Mundial de la Salud, que puso énfasis, como es conocido, en*

garantías, hubiera sido necesario que, con carácter previo, hubiera logrado el favor del Congreso de los Diputados mediante la figura de una autorización previa. Si bien es cierto que la situación ilustra sobre los diversos problemas que se han generado en los primeros meses que ha ocupado la pandemia, debemos aprender con el objeto de no volver a cometer excesos.

En el actual escenario, la Administración no podrá escudarse en el modo en que ha sido diseñado el correspondiente programa informático con el objeto de eludir su responsabilidad y deberes frente a los particulares, ni tan siquiera a fin de poder erosionar las garantías que aguarda el actual procedimiento administrativo regulado en el tenor de la Ley 39/2015, de 1 de octubre, del Procedimiento Administrativo Común de las Administraciones Públicas. Ante tales circunstancias, tiene pleno sentido analizar los diferentes problemas jurídicos que se plantean en relación a la interoperabilidad, como estrategia de mejora de las relaciones de las diferentes Administraciones entre sí y con los ciudadanos, así como la experiencia práctica que ofrece el servicio público sanitario, estudiando el deslinde conceptual y funcional entre las respuestas que surgen con motivo de la transformación digital y los posibles daños o epidemias que podamos padecer en la postmodernidad global.

---

la necesidad de acotar y restringir, ante la ubicuidad del virus, los contactos sociales. Fue, asimismo una medida necesaria o indispensable en aquella ocasión, cuando los recursos sanitarios se encontraban al límite de sus capacidades y se carecía tanto de terapias adecuadas para la enfermedad en curso como, muy en particular, de vacunas para evitar las infecciones o remediar sus efectos más intensos, terapias y sobre todo vacunas que, según la experiencia acreditó después, hubieran permitido —de estar disponibles y generalizarse— evitar o aliviar tan drástica limitación de la libertad constitucional (art. 19 CE). Sin que quepa olvidar, en fin, que medidas análogas fueron adoptadas en fechas muy próximas por las autoridades competentes de otros Estados de la Unión Europea. No puede corresponder al control de la jurisdicción constitucional, a la vista de todo ello, concebir y designar opciones de prevención sanitaria menos incisivas sobre el derecho fundamental y que fueran, en lo sustancial, de equivalente eficacia".

2. DEBERES PENDIENTES Y NUEVAS LECCIONES QUE PROPONE EL DERECHO A LA SALUD PÚBLICA EN ESPAÑA

Durante el proceso de redacción del texto constitucional, se tuvo la prudencia y sensatez de programar la regulación de un derecho inherente a la condición humana, el Derecho a la salud[7] (art. 43.1 CE). La racionalización del ejercicio del poder en el Estado de Derecho llega a tipificar expresamente en su apartado segundo quienes deben gestionar las circunstancias preventivas y prestacionales que conviene a este derecho. Es decir, de su redacción, podemos atisbar como el apartado segundo, del citado artículo, atribuye a los poderes públicos la función de "*organizar y tutelar la salud pública a través de medidas preventivas y de las prestaciones y servicios necesarios. La ley establecerá los derechos y deberes de todos al respecto*". Una vez tipificado el derecho es preciso recordar que la responsabilidad patrimonial se sustentará sobre la correcta actuación de los profesionales que prestan el servicio. La Sentencia del Tribunal Superior de Justicia de Extremadura (Sala de lo Contencioso-Administrativo) de 26 de abril señaló que, lo que se pretenderá en todo caso garantizar es el tratamiento conforme a las exigencias señaladas por las prácticas propias de la ciencia médica. Este hecho no comporta el servicio público de protección a la salud garantizado por el art. 43 CE a obtener la sanidad en todo caso, algo que a juicio del Tribunal es de imposible consecución[8].

---

7   Entre otras, STS (Sala de lo Contencioso), de 9 de septiembre de 1988; STS (Sala de lo Contencioso), 29 de noviembre de 2001, rec. núm. 9891/1997 (*Tol 4915748*) (*Tol 2349698*); STSJ Comunidad Valenciana (Sala de lo Contencioso), 17 de junio de 2012, rec. núm. 463/2010 (*Tol 2676587*); STSJ Andalucía (Sede en Granada) (Sala de lo Contencioso), 6 de mayo de 2013, rec. núm. 290/2009 (*Tol 3914732*); STSJ Comunidad Valenciana (Sala de lo Contencioso), 6 de noviembre de 2017, rec. núm. 930/2014 (*Tol 6525312*); y, STSJ Madrid (Sala de lo Contencioso), 25 de mayo de 2020, rec. núm. 739/2018 (*Tol 8051122*).

8   La STSJ de Extremadura (Sala de lo Contencioso), 26 de abril de 2005, rec. núm. 16/2005 (*Tol 632491*) señaló que la "*responsabilidad patrimonial se sustenta sobre la correcta actuación de los profesionales que prestan el servicio porque, como se recuerda en la sentencia, no comporta el servicio publico de protección de la salud que garantiza el artículo 43 de la Constitución, un derecho a obtener la sanidad en todo caso, algo de imposible consecución, sino sólo al tratamiento*

El citado precepto, encuentra al mismo tiempo su acomodo en lo señalado en los artículos 148.1.21 CE y el art. 149.1.16 CE, por cuanto establece el *ámbito competencial* que le será de aplicación. En concreto, según el art. 148.1.21 CE las Comunidades Autónomas podrán asumir competencias en materia de sanidad. Por su parte, el art. 149.1.16 CE realiza una reserva al Estado de la competencia "exclusiva" sobre: sanidad exterior, bases y coordinación general de la sanidad y legislación sobre productos farmacéuticos, aunque la realidad muestra que la competencia es compartida[9]. Otro de los preceptos que resulta interesante destacar, en este ámbito, es el que contempla el artículo 15 CE[10] cuyo objeto principal versa sobre la preservación y garantía del derecho a la vida y la integridad física[11]. Tanto el art. 15 CE como el art. 43 CE guardan un papel protagonista por cuanto se trata de una cobertura legal que permitirá restringir o limitar otros derechos fundamentales, con las debidas garantías, en situaciones como las que presenta la COVID-19[12]. Para evitar cualquier lesión a

---

conforme a aquellas exigencias de la ciencia médica. Bien es verdad que como manifestación de esa «lex artis», o como complemento de ella, la doctrina más reciente ha venido añadiendo el requisito del consentimiento informado del paciente" (FD 2º).

[9]   En este sentido, resultan interesantes las Sentencias del Tribunal Constitucional: STC (Pleno) 32/1983, de 28 de abril (*Tol 79199*); STC (Pleno) 42/1983, de 20 de mayo (*Tol 79209*); STC (Pleno) 87/1985, de 16 de julio (*Tol 79502*); STC (Pleno) 111/1986, de 30 de septiembre (*Tol 79657*); STC (Pleno) 98/2004, de 25 de mayo (*Tol 79657*); STC (Pleno) 136/2012, de 19 de junio (*Tol 2583515*); ATC (Pleno) 239/2012, de 12 de diciembre (*Tol 2727173*), entre otras.

[10] El Tribunal Constitucional se ha pronunciado en repetidas ocasiones a propósito de la conexión entre la garantía del art. 15 y 43.2, ambos de la Constitución Española. A modo de ejemplo citaremos las sentencias: STC (Pleno) 119/2001, de 24 de mayo; STC (Sala Primera) 5/2002, de 14 de enero; STC (Sala Primera) 62/2007, de 27 de marzo; STC (Sala Primera) 160/2007, de 2 de julio; y, STC (Sala Segunda) 37/2011, de 28 de marzo, entre otras.

[11] La interconexión entre el derecho a la protección de la salud y el derecho a la vida se ha señalado de forma contundente en las siguientes sentencias: STC (Sala Segunda) 35/1996, de 11 de marzo (*Tol 82970*); STC (Sala Primera) 5/2002, de 14 de febrero (*Tol 123269*); STC (Sala Primera), 220/2005, de 12 de septiembre (*Tol 709529*); STC (Sala Segunda), 57/2007, de 26 de febrero (*Tol 6646269*); STC (Sala Primera), 160/2007, de 2 de julio (*Tol 1115494*); y, STC (Sala Segunda), 37/2011, de 28 de marzo (*Tol 2084764*).

[12] SARRIÓN ESTEVE, Joaquín, "La protección de la salud, la vida y la integridad física en tiempos de pandemia en la doctrina constitucional. A propósito de la

estos derechos será necesario que los poderes públicos organicen un servicio público sanitario que sea eficaz para todos los ciudadanos[13].

Es por ello que, la salud pública constituye un conjunto de actividades que han sido organizadas por las administraciones públicas, con la participación social, cuyo objetivo estriba en que "*la población alcance y mantenga el mayor nivel de salud posible*". Así luce expresado en el fin último señalado en el art. 1 de la Ley 33/2011, de 4 de octubre, General de Salud Pública. Para lograrlo, deberá considerar los mecanismos necesarios que le ayuden a prevenir cualquier tipo de enfermedad, así como llevar a cabo las diferentes medidas que permitan reforzar: la protección, promoción y recuperación de la salud de los ciudadanos, bien sea con carácter individual o desde un plano colectivo, a través de las acciones sanitarias, sectoriales y transversales disponibles.

Sin embargo, a pesar de la contundencia de la redacción de su ley de cabecera, a juicio de CIERCO SEIRA el Derecho a la Salud Pública "*ha llegado a la cita sin haber hecho los deberes*[14]". El advenimiento de la COVID-19 ha puesto sobre la mesa algunas de las deficiencias existentes en el sector público sanitario, entre las cuáles se cuestionan los planteamientos clásicos realizados en torno a dos vertientes: la *sanitaria* —las epidemias previas cuyas características difieren de la específica tipología que propone el SARS-COV-2— y *administrati-*

ATC 40/2020, de 20 de abril", *Actualidad Jurídica Iberoamericana*, núm. 14, 2021, págs. 1026-1039.

[13]   Este aspecto ha sido cuestionado por autores como GARRIDO FALLA, quien señala como el art. 43.1. CE emplea la palabra derecho pero con un elemento que, desde la perspectiva administrativista se denomina norma jurídica de relación. Dicho en otros términos, estamos ante una norma jurídica que delimita las esferas jurídicas de la Administración y de los ciudadanos, estableciendo su correlativa relación de derechos y obligaciones. Sin embargo, nos encontramos ante una norma de acción que ordena a los poderes públicos la organización de los servicios públicos a fin de garantizar la salud pública. Véase en GARRIDO FALLA, Fernando, "Artículo 43". en la obra de AA.VV. de GARRIDO FALLA, Fernando (Dir.), *Comentario a la Constitución*, Civitas, Madrid, 1980, págs. 500-503.

[14]   CIERCO SEIRA, César, "Derecho de la Salud Pública", en la obra de AA.VV. de BLANQUER CRIADO, David (Coord.), *COVID-19 y Derecho Público* (durante el estado de alarma y más allá), Tirant lo Blanch alternativa, Valencia, 2020, pág. 28.

vas —las herramientas con las que poder hacerles frente, tales como: contratación pública de material quirúrgico apropiado, interconectividad, etc.—, a las que destinaremos el objeto del presente estudio.

3. UNA NUEVA ADMINISTRACIÓN ELECTRÓNICA MÁS EFICIENTE Y EFICAZ TAMBIÉN EN EL SISTEMA DE SALUD PÚBLICA

La tecnología es deflacionaria. No se trata de una conjetura, sino que es un elemento consustancial a su naturaleza. También es debido a que la tecnología cobra cada vez una mayor influencia en el mundo, que sin duda dará lugar a que estemos entrando en una era de deflación diferente a ninguna actuación que el mundo haya visto con anterioridad. Puede que no nos guste lo que eso significa, o no estemos preparados para la evolución que no cambia los hechos. Nuestros sistemas económicos no fueron construidos para un mundo impulsado por la tecnología donde los procesos siguen cayendo[15]. Fueron más bien diseñados para una era anterior a la tecnología en la que el trabajo y el capital estaban indisolublemente unidos. Una era que contaba con el crecimiento y la información, en la que se ganaba dine-

---

[15]   Gobierno de España, *Plan de digitalización de Pymes 2021-2025*, España Puede, Agenda 2030, España Digital 2025, 24 de abril de 2021, establece que "*La Estrategia para las PYMEs en pro de una Europa sostenible y digital 19, de la Comisión Europea, recoge el siguiente párrafo: «las PYMEs todavía no se benefician plenamente de los datos, la savia de la economía digital. Muchas de ellas no son conscientes del valor de los datos que generan y no están lo bastante protegidas ni preparadas para la economía ágil en el manejo de los datos que se avecina. Solo el 17% de las PYMEs han integrado con éxito las tecnologías digitales en su negocio, frente al 54% de las grandes empresas. Las PYMEs tradicionales suelen tener dudas al elegir su estrategia empresarial digital, tienen problemas para aprovechar grandes repositorios de datos que empresas más grandes tienen a su disposición y evitan las herramientas y aplicaciones avanzadas basadas en la IA. Simultáneamente, son muy vulnerables a las ciberamenazas»*", pág. 16. Cita extraída a su vez, de la Comisión Europea, Comunicación de la Comisión al Parlamento, al Consejo, al Comité Económico y Social Europeo y al Comité de las Regiones: Una estrategia para las pymes en pro de una Europa sostenible y digital (COM/2020/103). Véase en la página web: https://portal.mineco.gob. es/RecursosArticulo/mineco/ministerio/ficheros/210127_plan_digitalizacion_pymes.pdf. Fecha de última consulta: 28.07.2021.

ro con la escasez y la ineficiencia. Esa era se acabó con la llegada de la que se conoce como la Cuarta Revolución Industrial[16]. Pero seguimos fingiendo que esos sistemas económicos todavía funcionan.

Estamos en un punto crítico, porque muchas de nuestras opciones son de hecho opciones económicas. Pero de vez en cuando, aprendemos algo nuevo que reescribe todo lo que hemos llegado a conocer y en lo que confiamos. En esos momentos, nuestro fundamento de conocimiento se desmorona y con él, muchas de las creencias que habíamos construido. Es común en nuestros días escuchar términos tales como: inteligencia artificial, *blockchain*, internet de las cosas, 5G, vehículos automáticos, etc., así como, el papel que ocupan en nuestra sociedad en la búsqueda por un doble objetivo: la digitalización y la sostenibilidad. Esas transiciones son difíciles porque no abandonamos fácilmente nuestras creencias. Nos encontramos en una encrucijada. Sin embargo, lo que funcionó antes no tiene porqué funcionar en el futuro. La tecnología se está moviendo demasiado rápido, y solo podrá avanzar si consideramos la oportunidad que plantean los nuevos formatos. Aunque quisiéramos, ya no podemos volver a poner al genio en la botella. Por ello, necesitamos construir un nuevo marco para nuestras economías locales y globales, y pronto, o la misma tecnología, que tiene el poder de traernos abundancia, destruirá nuestro mundo[17].

Las Administraciones públicas no descuidan esta realidad. Como se puso de manifiesto en las últimas décadas, ha existido una significativa inversión en la transformación digital de la Administración Pública. Sus inicios se observan tras la aprobación de las hoy derogadas Ley 30/1992, de 26 de noviembre, donde comenzaron a ser conscientes del impacto que años más tarde adquiriría la tecnología en las relaciones administrativas y la Ley 11/2007, de 22 de junio, de acceso electrónico de los ciudadanos a los servicios públicos, que les dio carta de naturaleza legal, al establecer el derecho de los ciudadanos a relacionarse electrónicamente con las Administraciones Públicas, así como la obligación de éstas de dotarse de los medios y sistemas necesarios

---

[16]   SCHWAB, Klaus, *La cuarta revolución industrial*, Penguin Random House Grupo Editorial, Barcelona, 2016, págs. 13-14.
[17]   BOOTH, Jeff, *The Price of tomorrow. Why deflation is the key to an abundant future, Stanleypress*, Canadian, 2020, págs. 1-3.

para que ese derecho pudiera ejercerse. En la actualidad, su regulación descansa en una amplia batería de textos normativos tales como: la Ley 39/2015, de 1 de octubre, del Procedimiento Administrativo Común de las Administraciones Públicas, la Ley 40/2015, de 1 de octubre, de Régimen Jurídico del Sector Público y el Real Decreto 203/2021, de 30 de marzo, por el que se aprueba el Reglamento de actuación y funcionamiento del sector público por medios electrónicos. Los resultados positivos desde el ámbito jurídico y tecnológico que ofrece su evolución se han visto reflejados en la actual dimensión que ocupan los denominados "servicios públicos digitales" y que sitúan a España en la segunda posición en el *ranking europeo*, compuesto por un total de veintinueve países, según apuntan los datos expuestos en el Índice de Digitalización de la Economía y la Sociedad de 2020.

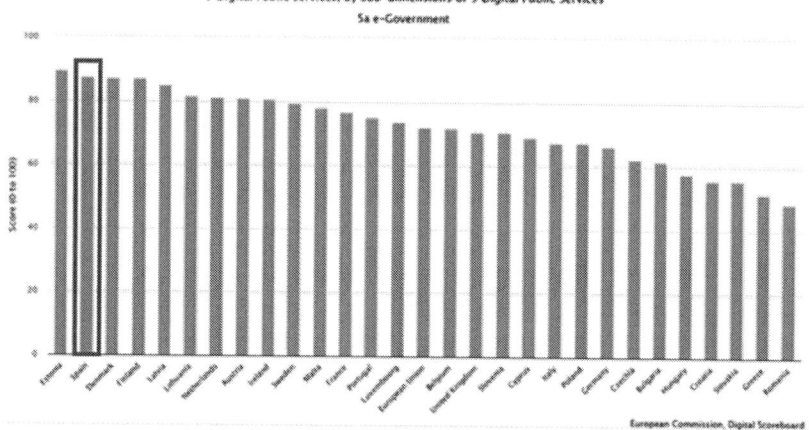

Fuente: Índice de Economía y Sociedad Digital 2020 (DESI[18])

---

[18] Portal Administración electrónica del Gobierno de España, *Índice de Economía y Sociedad Digital 2020 (DESI)*. Véase en la página web: https://administracionelectronica.gob.es/pae_Home/pae_OBSAE/Posicionamiento-Internacional/Resumen-posicionamiento-Espana/Indice-de-Economia-y-Sociedad-Digital-2020-DESI-.html. Fecha de última consulta: 27.07.2021.

5 Servicios públicos digitales	España		UE
	puesto	puntuación	puntuación
DESI 2020	2	87,3	72,0
DESI 2019	4	80,9	67,0
DESI 2018	4	76,6	61,8

Fuente: Índice de Economía y Sociedad Digital 2020 (DESI[19])

Los datos señalados reflejan como en el entorno actual, la tramitación electrónica no puede convertirse en una forma especial de gestión de los procedimientos administrativos en cualquier ámbito que afecte al servicio público de salud sino que debe constituir la actuación habitual de las Administraciones. Este razonamiento queda justificado en la idea de que una Administración sin papel basada en un funcionamiento íntegramente electrónico no sólo servirá a fin de mejorar los principios de eficacia y eficiencia, contribuyendo a poder ahorrar costes a ciudadanos y empresas, sino que también permitirá reforzar las garantías de los interesados. La conversión de los documentos y actuaciones en un archivo electrónico facilita el cumplimiento de las obligaciones de transparencia, pues permite ofrecer información puntual, ágil y actualizada a los interesados. Este principio que ocupa la *transparencia*, debe convertirse en un aspecto de refuerzo prioritario tras las enseñanzas adquiridas por el estado de alarma. Sin embargo, como señala Piñar Mañas, es una *"lástima que nada haya sobre ello en el Real Decreto-ley 21/2020, de 9 de junio, de medidas urgentes de prevención, contención y coordinación para hacer frente a la crisis sanitaria ocasionada por el COVID-19[20]"*.

Junto con la transparencia, juega un papel muy importante la posición que ocupará la *protección de los datos personales*. Si bien, el Reglamento (UE) 2016/679, del Parlamento Europeo y del Consejo,

---

19 *Ídem.*
20 PIÑAR MAÑAS, José Luis, "Transparencia y protección de datos en el estado de alarma y en la sociedad digital post COVID-19", en la obra de AA.VV de BLANQUER CRIADO, David (Coord.), *COVID-19 y Derecho Público (durante el estado de alarma y más allá)*, Tirant lo Blanch alternativa, Valencia, 2020, págs. 148-149.

de 27 de abril de 2016, relativo a la protección de las personas físicas en lo que respecta al tratamiento de datos personales y a la libre circulación de estos datos y por el que se deroga la Directiva 95/46/CE (Reglamento general de Protección de Datos) de la Unión Europea como, la Ley Orgánica 3/2018, de 5 de diciembre, de Protección de Datos personales y garantía de los derechos digitales, desde el ámbito estatal, permiten el tratamiento de datos, la Administración deberá ser cautelosa en su tratamiento, máxime si conciernen a la salud de los ciudadanos sin mediar su consentimiento, justificado en la oportunidad de lograr atajar la pandemia. Por sus características, la crisis sanitaria planteaba la necesidad de buscar mecanismos de detección de los pacientes que habían sido contagiados con el fin de evitar la propagación del virus.

Especial relevancia también merece, el aspecto que guarda relación con la *identificación y autentificación de los pacientes* a través de mecanismos electrónicos[21]. Se trata de una expresión singular que se encuentra conectada con el principio de cooperación cuyos resultados plantean ciertas controversias. Pese a que constituye un acierto la aceptación de la identificación de los pacientes en cualquiera de los formatos vigentes: DNI electrónico o DNIe[22], DNI 3.0[23]. y DNI europeo o DNIe 4.0[24]., lo que posibilita que los ciudadanos sí

---

[21]   MARTÍN DELGADO, Isaac, "Identificación y autentificación de los ciudadanos", en la obra de AA.VV. de GAMERO CASADO, Eduardo y VALERO TORRIHOS, Julián (Coords.), *La Ley de administración electrónica. Comentario sistemático a la Ley 11/2007, de acceso electrónico de los ciudadanos a los servicios públicos*, Thomson-Aranzadi, Navarra, 2008, pág. 356.

[22]   El "DNI electrónico" o también conocido como "DNIe" se rige por lo establecido en el Real Decreto 1553/2005, de 23 de diciembre, por el que se regula la expedición del documento nacional de identidad y sus certificados de firma electrónica.

[23]   El "DNI 3.0" contempla su regulación en el tenor del Real Decreto 414/2015, de 29 de mayo, por el que se modifica el Real Decreto 1553/2005, de 23 de diciembre, por el que se regula la expedición del documento nacional de identidad y sus certificados de firma electrónica.

[24]   El "DNI Europeo" o también conocido como "DNIe 4.0", surge con motivo del Reglamento (UE) 2019/1157 del Parlamento Europeo y del Consejo, de 20 de junio de 2019, sobre el refuerzo de la seguridad de los documentos de identidad de los ciudadanos de la Unión y de los documentos de residencia expedidos a ciudadanos de la Unión y a los miembros de sus familias que ejerzan su derecho a la libre circulación, en el que se establece que, a partir del 2 de agosto de

dispongan de un identificador electrónico plenamente interoperable entre todas las Administraciones públicas, encontramos aspectos que no son tan favorables. Para corroborarlo, resulta interesante atender a lo suscrito por el artículo 15.4 del Real Decreto 203/2021, de 30 de marzo, por el que se aprueba el Reglamento de actuación y funcionamiento del sector público por medios electrónicos, en el que se exime de responsabilidad a la Administración frente al uso indebido del sistema de identificación y/o firma efectuado por un tercero. De su tenor observamos que, "*la Administración no será responsable de la utilización por terceras personas de los medios de identificación personal y firma electrónica del interesado, salvo que concurran los requisitos establecidos en el artículo 32 de la Ley 40/2015, de 1 de octubre, para la exigencia de responsabilidad patrimonial*". A ello se le debe sumar la presunción de que todos los ciudadanos son conocedores de su manejo, lo que nos conduciría a dar por sentado la inexistencia de una brecha digital que se aleja de los hechos, ya que sigue siendo en la actualidad uno de los mayores desafíos a los que se enfrenta la Administración electrónica.

En consecuencia, las dificultades a la que se contraponía la actuación administrativa y las relaciones que ocupaban a la misma ante el confinamiento, que se desencadenó tras la declaración del estado de alarma, nos permiten concluir la oportunidad de un estudio que aborde cómo las entidades del sector público previstas en la Ley 40/2015, de 1 de octubre, de Régimen Jurídico del Sector Público y las demás en las que se aplica la ley de transparencia, afrontan esta nueva realidad. En concreto, muestra los retos que la pandemia ha puesto de manifiesto en el servicio público de salud, que guarda relación a su vez con el alcance de la interoperabilidad durante el estado de alarma y su exposición hacia la Administración digital del futuro.

2021 los países miembros de la Unión Europea deberán incorporar esta modalidad de DNI. Gobierno de España, *Nuevo DNIe 4.0-Formato Europeo*. Véase en: https://www.dnielectronico.es/PDFs/DNI_4.0.pdf. Fecha de última consulta: 30.07.2021.

4. EL DESAFÍO DE LA INTEROPERABILIDAD EN EL ÁMBITO SANITARIO

Con el paso del tiempo, los esfuerzos realizados en torno a la optimización de la gestión pública se dirigen progresivamente a la adquisición de aquellos conocimientos que servirán de base a la articulación de efectivos sistemas de protección de los intereses de los ciudadanos. Aspectos que en su conjunto deberían desencadenar en la adopción de técnicas jurídicas debidamente instrumentadas. En España, la Administración electrónica nos plantea un nuevo reto o enfoque a lo ya señalado en el art. 149.1.18 CE, en el que se indica que, "*Las bases del régimen jurídico de las Administraciones públicas y del régimen estatutario de sus funcionarios que, en todo caso, garantizarán a los administrados un tratamiento común ante ellas; el procedimiento administrativo común, sin perjuicio de las especialidades derivadas de la organización propia de las Comunidades Autónomas; legislación sobre expropiación forzosa; legislación básica sobre contratos y concesiones administrativas y el sistema de responsabilidad de todas las Administraciones públicas*". Con este artículo se permite al Estado establecer un mínimo común denominador del procedimiento administrativo para que todos los ciudadanos sean tratados en condiciones de igualdad con independencia de la Administración a la que se dirijan[25]. Sin embargo, en el marco en el que transita la Administración electrónica la aplicación de este principio necesita una nueva perspectiva.

---

[25]   El alcance del análisis competencial que proponemos a examen ya fue contemplado en la STC (Pleno), 50/1999, de 6 de abril de 1999 (*Tol 13002*), "*el Estado puede establecer, desde la competencia sobre bases del régimen jurídico de las Administraciones públicas del art. 149.1.18 CE, principios y reglas básicas sobre aspectos organizativos y de funcionamiento de todas las Administraciones públicas. (...) En efecto, en esta materia este Tribunal ha incluido, por lo que aquí importa, «la regulación de la composición, estructura y competencias de los órganos de las Administraciones públicas» (STC 32/1981, fundamento jurídico 6), [la organización de todas las Administraciones públicas» (STC 76/1983, fundamento jurídico 38), [los aspectos organizativos e institucionales de esas Administraciones» (STC 214/1989) o «la composición, funcionamiento y organización de las mismas» (STC 35/1982)*" (FD 3º).

El Anexo de la Ley 11/2007, de 22 de junio, de acceso electrónico de los ciudadanos a los servicios públicos, en su apartado o) definió la "interoperabilidad" como, la *"capacidad de los sistemas de información, y por ende de los procedimientos a los que éstos dan soporte, de compartir datos y posibilitar el intercambio de información y conocimiento entre ellos"*. En esencia, su objetivo es hacer posible que los datos que se encuentran anclados en un punto concreto del sistema puedan ser empleados de manera homogénea a través de mecanismos electrónicos por el conjunto del sistema. Con la aprobación de la Ley 39/2015, 1 de octubre, del Procedimiento Administrativo Común de las Administraciones Públicas y la Ley 40/2015, de 1 de octubre, de Régimen Jurídico del Sector Público, se vinieron a consagrar el derecho de todos los ciudadanos a poder relacionarse por medios electrónicos, simplificando su acceso, así como reforzando el empleo de las tecnologías de la información y de la comunicación en las administraciones públicas. El fin que se persigue pasa por lograr mejorar la eficacia de su gestión como para potenciar y favorecer las diferentes relaciones de colaboración y cooperación que puedan requerir. Estos elementos vinieron a superar la concepción que inspiró a la Ley 11/2007, de 22 de junio, de acceso electrónico de los ciudadanos a los servicios públicos y su desarrollo reglamentario parcial en la Administración General del Estado y los organismos públicos que tuviera vinculados o fueran dependientes.

La satisfacción del interesado se convertía así, en la clave de bóveda para el correcto uso de los servicios públicos digitales. Es por tales circunstancias por las que constituirá un aspecto prioritario disponer de servicios digitales que sean más fácilmente accesibles y utilizables. La Administración deberá lograr que la interacción, bien entre el interesado y la Administración bien entre las propias Administraciones, sea: sencilla, eficiente, efectiva, no discriminatoria e intuitiva. En este esfuerzo, la estrategia de España se basa en impulsar los diferentes procedimientos que permitan lograr una tramitación electrónica completa, así como el desarrollo de los diferentes servicios de modo que puedan ser utilizados por todas las Administraciones públicas y se encuentren así alineados con los esquemas de interoperabilidad europeos. Su complejidad ha sido destacada por autores como,

Gamero Casado[26] quien calificaba la interoperabilidad como uno de los principales desafíos al que se enfrenta la Administración electrónica y hace que Cerrillo Martínez[27] lo vea como su motor. Del correcto funcionamiento de las tecnologías que ofrece la digitalización en el servicio público de salud va a depender que sea eficaz u operativo y que se aprovechen las funcionalidades que se dedican a estos nuevos instrumentos.

Ahora bien, a pesar de este impulso legislativo y de inversión, la relación existente entre las Administraciones Públicas y sus ciudadanos se caracteriza en el escenario actual por ser transaccional, generalista, automatizado y no personalizado. Lo cual supone una doble dificultad en el acceso a: los *ciudadanos* a políticas, ayudas y servicios de las Administraciones (con especial referencia los colectivos especialmente vulnerables) y a las *empresas*, en materia de compra pública, subvenciones, etc., ante un sistema que sigue siendo fragmentado y costoso. Este hecho se acentúa si consideramos la situación excepcional generada por la COVID-19. La pandemia ha provocado una paralización general de la actividad económica y social y con ello ha extendido sus efectos a materias tan habituales como pudiera ser, a modo de ejemplo, la ejecución de contratos adjudicados con anterioridad a ella[28].

---

[26] GAMERO CASADO, Eduardo, "Interoperabilidad y administración electrónica: conéctense, por favor", *Revista de Administración Pública*, núm. 179, Madrid, mayo-agosto 2009, pág. 294.

[27] CERRILLO MARTÍNEZ, Agustín, "Cooperación entre administraciones públicas para el impulso de la administración electrónica", en la obra de GAMERO CASADO, Eduardo y VALERO TORRIJOS, Julián (Coords.), *La Ley de administración electrónica. Comentario sistemático a la Ley 11/2007, de acceso electrónico de los ciudadanos a los servicios públicos*, Thomson-Aranzadi, Navarra, 2008, pág. 497.

[28] Precisamente por ello, el art. 34 del Real Decreto Ley 8/2020, de 17 de marzo, de medidas urgentes extraordinarias para hacer frente al impacto económica y social del COVID-19, introdujo una regla de suspensión de contratos que afectaba con carácter general a toda la contratación pública, definiéndola de este modo de acuerdo a lo establecido en el art. 34.7 que señaló lo siguiente, "*A los efectos de este artículo sólo tendrán la consideración de «contratos públicos» aquellos contratos que con arreglo a sus pliegos estén sujetos a: la Ley 9/2017, de 8 de noviembre, de Contratos del Sector Público, por la que se transponen al ordenamiento jurídico español las Directivas del Parlamento Europeo y del Consejo 2014/23/UE y 2014/24/UE, de 26 de febrero de 2014; o al Real Decreto Legislativo 3/2011, de 14 de noviembre, por el que se aprueba el texto refundido*

Estas reglas, proporcionan seguridad jurídica a las entidades del sector público[29]. No obstante, es preciso tener en cuenta que esta situación ha puesto de manifiesto la urgencia y la necesidad de desarrollar una Administración digital que permita dar una respuesta adecuada a las necesidades que plantean los ciudadanos que sirva a sus intereses de forma más ágil y efectiva.

En la actualidad, debemos de entender por "interoperabilidad" el concepto señalado por el *Real Decreto 203/2021, de 30 de marzo, por el que se aprueba el Reglamento de actuación y funcionamiento del sector público por medios electrónicos*, que indica que se trata de la *"capacidad de los sistemas de información, y por ende de los procedimientos a los que estos dan soporte, de compartir datos y posibilitar el intercambio de información entre ellos"* (Anexo. Definiciones). Sobre esta base cimentaremos los siguientes aparatados a fin de observar cual es la realidad que ocupa en el sistema de salud pública.

La transformación digital del sector público requiere del esfuerzo de los Estados a fin de lograr el doble objetivo sobre el cual descansan las políticas europeas: la digitalización y la sostenibilidad. Desde el Gobierno de España, se han configurado una serie de planes que guiarán su implementación, así como señalarán la necesidad de un marco regulatorio adecuado con el fin de garantizar la seguridad jurídica de todos los intervinientes en este proceso. En este esfuerzo de mejora del marco regulatorio se tendrá presente también la nueva jurisprudencia constitucional por cuanto señala que el Estado ejerce competencia sobre Ciberseguridad no solo en virtud del 149.1.18 de

---

de la Ley de Contratos del Sector Público; o a la Ley 31/2007, de 30 de octubre, sobre procedimientos de contratación en los sectores del agua, la energía, los transportes y los servicios postales; o Libro I del Real Decreto-ley 3/2020, de 4 de febrero, de medidas urgentes por el que se incorporan al ordenamiento jurídico español diversas directivas de la Unión Europea en el ámbito de la contratación pública en determinados sectores; de seguros privados; de planes y fondos de pensiones; del ámbito tributario y de litigios fiscales; o a la Ley 24/2011, de 1 de agosto, de contratos del sector público en los ámbitos de la defensa y de la seguridad".

[29] GONZÁLEZ GARCÍA, Julio V., "COVID-19 y contratación pública: tramitación de emergencia en práctica y otras cuestiones", en la obra de AA.VV. de BLANQUER CRIADO, David (Coord.), *COVID-19 y Derecho Público (durante el estado de alarma y más allá)*, Tirant lo Blanch alternativa, Valencia, 2020, págs. 317-318.

la Constitución española sino también en virtud de lo previsto en el artículo 149.1 de la Constitución, apartados 21° y 29°, atribuyendo al Estado competencias exclusivas en materia de telecomunicaciones y seguridad pública, respectivamente[30]. Solo de este modo, se logrará alcanzar una Administración totalmente electrónica e interconectada, incrementar la transparencia en la actuación administrativa y lograr que los ciudadanos confíen en el uso de una Administración electrónica más accesible. En este sentido, se han redactado hasta tres planes que permiten transitar hacia estos objetivos que pasaremos a desarrollar brevemente a continuación y que centrarán su estudio en lo que concierne a la apuesta por la interoperabilidad en el servicio público sanitario.

---

[30] Entre otras, la STC (Pleno), 142/2018, de 20 de diciembre (*Tol* 6978679), señaló en sus antecedentes de hechos y luego reiterado en el FD 1° que, "*En el marco de la legislación estatal, la ciberseguridad ha tenido diversos tratamientos que van desde unos relacionados estrictamente con la defensa militar y la seguridad nacional, en los supuestos de más gravedad, hasta otros relacionados con la seguridad pública para la protección de determinadas infraestructuras de telecomunicaciones, incluyendo los aspectos más técnicos. Pero, también, ha previsto la adopción de medidas ordinarias de seguridad respecto a la red y, en general, a las tecnologías de la información, entre otras, respecto a la Administración electrónica. Dicho enfoque tiene su reflejo en diversas leyes estatales como la Ley 34/2002, de 11 de julio, de servicios de la sociedad de la información y de comercio electrónico, la Ley 8/2011, de 28 de abril, de medidas para la protección de las infraestructuras críticas, la Ley 36/2015, de 28 de septiembre, de seguridad nacional, la Ley 11/2007, de 22 de junio, de acceso electrónico de los ciudadanos a los servicios públicos, o, más recientemente, las Leyes 39/2015, de 1 de octubre, del procedimiento administrativo común de las Administraciones públicas, y 40/2015, de 1 de octubre, de régimen jurídico del sector público. Desde el punto de vista del sistema de distribución de competencias entre el Estado y las Comunidades Autónomas, la ciberseguridad es una técnica instrumental de diversas competencias y, por tanto, una materia de naturaleza compleja. Incluso en el supuesto que la ciberseguridad quiera encuadrarse en una parte relevante en los ámbitos competenciales de la seguridad pública y de la defensa, ese encuadramiento no puede entenderse de modo excluyente de las actuaciones de ciberseguridad se han de desarrollar desde cada administración pública y que se enmarcan en sus potestades de organización y régimen jurídico, además de incidir también en otras competencias sectoriales. Corolario imprescindible de todo ello es que la Generalitat de Cataluña, como las demás administraciones públicas, ha de llevar a cabo actuaciones de prevención, de análisis y de investigación tecnológica, y de reacción ante incidencias y ciberataques*".

4.1. La Agenda España Digital 2025

La *Agenda España Digital 2025*, aprobada el 23 de julio de 2020, *recoge por vez primera el impulso de la digitalización de la Administración Pública* y los señala en torno a diez ejes de reforma e inversión[31]. Entre las cuestiones que se suscitan de su evolución se plantea la balanza entre el clásico sistema de atención presencial o la evolución hacia mecanismos electrónicos. Esta reflexión resulta importante si lo que pretendemos es *implementar un nuevo modelo productivo más sostenible e inteligente,* como ha sido señalado con motivo de los nuevos propósitos que surgen de la Comisión Europea. Aspecto que no descuida las Administraciones públicas. La respuesta a esta cuestión pasa porque los medios electrónicos nos permiten una serie de ventajas desconocidas en el formato papel: la desmaterialización, cumplir con los objetivos ambientales y la desterritorialización del objeto, lo cual nos va a posibilitar que podamos hipervincular la información y tener una interactividad con el administrado directa insólita.

El modelo que propugna por un servicio público basado por estrategias electrónicas, por el que apuesta Europa y que se refuerza a través de la *Next Generation EU*[32] y el Marco Financiero Plurianual[33],

---

[31]   ANDRÉS SEGOVIA, Belén, "Derecho e Innovación en la Agenda España Digital 2025", *Diario La Ley*, núm. 9743, 2020.

[32]   Consejo Europeo, *Reunión extraordinaria del Consejo Europeo (17, 18, 19, 20 y 21 de julio de 2020)*, Conclusiones, Bruselas, 21 de julio de 2020 (Or.en), EUCO 10/20, Co EUR 8 y CONCL 4, págs. 10-16.

[33]   La cuantía señalada puede extraerse del Consejo Europeo, *Reunión extraordinaria del Consejo Europeo (17, 18, 19, 20 y 21 de julio de 2020)*, Conclusiones, Bruselas, 21 de julio de 2020 (Or.en), EUCO 10/20, Co EUR 8 y CONCL 4, pág. 5, donde se establece que, "*Los importes asignados en el marco de la «Next Generation EU» para los distintos programas serán los siguientes: mecanismo de recuperación y resiliencia (672.500 millones de euros); de los cuáles prestamos (360.000 millones de euros), de los cuales subvenciones (312.500 millones de euros); REACT-EU (47.500 millones de euros); Horizonte Europa (5.000 millones de euros); InvestEU (5.600 millones de euros); Desarrollo rural (7.500 millones de euros); Fondo de transición justa (10.000 millones de euros); rescEU (1.900 millones de euros), Total: 750.000 millones de euros*". Véase el contenido de las conclusiones en la página web: https://www.consilium.europa.eu/media/45124/210720-euco-final-conclusions-es.pdf. Fecha de última consulta: 05.07.2021.

nos da las directrices. Con las nuevas funciones de las que dispone la Administración electrónica, lo que se pretende lograr es que la afluencia de: oferta, operadores económicos o empresas, que quieren contratar con la Administración, se incrementen fruto de este nuevo escenario que rompe con problemas clásicos como pudieran ser la *brecha geográfica y digital*. Este sistema, ponía en desventaja aquellas ofertas que se suscitaban en localidades alejadas del núcleo urbano y que este modelo les acerca a una Administración que apuesta por esa proximidad para garantizar el interés público. Con este incremento de la oferta, logramos a su vez que exista una *interoperatividad lingüística* en la que participaran operadores de varios puntos, no solamente españoles, sino de toda la Unión Europea y del mundo. De este modo, lograremos conseguir una cierta homogeneización con el equipo tecnológico y una mayor adecuación a los objetivos señalados en el Plan de Reconstrucción[34]. Si esto se consigue se incrementará la oferta y vamos a obtener mejores resultados. A modo de ejemplo, mejores precios y mayor calidad de los productos y servicios resultantes de la contratación de material quirúrgico. Es decir, una compra pública más eficiente que permitirá dar respuestas más efectivas ante la necesidad imperiosa de materiales que surgió en las primeras olas de la pandemia.

Además, desde otro punto de vista, vamos a conseguir otros logros que antes eran impensables. Si observamos el registro de contratos públicos en España podemos adivinar que sigue operando en un código que focaliza su pensamiento en el papel. Esto se debe a que nos ofrece información del ejercicio anterior. Si hubiera interoperatividad e interconexión el registro nos podría dar la información a nosotros en tiempo real. Esta es otra de las consecuencias que podría tener la interoperatividad y que favorecería la contratación digital y sostenible. También nos garantiza que si estamos inscritos en el registro estatal de licitadores y empresas clasificadas de índole estatal, podremos hacerla valer en todas las administraciones con independencia de con

---

[34]   Véase el Gobierno de España, *Plan de recuperación, transformación y resiliencia: España Puede*. Presidencia del Gobierno, Madrid, octubre de 2020. Véase su contenido en la página *web*: https://www.lamoncloa.gob.es/presidente/actividades/Documents/2020/07102020_PlanRecuperacion.pdf. Fecha de última consulta: 10.01.2021.

quien contratemos. No tendremos que proceder al registro territorial. Para ello, se prevé la oportunidad de crear un *sistema centralizado de notificaciones electrónicas (SCNE) y sistema de interconexión de registros (SIR)*. Con ello, reducimos la carga burocrática. Si tuviéramos que hacerlo por cuestiones burocráticas de las administraciones y sus plataformas ya veremos cómo pueden ejecutarlo de forma automática sobre la base de esa primera inscripción —a través de mecanismos propuestos por el *Intelligent Automation as-a-Service*—. Es decir, la interoperatividad facilita mucho la operatividad del sistema.

Por lo que concierne al ámbito sanitario digital, la Agenda España Digital 2025 dispone de una clara tendencia hacia la predicción, personalización y eficiencia. Estos elementos permitirán incrementar la eficiencia, eficacia y calidad del sistema de salud pública agilizando los sistemas de información y fomentando la compartición e interoperabilidad de los datos de forma segura. También ayudará a contribuir a la personalización de los servicios prestados. Para lograrlo desde el ejecutivo se deberá apostar por un proyecto tractor que permita la transformación digital del sector de la salud cuyo motor sea: la innovación, la asistencia, el empoderamiento del paciente y la investigación. El fundamento de su actuación deberá descansar sobre tres pilares:

- El *fomento de la investigación* para mejorar los actuales sistemas de salud y prevenir epidemias futuras.

- *Reforzar el sistema asistencial* con el fin de que los pacientes puedan ser atendidos de forma más eficaz a través de mecanismos automatizados y la provisión de herramientas que permitan perfeccionar la toma de decisiones.

- Hacer más accesible el sistema de salud a través de sistemas de teleatención tales como: la telemedicina o el autodiagnóstico. Logrando estos objetivos se alcanzará uno de los objetivos más fuertes para la mejora de la salud del paciente, tales como su *empoderamiento*.

Además de los aspectos señalados, ocupa un papel muy importante la generación de acciones que contemplen la mejor compartición de los datos, de modo que favorezca la interoperabilidad. Con ello, no solo se mejorará la agilización de los sistemas de información sino que permitirán atender al paciente sin poner en riesgo la salud del resto de los ciudadanos. Esta medida resulta interesante no solo ante un confinamiento sino también ante cualquier tipo de enfermedad que puedan contraer los pacientes y que les impida la movilidad. El diseño de estas estrategias públicas de salud favorecerá una atención más directa y personalizada de los ciudadanos. Además, permitirá la transformación del *Sistema Nacional de Salud* hacia un desarrollo coordinado, interoperable, integrado, multidimensional, y que desarrolle aplicaciones para todo el ecosistema biosanitario: la Salud Pública y la Epidemiología, la práctica clínica, la gestión sanitaria, las Universidades, los centros de investigación y un pujante sector de empresas emergentes e innovadoras alrededor de la salud y los estilos de vida, con claras sinergias entre todos.

4.2. *El Plan de Recuperación, transformación y resiliencia*

La configuración del presente Plan, aprobado el 7 de octubre de 2020, pretende convertirse en un impulso para lograr *una Administración más moderna a través de la digitalización*. Para ello, prevé una dotación específica de más de 3.000 millones de euros para lograr la transformación digital del sector público que se hará extensible no solo al ámbito estatal sino también a las Comunidades Autónomas y Entidades Locales. En este contexto, el quinto *flagship* denominado *modernise* incluye una serie de reformas "transversales", "tractoras" o "verticales" coordinadas con criterios comunes. En concreto, en lo que se refiere al sector de la salud, encontramos entre sus proyectos tractores de digitalización del sector público la transformación digital del servicio público de salud. Su consolidación incidirá en los diferentes ámbitos que ocupan a la mejora de la interoperabilidad, así como el desarrollo de nuevos servicios digitales, aunados con el impulso a la analítica de datos y la explotación de la información contenida en el Sistema Nacional de Salud. Esta decisión dispondrá de un fuerte impacto en el sector por cuanto permitirá la ocupación de 150.000 trabajadores públicos que serán habilitados para el teletrabajo y transitará hacia la Administración del siglo XXI, cuyos objetivos se centran en tres aspectos: la digitalización, la eficacia y la accesibilidad.

En este punto de la cuestión se puede afirmar que el presente Plan realiza una labor muy importante en la previsión de mecanismos que permitan la que denomina como "Renovación y ampliación de las capacidades del Sistema Nacional de Salud" que han sido redactadas a propósito de su *componente 18*. Entre los retos y objetivos que se aventura a destacar encontramos cómo la sociedad y los poderes públicos se han venido enfrentando, en los últimos tiempos, a una crisis sanitaria que ha puesto de manifiesto las fortalezas y debilidades del sistema público de salud en España. Para evitar problemas, y aprender de los errores, se requiere de un sistema de gestión pública que permita: anticipar los retos futuros, dotarles de una respuesta rápida y crear un sistema de coordinación de cada uno de los territorios con el fin de garantizar su eficacia. Sin lugar a duda, uno de los servicios que más se ha puesto a prueba en el periodo que ocupa a la pandemia ha sido el sistema sanitario en el que se incluye el carácter estratégico que ha adoptado la industria farmacéutica. Con la misma, hemos podido atisbar la necesidad de asegurar el abastecimiento de material médico y quirúrgico que permita mejorar la equidad en el acceso a los nuevos tratamientos que requiere no solo el paciente que padece de una molestia causada por la COVID-19 sino aquel que sienta cualquier tipo de dolencia. Ni que decir tiene, el importante papel que han ocupado el personal sanitario que se ha enfrentado, desde primera línea de batalla a la pandemia, poniendo en riesgo su propia salud en un acto heroico que recordaran los ciudadanos que vivieron estos tiempos. Es en este punto, donde las administraciones públicas deberán procurar mecanismos que no solo mejoren la calidad del servicio sino que permitan evitar cualquier tipo de obstrucción al sistema. Solo de este modo, se podrán dar respuestas inmediatas a: los retos demográficos, ambientales, sociales, tecnológicos y económicos, a los que se enfrentan a diario. Para lograrlo, deberá atender a cinco aspectos clave:

- Fortalecimiento de la atención primaria y comunitaria
- Reforma del sistema de salud pública
- Consolidación de la cohesión
- La equidad y la universalidad
- Refuerzo de las capacidades profesionales y reducción de la temporalidad y reforma de la regulación de medicamentos y productos sanitarios

En el seno de la inversión total estimada de 1.069 millones de euros, y por lo que concierne a la interoperabilidad, se pretende alcanzar estos objetivos a través de lo que se ha denominado el *Data Lake sanitario* contenido en el apartado C18.16. Este aspecto hace referencia a la generación de un centro de datos que permita aglutinar la información de los pacientes, permitiendo su identificación, para la mejora de su diagnóstico y tratamiento. Este elemento tendrá un fuerte impacto en: el impulso de la digitalización de los servicios de salud, la apuesta por la interoperabilidad y la generación de servicios en red que ocuparán una gran incidencia en el ámbito nacional, europeo e internacional. En definitiva, se pretende dotar de un sistema público de salud que permita la prevención y afrontar las actuales demandas derivadas no solo de la COVID-19 sino de cualquier epidemia o dolencia ya existente o futura, aumentando las capacidades de salud pública y los sistemas de vigilancia epidemiológica.

Para lograrlo queda mucho por hacer. La creación de un *Pacto por la ciencia y la innovación,* que permita llevar a cabo un refuerzo de las capacidades del sistema Nacional de Salud, pasa por atender a tres elementos que resultarán claves en su implementación, que surge con motivo de la digitalización:

En primer lugar, encontramos la *Estrategia Nacional de Inteligencia Artificial* (núm. 16). Este elemento permite vertebrar la acción entre el sector privado y la Administración de modo que ayude a afianzar el papel conductor que supone la Inteligencia Artificial en una era marcada por la digitalización a fin de poder lograr el crecimiento económico. Su implementación deberá atender a un conjunto de valores compartidos desde instancias no solo estatales sino también a la configuración de valores europeos de modo que permita potenciar: las condiciones de vida, la productividad, prestación de servicios públicos y, dar respuesta a los emergentes retos sociales. Estos objetivos deben ir de la mano de la que se conoce como la *Carta de Derechos Digitales*[35]. Si bien no se trata de un texto normativo, permitirá asentar las bases necesarias para la protección de los derechos

---

[35]   Gobierno de España, *Carta de Derechos Digitales*, Plan de Recuperación, Transformación y Resiliencia, 2021. Véase el contenido que propone en la página web: https://www.lamoncloa.gob.es/presidente/actividades/Documents/2021/140721-Carta_Derechos_Digitales_RedEs.pdf. Fecha de última consulta: 30.07.2021.

de los ciudadanos en el uso de las diferentes estrategias que propone la digitalización.

El aspecto que acabamos de anunciar encuentra una disonancia respecto a la nueva regulación que propone el Real Decreto 203/2021, de 30 de marzo, por el que se aprueba el Reglamento de actuación y funcionamiento del sector público por medios electrónicos, por cuanto su regulación no prevé la implementación de un sistema automatizado de los datos y de inteligencia artificial. Es en este aspecto, donde el legislador ha desaprovechado una oportunidad ya señalada desde la Estrategia Nacional de Inteligencia Artificial del Consejo de Ministros[36].

En segundo lugar, debemos destacar la necesaria *reforma institucional y fortalecimiento de las capacidades del sistema nacional de ciencia, tecnología e innovación* (núm. 17). Uno de los principales objetivos que se pretenden perseguir pasa por fortalecer la colaboración público-privada para poder favorecer la transferencia del conocimiento y potenciar, de este modo, el talento de España para atraer, recuperar y retener el talento[37], partiendo del principio de igualdad de oportunidades entre hombres y mujeres[38].

---

[36]   Gobierno de España, *ENIA: Estrategia Nacional de Inteligencia Artificial*, Agenda 2030, España Puede, España Digital 2025, noviembre 2020, indica como "*otro ámbito relevante de aplicación de la IA en el sector público es el ámbito sanitario. En ese sentido la aplicación de la IA en investigación en salud permitirá el impulso de proyectos estratégicos como la simplificación de algoritmos en asistencia sanitaria, como por ejemplo el triaje de pacientes, que por sí mismo puede suponer una reforma y aumento de la eficiencia en los sistemas de salud*", pág. 62. Véase en la página web: https://portal.mineco.gob.es/RecursosNoticia/mineco/prensa/noticias/2020/201202_np_eniav.pdf. Fecha de última consulta: 30.07.2021.

[37]   Gobierno de España, *Estrategia Española de Ciencia, Tecnología e Innovación 2021-2027*, Ministerio de Ciencia e Innovación. Véase en la página web: https://www.um.es/documents/1718090/18815392/EECTI-2021-2027.pdf/3d5a599b-49bb-444c-924d-bcdacffd250e. Fecha de última consulta: 30.07.2021.

[38]   Su aprobación, parte del Real Decreto 938/2020, de 27 de octubre, por el que se regula el Observatorio "Mujeres, Ciencia e Innovación". Su materialización se observa del siguiente documento del Gobierno de España, *Observatorio Mujeres, Ciencia e Innovación, Ministerio de Ciencia e Innovación*. Véase en la página web: https://www.ciencia.gob.es/site-web/Secc-Servicios/Igualdad/OMCI.html. Fecha de última consulta: 30.07.2021.

En tercer lugar, deberá existir una *renovación y ampliación de las capacidades del Sistema Nacional de Salud* (núm. 18). Es en este aspecto donde redunda la importancia que adquiere la interoperabilidad en el Sistema Nacional de Salud. La digitalización del servicio persigue que toda la población pueda ser atendida en igualdad de condiciones y con la eficacia que se deduce en la actuación de las actividades administrativas. Impulsar la analítica, exploración de los datos e información, así como la incorporación de nuevas bases de información, generarán un amplio abanico de opciones que mejorará la atención primaria de los pacientes así como prevendrá la expansión de epidemias.

Avanzar en la interoperabilidad electrónica de información sanitaria supondrá así una mejor prestación y garantía de los servicios públicos de salud tanto en el ámbito nacional como internacional. Para constatar estos términos, se han incorporado funcionarios de MUFACE, MUGEJU e ISFASS. El objetivo es lograr la transformación de la receta sanitaria electrónica de modo que sea aceptada en cualquier oficina farmacéutica del país. Se trata de un paso en el que se observa como la interoperabilidad mejora la calidad, accesibilidad y eficacia en el sistema de salud. Los resultados positivos que se obtienen hacen que el sistema desee aumentar su ambición y por ello, se trabaja en lograr que la interoperabilidad sea aplicable en el resto países de la Unión Europea. Ofrecer beneficios adicionales a la movilidad de las personas facilitará la observancia de los diferentes retos a los que se enfrente el sistema de salud.

La COVID-19 ha puesto sobre la mesa la importancia de atender a respuestas globales ante determinados desafíos que comienzan siendo locales. En suma, desarrollar los servicios públicos digitales facilitará la gestión eficiente de las diferentes cuestiones que surjan en relación al ámbito sanitario. En consecuencia, se deberá transitar hacia la creación de una Estrategia de Salud Digital del Sistema Nacional de Salud[39], que contará con la colaboración tanto de las Comunidades Autónomas como la participación de los sectores implicados. Desde

---

[39]   Nota de prensa del Gobierno de España, "El ministerio de Sanidad trabaja en el desarrollo de una Estrategia de Salud Digital del SNS", Ministerio de Sanidad, 3 de septiembre de 2020. Véase en la página web: https://www.mscbs.gob.es/gabinete/notasPrensa.do?id=5042. Fecha de última consulta: 30.07.2021.

el Consejo Interterritorial ya comienzan a dar los primeros pasos en esta senda por cuanto se ha acordado la creación de la Comisión de Salud Digital cuyo objetivo será contribuir a la cogobernanza con las Comunidades Autónomas en todos los proyectos que ocupen a esta área[40]. La correcta culminación de estos tres aspectos, permitirá garantizar que todos los ciudadanos puedan disponer de similares oportunidades de acceso a un sistema sanitario que sea público, universal y excelente, a la vez que sólidamente cohesionado, inteligente, innovador y, con un aspecto novedoso, la perspectiva de género. Solo de este modo, se podrá vehicular un sistema que permita cuidar y promocionar la salud en el transcurso del periodo que ocupa la vida de cada uno de los ciudadanos.

4.3. El Plan de digitalización de las Administraciones Públicas 2021-2025

El Plan que se indica a continuación, se integra dentro del componente 11 del Plan de Recuperación, Transformación y Resiliencia de la economía española. Su contenido supone un salto decisivo en la *mejora de la eficiencia y la eficacia de la Administración pública, en la transparencia y eliminación de trabas burocráticas*. Así, busca dar respuesta a los principales retos que ocupan a la sanidad, entre otros ámbitos tractores tales como el empleo y la justicia. En concreto, pretende el establecimiento de un conjunto de infraestructuras y sistemas de información y de datos de modo que permitan alcanzar una gestión eficiente y mitigar cualquier disrupción de emergencia sanitaria. Adicionalmente, plantea los principales procesos críticos de la relación de los ciudadanos y las empresas con la Administración, que se verán favorecidos con la implementación de un sistema de interoperabilidad que permita desarrollar mecanismos más automáticos y transparentes para la gestión pública en procesos claves, como pudie-

---

[40]   Nota de prensa del Gobierno de España, "El Gobierno Interterritorial acuerda la creación de la Comisión de Salud Digital, que contribuirá a la cogobernanza con las CC.AA. e interoperabilidad de todos los proyectos en esta área", Plan de Recuperación, Transformación y Resiliencia, 30 de junio de 2021. Véase en la página web: https://www.lamoncloa.gob.es/serviciosdeprensa/notasprensa/sanidad14/Paginas/2021/010721-estrategia_salud.aspx. Fecha de última visita: 30.07.2021.

ran ser: la presentación de declaraciones, concesión de subvenciones, contratación pública de material quirúrgico, entre otros.

Entre los proyectos de alto impacto, el Plan se divide en tres ejes que guardan relación con su objeto: *la transformación digital de la Administración General del Estado* (Eje 1); *Proyectos de alto impacto en la digitalización del Sector Público* (Eje 2); y, la *Transformación Digital y Modernización del Ministerio de Política Territorial y Función Pública, Comunidades Autónomas y Entidades Locales* (Eje 3). Por lo que concierne al segundo eje del Plan, debemos destacar la *medida 10 que atiende a la transformación digital del ámbito sanitario*. Con este horizonte lo que se pretende es reforzar los mecanismos que emplea el Sistema Nacional de Salud a través de técnicas interoperables que faciliten la gestión de la información de las diferentes Comunidades Autónomas con el fin de: hacer que el servicio sea más eficiente respecto a como lo entendíamos hasta la fecha, aplicar sistemas de inteligencia artificial al análisis de datos y poder afrontar, con determinación, cualquier emergencia sanitaria. Para ello, su trabajo se fundamentará en tres ámbitos:

En primer lugar, la Administración deberá apostar por la *mejora de la interoperabilidad*. Como hemos tenido ocasión de avanzar el Sistema Nacional de Salud se deberá caracterizar por la correcta cooperación entre Comunidades Autónomas e INGESA, encargadas de la prestación de servicios de salud, MUFACE, ISFAS y MUGEJU, como entidades gestoras, respectivamente, que guardan relación con los Regímenes Especiales de Seguridad Social de los funcionarios civiles del Estado, Fuerzas Armadas y del personal al Servicio de la Administración de Justicia y el Ministerio de Sanidad, que ocuparán un cargo de responsabilidad en la coordinación. Tal y como señala el tenor literal del Plan *"la interoperabilidad constituye una de las prioridades para facilitar la colaboración, estableciendo para ello los mecanismos de coordinación organizativos, técnicos y semánticos*[41]*"*. Entre las iniciativas que se pretenden abordar para su consecución

---

[41]   Gobierno de España, *Plan de Digitalización de las Administraciones Públicas 2021-2025*, Agenda 2030, España Puede, España Digital 2025, pág. 26. Véase en la página web: https://administracionelectronica.gob.es/pae_Home/pae_Estrategias/Estrategia-TIC/Plan-Digitalizacion-AAPP.html. Fecha de última visita: 30.07.2021.

encontramos: la incorporación de mecanismos de colaboración, registro de vacunaciones, evolución de la receta electrónica o la estandarización y gestión de los servicios por los que apuesta el Sistema.

El segundo lugar lo ocupa el *desarrollo de nuevos servicios*. La digitalización abre la puerta a la creación de nuevos sistemas que favorecerán la mejora respecto a los servicios ya existentes. Sin embargo, no podrá contemplarse un sistema con estas características sin la correlativa previsión legislativa, por lo que deberá ser entendida en el seno de las disposiciones establecidas en la Ley 39/2015, de 1 de octubre, del Procedimiento Administrativo Común de las Administraciones Públicas. Este aspecto pasa por la evolución de la cartera de servicios del Ministerio de Sanidad, habilitándose nuevos canales digitales que permitirán el desarrollo de aplicaciones que generarán la consecución de un servicio más accesible, simple, eficaz, eficiente y no discriminatorio.

Por último, encontramos en tercer lugar, la *mejora de la gestión*. Este aspecto ocupa un papel relevante ya que permitirá la simplificación de los diferentes plazos administrativo que, con carácter general, se han catalogado de tediosos. Este aspecto será abordado desde las distintas iniciativas que pretenden la gestión digital de todos los servicios y procedimientos que se originan en el Ministerio de Sanidad.

El éxito en su implementación requiere que el presente Plan vaya acompañado de un conjunto de modificaciones normativas que atiendan a la reforma de: el modelo de gobernanza, la cooperación interadministrativa, una Administración cibersegura y la transformación de la SGAD. Centrando nuestro objeto en la reforma de cooperación interadministrativa, podemos señalar la necesidad de transitar hacia un nuevo marco basado en tres estrategias. En primer lugar, en el *ámbito organizativo*, por lo que deberá atenderse a las diferentes administraciones que ocupan una responsabilidad respecto al sistema público de salud, así como la actualización y mantenimiento de la información administrativa desde una escala nacional, de modo que permita crear servicios comunes y la reutilización de las infraestructuras y productos potenciándolos con la innovación aplicada al ámbito tecnológico. En segundo lugar, la apuesta por la *interoperabilidad semántica*, permite la publicación y la aplicación de emergentes modelos de datos que mejorarán el intercambio de la información, de carácter horizontal y sectorial, así como, los relativos a las herramientas comunes, infraestructuras y servicios. Por último, en tercer lugar, cabe realizar una previsión sobre lo que se conoce como la *interoperabilidad técnica*, que no es más que el reflejo del constante dinamismo con el que han evolucionado las tecnologías y los servicios digitales en los últimos tiempos. Todo ello, deberá ser contemplado desde la estela marcada por la Ley 40/2015, de 1 de octubre, de Régimen Jurídico del Sector Público.

La reforma normativa, que se busca implementar, deberá atender al mismo tiempo a la actualización del que se conoce como el Esquema Nacional de Interoperabilidad, aprobado por el Real Decreto 4/2010, de 8 de enero, por el que se regula el Esquema Nacional de Interoperabilidad en el ámbito de la Administración Electrónica y gran parte de las normas técnicas que lo desarrollan[42]. En este sentido, se convierte en un *"instrumento que comprende el conjunto de criterios y recomendaciones en materia de seguridad, conservación y normalización de la información, de los formatos y de las aplicaciones que deberán ser tenidos en cuenta por las Administraciones Públicas para la toma de decisiones tecnológicas que garanticen la interoperabilidad"* (Anexo. Definiciones del Real Decreto 203/2021,

---

[42]   En el Preámbulo del Real Decreto 203/2021, de 30 de marzo, por el que se aprueba el Reglamento de actuación y funcionamiento del sector público por medios electrónicos, ya se indican algunas modificaciones que han tenido lugar en este ámbito, *"la rápida evolución de las tecnologías, la experiencia derivada de la aplicación del Esquema Nacional de Interoperabilidad desde su aprobación hace 10 años, las previsiones de la Ley 39/2015, de 1 de octubre, y de la Ley 40/2015, de 1 de octubre, relativas a la interoperabilidad entre las Administraciones Públicas y sus órganos, organismos públicos y entidades de derecho público vinculados o dependientes, más la necesidad de adecuarse a lo previsto en el Reglamento nº 1025/2012 del Parlamento Europeo y del Consejo, de 25 de octubre de 2012, sobre la normalización europea, por el que se modifican las Directivas 89/686/CEE y 93/15/CEE del Consejo y las Directivas 94/9/CE, 94/25/CE, 95/16/CE, 97/23/CE, 98/34/CE, 2004/22/CE, 2007/23/CE, 2009/23/CE y 2009/105/CE del Parlamento Europeo y del Consejo y por el que se deroga la Decisión 87/95/CEE del Consejo y la Decisión no 1673/2006/CE del Parlamento Europeo y del Consejo, determinan la necesidad de proceder a modificar ciertos aspectos de su redacción actual. En consecuencia, se modifican los artículos, 9, 11, 14, 16, 17, y 18, así como la disposición adicional primera y el anexo de glosario, a la vez que se suprimen el artículo 19 y las disposiciones adicionales tercera y cuarta".*

de 30 de marzo, por el que se aprueba el Reglamento de actuación y funcionamiento del sector público por medios electrónicos). Estas reformas que se proponen, deberán realizarse con la colaboración de la Comisión Sectorial de Administración Electrónica, donde se observarán las virtualidades que ofrece en el ámbito de la salud pública. Por lo tanto, la interoperabilidad permitirá dar un soporte tecnológico y jurídico necesario para poder abordar los desafíos futuros que en nuestros días ha puesto sobre la mesa la crisis sanitaria.

5. CONCLUSIONES

El análisis del conjunto de enseñanzas que nos ha brindado el periodo que ocupa a *la pandemia ofrece resultados criticables*. Los diferentes aspectos jurídicos y organizativos que ocupaban a las Administraciones públicas no se encontraban preparados para un fenómeno de tal magnitud como el que supuso la llegada de la crisis sanitaria. Este aspecto queda evidenciado tras la adopción de medidas restrictivas tales como las decretadas por el ejecutivo a propósito del Real Decreto 463/2020, de 14 de marzo, por el que se declara el estado de alarma para la gestión de la situación de la crisis sanitaria ocasionada por la COVID-19 y que supuso una paralización de la sociedad y de la economía en su conjunto. Por fortuna, la transformación digital posibilitó el mantenimiento de actividades cotidianas de carácter laboral, educativo, social, etc., que permitieron suavizar algunas de las devastadoras consecuencias económicas que terminarían resultando del confinamiento. Pero sin lugar a duda, si existe un sector que se ha visto fuertemente desafiado por la pandemia ha sido el que concierne a la salud.

La interoperabilidad aplicada en el servicio público de salud se configura así como un instrumento adecuado para hacer frente a situaciones de emergencia sanitaria. Aunque hayamos puesto el acento en la importancia que adquieren determinadas herramientas para poder combatir la pandemia no es menos importante el acompañamiento coetáneo de una mejora de las distintas estructuras generales de respuesta administrativa. La posible eficacia de la respuesta que adopte el ejecutivo en la adopción de medidas tales como el confinamiento, a fin de erradicar la epidemia, dependerá tanto o más de la fortaleza en la que estén diseñados los marcos generales de la Administración: en el grado de implementación de la Administración electrónica, la agilidad en los sistemas de coordinación y colaboración interadministrativa o la eficacia de los sistemas de contratación pública. Sin este apoyo general, el sistema se encontraría ante una quimera en que se vislumbraría lo insuficiente que resulta un marco normativo moderno que no contemple los cambios que proponen las nuevas exigencias sociales, tecnológicas y de salud.

Las Administraciones públicas deben apostar por la plena consecución de este sistema por cuanto ofrece una serie de beneficios que conducen a que mejore la propia gestión administrativa y la efectiva garantía de los derechos de la ciudadanía. Para lograrlo, se requiere de una doble esfera de actuación: la normativa y la ejecutiva.

La normativa se observa de la aprobación no solo de normas genéricas que permitan la implementación del sistema, sino que sea adaptado a las necesidades que presenta el sector. En este punto de la cuestión se puede afirmar que el Derecho contribuye a mejorar la capacidad de preparación y respuesta ante posibles futuras epidemias, así como los retos a los que se deba enfrentar el servicio público de salud.

Desde la perspectiva que ofrece su carácter ejecutivo, debemos anunciar la pertinencia de dotar a los diferentes centros de salud de las herramientas, infraestructuras y servicios de administración electrónica, de modo que logren alcanzar un uso adecuado y responsable de la misma. Es por ello indispensable, la puesta en marcha de los objetivos señalados en los tres planes aprobados desde el Gobierno de España: la Agenda España Digital 2025; el Plan de Recuperación, Transformación y Resiliencia; y, el Plan de Digitalización de las Administraciones Públicas 2021-2025, con el fin de alcanzar una Estrategia de Salud Digital del Sistema Nacional de Salud, que permita garantizar que el personal sanitario así como quienes ocupen un cargo en este sector adquieran los conocimientos específicos que favorezcan la adaptación a las nuevas oportunidades que ofrece la digitalización.

La pertinencia de *un sistema de alfabetización digital para el personal sanitario, así como la previsión de una oferta formativa para el conjunto de la ciudadanía, se convierten en indispensables.* Con la llegada de la crisis sanitaria, los profesionales de la medicina tuvieron que adaptarse no sólo a una nueva epidemia, desconocida hasta entonces, sino también a un sistema de gestión telemática que permitiría: evitar contagios tanto de los pacientes como de los profesionales de la salud, mayor accesibilidad a los diferentes servicios, sistemas automatizados de información, así como otras herramientas que favorecerían la detección y seguimiento de los pacientes afectados por el virus. De no existir un sistema que les ayude a entrever el correcto funcionamiento de estas herramientas electrónicas, la transformación digital limitaría los derechos del conjunto de los ciudadanos convirtiéndola en ineficiente.

La innovación y los avances tecnológicos, suscitados en los últimos años, tienen la indiscutible virtud de contribuir a la mejora de múltiples aspectos que conciernen a nuestro entorno. Entre otras virtudes, podemos destacar que: permiten acercar las administraciones públicas a los ciudadanos, rompen con las brechas geográficas existentes, aportan herramientas que permiten mejorar la eficiencia y la productividad de nuestro sistema económico, etc., en definitiva, nos aportan una infinidad de beneficios cuyo alcance excede a la imaginación. Los fondos europeos, suponen una oportunidad única para la transformación del Sistema Nacional de Salud, lo que permitirá ofrecer un servicio: más eficiente, personalizado, no discriminatorio y accesible. Todo ello supone lograr un cambio no solo organizativo sino también cultural. Si bien la evolución hacia nuevos formatos digitales permiten una mayor proximidad e interacción tecnológica entre las partes, que no pueden desplazarse hacia sus centros médicos, dificulta esa cercanía física y la empatía que caracterizaba a la presencialidad. Dicho en otros términos, la tecnología difumina el trato exclusivamente humano, y actúa a favor de la apuesta por nuevos formatos técnicos tales como la atención a través de sistemas de tecnología disruptiva como los que propone la inteligencia artificial.

Nos encontramos en un momento de inflexión en el que se acometen *nuevos desafíos y riesgos que corresponderá afrontar respecto a la administración electrónica y el sistema público de salud*, entre los cuales podemos citar: *la transparencia, la protección de datos, la ciberseguridad y la seguridad jurídica*. Asimismo, una de las principales deficiencias que presenta *el servicio de interoperabilidad es su escasa y heterogénea implementación*. Pese a que su establecimiento quedaba regulado por la Ley 11/2007, de 22 de junio, de acceso electrónico de los ciudadanos a los servicios públicos, no será hasta la llegada de la Ley 39/2015, de 1 de octubre, del Procedimiento Administrativo Común de las Administraciones Públicas y la Ley 40/2015, de 1 de octubre, de Régimen Jurídico del Sector Público, así como su desarrollo por el Real Decreto 203/2021, de 30 de marzo, por el que se aprueba el Reglamento de actuación y funcionamiento del sector público por medios electrónicos, cuando cobre un especial protagonismo. En suma, tenemos por delante la labor de acometer una doble adaptación: no solo tecnológica sino también jurídica. Solo así se permitirá concretar todo ese flujo novedoso que no deja de surgir con motivo de la doble transformación hacia la que nos guía la Comisión Europea: la digitalización y la sostenibilidad, y que España encabeza, en un segundo puesto, respecto a los servicios públicos.

BIBLIOGRAFÍA

ANDRÉS SEGOVIA, B., "El reinicio tecnológico de la inteligencia artificial en el servicio público de salud", *Ius et Scientia*, Vol. 7, núm. 1, 2021, págs. 340-347.

ANDRÉS SEGOVIA, B., "Derecho e Innovación en la Agenda España Digital 2025", *Diario La Ley*, núm. 9743, 2020.

BOOTH, J., *The Price of tomorrow. Why deflation is the key to an abundant future*, Stanleypress, Canadian, 2020, págs. 1-3.

CERRILLO MARTÍNEZ, A., "Cooperación entre administraciones públicas para el impulso de la administración electrónica", en la obra de GAMERO CASADO, E. y VALERO TORRIJOS, J. (Coords.), *La Ley de administración electrónica. Comentario sistemático a la Ley 11/2007, de acceso electrónico de los ciudadanos a los servicios públicos*, Thomson-Aranzadi, Navarra, 2008, pág. 497.

CIERCO SEIRA, C., "Derecho de la Salud Pública", en la obra de AA.VV. de BLANQUER CRIADO, D. (Coord.), *COVID-19 y Derecho Público* (durante el estado de alarma y más allá), Tirant lo Blanch alternativa, Valencia, 2020, pág. 28.

MARTÍN DELGADO, I., "Identificación y autentificación de los ciudadanos", en la obra de AA.VV. de GAMERO CASADO, E. y VALERO TORRIHOS, J. (Coords.), *La Ley de administración electrónica. Comentario sistemático a la Ley 11/2007, de acceso electrónico de los ciudadanos a los servicios públicos*, Thomson-Aranzadi, Navarra, 2008, pág. 356.

FERNÁNDEZ RODRÍGUEZ, T. R., "El Estado de Derecho, a prueba", en la obra de AA.VV. de BLANQUER CRIADO, D. (Coord.), *COVID-19 y Derecho Público (durante el estado de alarma y más allá)*, Tirant lo Blanch alternativa, Valencia, 2020, pág. 22.

GAMERO CASADO, E., "Interoperabilidad y administración electrónica: conéctense, por favor", *Revista de Administración Pública*, núm. 179, Madrid, mayo-agosto 2009, pág. 294.

GARRIDO FALLA, F., "Artículo 43". en la obra de AA.VV. de GARRIDO FALLA, F. (Dir.), *Comentario a la Constitución*, Civitas, Madrid, 1980, págs. 500-503.

GONZÁLEZ GARCÍA, J. V., "COVID-19 y contratación pública: tramitación de emergencia en práctica y otras cuestiones", en la obra de AA.VV. de BLANQUER CRIADO, D. (Coord.), *COVID-19 y Derecho Público (durante el estado de alarma y más allá)*, Tirant lo Blanch alternativa, Valencia, 2020, págs. 317-318.

PIÑAR MAÑAS, J. L., "Transparencia y protección de datos en el estado de alarma y en la sociedad digital post COVID-19", en la obra de AA.VV. de BLANQUER CRIADO, D. (Coord.), *COVID-19 y Derecho Público (durante el estado de alarma y más allá)*, Tirant lo Blanch alternativa, Valencia, 2020, págs. 148-149.

SARRIÓN ESTEVE, J., "La protección de la salud, la vida y la integridad física en tiempos de pandemia en la doctrina constitucional. A propósito de la ATC 40/2020, de 20 de abril", *Actualidad Jurídica Iberoamericana*, núm. 14, 2021, págs. 1026-1039.

SCHWAB, K., *La cuarta revolución industrial*, Penguin Random House Grupo Editorial, Barcelona, 2016, págs. 13-14.

Cambio climático y protección de la salud: el papel de las entidades locales

MARÍA LUISA ROCA FERNÁNDEZ-CASTANYS
Profesora titular de Derecho administrativo
Universidad de Granada
mlroca@ugr.es

SUMARIO: 1. EL CAMBIO CLIMÁTICO Y SU INFLUENCIA SOBRE LA SALUD. 2. LA CAPACIDAD DE LOS MUNICIPIOS PARA REGULAR LAS ACTIVIDADES QUE AFECTAN AL CLIMA Y PERJUDICAN LA SALUD. 2.1. Una breve consideración previa. 2.2. ¿Disponen las entidades locales de competencias para regular las actividades que inciden en el cambio climático y afectan a la salud? 2.3. Instrumentos locales idóneos. 3. BREVE REFERENCIA A ALGUNOS SECTORES ESPECÍFICOS DE ACTUACIÓN LOCAL. 3.1. Contaminación atmosférica. 3.1.1. En particular, la regulación del transporte y la movilidad. 3.2. Urbanismo. 4. A MODO DE REFLEXIÓN FINAL.

1. EL CAMBIO CLIMÁTICO Y SU INFLUENCIA SOBRE LA SALUD

Así como innegable es la influencia de la actuación humana en el cambio climático[1], también lo es el que éste afecta de forma decisiva a

---

[1] Entre las numerosas obras científicas que constatan esta realidad pueden citarse los estudios de FERNÁNDEZ-PALACIOS, J. Mª, "Causas y consecuencias del cambio climático. El caso de Canarias", en HERNÁNDEZ GONZÁLEZ, F. L. (Dir.), *El Derecho ante el reto del cambio climático*, Aranzadi, Cizur Menor (Navarra), 2020, pág. 52; DORTA ANTEQUERA, P. y LÓPEZ DÍEZ, A., "Cambio climático, ¿realidad o ficción?", en HERNÁNDEZ GONZÁLEZ, F. L. (Dir.), *El Derecho ante el reto del cambio climático*, Aranzadi, Cizur Menor (Navarra), 2020, *in toto;* SORO MATEO, B., "Marco jurídico general de la cuestión climática. Algunas reflexiones a la espera de la aprobación de la ley española de cambio climático y transición energética", en HERNÁNDEZ GONZÁLEZ, F. L. (Dir.), *El Derecho ante el reto del cambio climático*, Aranzadi, Cizur Menor (Navarra), 2020, pág. 115.
La influencia de la sociedad en el cambio climático se ha subrayado por diversas organizaciones, entre las que destacan el Grupo Intergubernamental de expertos sobre el cambio climático (IPCC en sus siglas en inglés). Puede accederse al tex-

la salud de todos los seres vivos[2]. Como se advierte en el documento *Cambio climático para profesionales de la salud*[3], los efectos del cambio climático "atacan casi todos los aparatos y sistemas del cuerpo humano: por ejemplo, las gastroenteritis debidas a la contaminación del agua después de lluvias diluvianas o inundaciones, la amplifica-

---

to completo de los informes elaborados por el IPCC en la siguiente dirección: https://archive.ipcc.ch/home_languages_main_spanish.shtml#tabs-3.
En la misma línea se sitúa el Informe *Análisis y propuestas para la descarbonización* elaborado en 2018 por la Comisión de expertos sobre escenarios de transición energética, en el que se parte del indubitado papel que el influjo humano juega en el cambio climático.

[2]   El cambio climático afecta todas las especies que habitan sobre la tierra. Por lo que a la humana se refiere, SARASÍBAR IRIARTE, M., "La Administración sanitaria ante el cambio climático", *Revista Aranzadi de Derecho ambiental* núm. 25 (2013), pág. 91 afirma que: "En la actualidad el cambio climático se considera que es uno de los principales riesgos potenciales para la salud humana en la globalidad del planeta junto con la pobreza y el hambre".
La OMS constata la íntima relación entre cambio climático y salud; así en su página web puede leerse que: "El cambio climático influye en los determinantes sociales y medioambientales de la salud, a saber, un aire limpio, agua potable, alimentos suficientes y una vivienda segura". Esta información está disponible en el siguiente enlace: https://www.who.int/es/news-room/fact-sheets/detail/climate-change-and-health.
Por su parte, el art. 4 la Convención Marco de las Naciones Unidas sobre el cambio climático incluye entre los compromisos de las partes la incorporación del cambio climático en las distintas políticas sectoriales con el objetivo de reducir al máximo sus efectos sobre la salud humana.
Respecto del resto de las especies no humanas, tal y como se recoge en el informe elaborado por WWG "El impactos del cambio climáticos sobre las especies", disponible en: https://wwfint.awsassets.panda.org/downloads/species_and_climate_climate_impact_sp_v1.pdf: "El monitoreo de más de 10 000 poblaciones de vertebrados (mamíferos, aves, peces, reptiles y anfibios) revela que estas se han reducido en un 52% entre 1970 y 2010. La Unión Internacional para la Conservación de la Naturaleza (UICN) estima que 35% de las especies de aves, 52% de los anfibios y 71% de los arrecifes de coral serán particularmente vulnerables a los efectos del cambio climático. El Panel Intergubernamental de Expertos sobre Cambio Climático (IPPC, por sus siglas en inglés) confirma a través de su Quinto Reporte que el cambio climático como resultado de las actividades del hombre está exacerbando las grandes presiones que ya son ejercidas por el hombre sobre los ecosistemas y animales, conduciéndonos directamente hacia la Sexta Extinción de las especies".

[3]   Este documento elaborado por la organización Panamericana de la Salud está disponible en: https://iris.paho.org/bitstream/handle/10665.2/52950/9789275322833_spa.pdf?sequence=4.

ción de enfermedades vectoriales como consecuencia de las mejores condiciones de sobrevida para el patógeno o el vector, el aumento de enfermedades cardiovasculares como respuesta del propio organismo frente al estrés térmico de las olas de calor, o los problemas psicosociales asociados a la carga emocional y social que se deriva de la pérdida de seres queridos o del empleo", además "el cambio climático puede agravar una situación existente y fragilizar aún más a las personas y comunidades ya vulnerables".

En análogo sentido, en el *Plan Nacional de adaptación al cambio climático*[4] (PNACC) para el periodo 2021-2030 elaborado por el Ministerio para la Transición Ecológica y el Reto Demográfico puede leerse que: "el cambio climático afecta a la salud de la población española a través de sus efectos directos —olas de calor y otros eventos extremos, como inundaciones y sequías— pero también a través de efectos indirectos (aumento de la contaminación atmosférica y aeroalérgenos, cambio en la distribución de vectores transmisores de enfermedades, pérdida de la calidad del agua o de los alimentos). En el caso de las islas Canarias, el posible desplazamiento hacia el Este del anticiclón de las Azores debilitaría los vientos alisios, favoreciendo la llegada de vientos africanos que traen advecciones de polvo sahariano".

Gastroenteritis; patologías respiratorias; enfermedades cardiovasculares y auditivas; problemas psicosociales; cáncer de piel; lesiones oculares o fragilización de colectivos vulnerables, son sólo alguno de los efectos que el cambio climático produce sobre la salud además de la dramática y última consecuencia de la muerte[5].

Esta íntima ligazón entre salud y cambio climático no ha pasado desapercibida al legislador estatal que la plasma de forma expresa en la reciente Ley 7/2021, de 20 de mayo, de cambio climático y transición energética (LCCTE)[6], cuyo artículo 23 impone a las

---

[4]   Pág. 27. Este documento es accesible a través de: https://www.miteco. gob.es/es/cambio-climatico/temas/impactos-vulnerabilidad-y-adaptacion/ pnacc-2021-2030_tcm30-512163.pdf.

[5]   Según el PNACC (pág. 28), en España se producen unas 1.300 muertes anuales atribuibles a temperaturas excesivamente altas.

[6]   En su Exposición de Motivos puede leerse que: "España, por su situación geográfica y sus características socioeconómicas, se enfrenta a importantes riesgos

Administraciones públicas la obligación de fomentar "la mejora del conocimiento sobre los efectos del cambio climático en la salud pública y sobre las iniciativas encaminadas a su prevención", para añadir en su apartado segundo que en el marco del PNACC "se diseñarán e incluirán los objetivos estratégicos concretos, indicadores asociados y medidas de adaptación, encaminados a reducir o evitar los riesgos en la salud pública asociados al cambio climático, incluidos los riesgos emergentes"[7]. Para la consecución de estos fines, el PNACC contempla la necesidad de integrar el cambio climático en *el Plan Nacional de Salud y Medio Ambiente*[8] donde se describirán "los principales factores ambientales que influyen en la salud humana" y se establecerán

---

derivados del cambio climático que inciden directa o indirectamente sobre un amplísimo conjunto de sectores económicos y sobre todos los sistemas ecológicos españoles, acelerando el deterioro de recursos esenciales para nuestro bienestar como el agua, el suelo fértil o la biodiversidad *y amenazando la calidad de vida y la salud de las personas*. Por ello, gestionar de manera responsable nuestro patrimonio común, el agua, los suelos, la biodiversidad, todos ellos recursos escasos y frágiles, es ineludible. Las políticas de adaptación para lograr la anticipación a los impactos y favorecer la recuperación tras los daños son necesarias en todos los sectores de nuestra economía, así como la *introducción de la variable climática en las políticas sectoriales, incluida la de salud pública*".

[7]   En el PNACC se destaca (pág. 39) que la que pandemia de COVID-19 ha incrementado la conciencia sobre las estrechas interrelaciones entre la transformación del medio ambiente y la emergencia de nuevas enfermedades. Entre las distintas medidas de intervención a abordar enumera las siguientes:
– La prevención y protección de la salud, con el reto de reducir la morbilidad y mortalidad asociada cambio climático,
– La investigación, para la mejora del conocimiento sobre los impactos del cambio climático sobre la salud y la efectividad de las medidas de adaptación.
– La formación y comunicación del riesgo para la mejora del conocimiento, tanto por parte de los profesionales de la salud, como de la ciudadanía.
– El seguimiento, evaluación y uso de indicadores.
– La gestión, organización y coordinación de las actuaciones entre los actores implicados, destacándose la creación del Observatorio de Salud y Cambio Climático.
DEL CASTILLO MORA, D., "La Ley de Medidas frente al Cambio Climático y para la transición hacia un nuevo modelo energético en Andalucía", en HERNÁNDEZ GONZÁLEZ, F. L. (Dir.), *El Derecho ante el reto del cambio climático*. Aranzadi, Cizur Menor (Navarra), 2020, págs. 160 y 162, considera que la COVID-19 no es sino una patología del cambio climático global.

[8]   Puede accederse al borrador del mismo (versión junio de 2021) en: https://www.mscbs.gob.es/ciudadanos/pesma/docs/2021_PESMA_04-06-2021.pdf.

"los objetivos y líneas de intervención del Sistema Nacional de Salud en esta materia".

De igual modo, las comunidades autónomas que disponen de una ley propia sobre cambio climático[9] subrayan esta correspondencia. Así, por ejemplo, el apartado j) del art. 11.2 de la de la Ley 8/2018, de 8 de octubre, de Medidas sobre el cambio climático y para la transición hacia un nuevo modelo energético en Andalucía (LCA), incluye la salud como área estratégica para la adaptación (junto con la agricultura, el urbanismo, el comercio o el turismo, entre otras), obligando en el apartado ñ) de su art. 20 a tener en cuenta la incidencia del cambio climático sobre la salud humana en el análisis y evaluación de riesgos por los instrumentos de planificación autonómica y local.

Constatada dicha relación, en las páginas que siguen se hará una breve aproximación al papel que, al amparo de sus competencias, juega la Administración más cercana a los ciudadanos —la local— para combatir o minimizar los efectos nocivos que las alteraciones del clima producen sobre la salud de las personas; ello sin desconocer los problemas y disfunciones que tal labor puede plantear respecto de las competencias de otras Administraciones públicas (en particular, las autonómicas) y la dificultad que para el éxito de tal empresa implica la escasez de medios —económicos, técnicos o institucionales— de que disponen la mayoría de los municipios españoles[10].

2. LA CAPACIDAD DE LOS MUNICIPIOS PARA REGULAR LAS ACTIVIDADES QUE AFECTAN AL CLIMA Y PERJUDICAN LA SALUD

2.1. Una breve consideración previa

Al ser las ciudades los lugares donde se concentra un mayor porcentaje de población su peso específico en la generación de activida-

---

[9]   Hasta el momento —y salvo error de mi parte— disponen de una ley específica: Baleares (Ley 10/2019, de 22 de febrero); Cataluña (Ley 16/2017, de 1 de agosto) y Andalucía (Ley 8/2018, de 8 de octubre).

[10]   Anota estas carencias SIMOU S., en diversas partes de su *Derecho local del cambio climático*. Marcial Pons, Madrid, 2020 (por ejemplo, en las págs. 141 y 144).

des que inciden en el cambio climático es muy relevante[11]; por ello, su implicación en la lucha contra sus efectos resulta esencial[12]. No puede olvidarse que son precisamente los municipios los que tienen a su cargo un buen número de servicios con gran potencialidad nociva sobre la salud como, entre otros, la movilidad, el urbanismo o la gestión de residuos, por lo que la regulación que den a estas (y otras) actividades resulta clave, convirtiendo a estos entes en agentes muy destacados en la instauración de estrategias contra el cambio climático.

---

[11]   CÓRDOBA HERNÁNDEZ, R. y HERNÁNDEZ AJA, A.: "Atribuciones municipales frente al cambio climático", *Ambientalia. Revista Interdisciplinar de las Ciencias Ambientales*, 2011, pág. 2, recuerdan que: "Las ciudades albergan la mitad de la población mundial y sus habitantes llegan a consumir cerca del 80% de los recursos del planeta, y al mismo tiempo son el primer escalón de la participación política. En ellas se produce tanto la innovación como la producción cultural, y todo lo que en ellas ocurre tiene repercusiones en todo el planeta. Por todo ello resulta conveniente pensar que en ellas deben de aplicarse gran parte de las políticas necesarias para resolver el problema del Cambio Climático". En el mismo sentido SORO MATEO, B. apunta en "Marco jurídico...", *op. cit.* pág. 123 a las ciudades como "responsables del 80% de las emisiones de CO_2, por lo que, a su juicio se deben convertir ahora en microcosmos que consigan la contribución global a la lucha frente al cambio climático y la adaptación local". NOGUEIRA LÓPEZ, A., "Desarrollo urbano sostenible ¿Actuar localmente sin cambio global?", en *Cuadernos de Derecho Local* núm. 46 (2018), pág. 34, apunta a los entornos urbanos como ámbitos en los que confluyen alguno de los principales problemas ambientales y sociales, incluida la generación de gases de efecto invernadero.

[12]   Siguiendo a SIMOU S., *Derecho local...*, *op. cit.* pág. 73, los argumentos que avalan lo crucial de la actuación loca pueden resumirse del siguiente modo: su proximidad a la ciudadanía; el tratarse de un poder democráticamente elegido que legitima su actuación; su conocimiento de primera mano de las necesidades de la población y su históricamente contrastada capacidad para adoptar soluciones y liderar cambios.
Tal y como se recoge en la *Estrategia local de Cambio climático* (pág. 4) la intervención de los Gobiernos locales es especialmente relevante en lo que se refiere al control de los gases de efecto invernadero procedentes de fuentes difusas "ya que determinadas actividades municipales son generadoras de estos gases" a lo que debe añadirse que "como las Administraciones Públicas más cercanas a la ciudadanía y en su papel ejemplarizante, los Ayuntamientos pueden promover el necesario cambio de hábitos (...) que permita reducir las emisiones procedentes de las fuentes difusas".
Dicho documento es accesible en el siguiente enlace: https://www.redciudadesclima.es/sites/default/files/6e89324d2176154e9bccfa7d495ba026.pdf.

Aunque durante los últimos años se viene observando una progresiva intensificación de la intervención local, todavía a día de hoy el papel de estas Administraciones es secundario, lo que obliga reivindicar su valor como actores esenciales —junto las instancias internacionales, estatales o autonómicas[13]— que permita alcanzar la debida —y deseada— gobernanza multinivel.

La importancia del rol local, si bien recogida desde hace años en ciertas normas sectoriales, se plasma con vocación de generalidad en la flamante LCCTE cuyo primer artículo proclama que: "La Administración General del Estado, las Comunidades Autónomas y las Entidades Locales, en el ámbito de sus respectivas competencias, darán cumplimiento al objeto de esta ley, y cooperarán y colaborarán para su consecución". Se consagra, de este modo, el protagonismo de los municipios en la consecución de los objetivos de la Ley, al preverse su cooperación y colaboración con el resto de las Administraciones territoriales *en el ámbito de las competencias que les correspondan.*

2.2. *¿Disponen las entidades locales de competencias para regular las actividades que inciden en el cambio climático y afectan a la salud?*

Una de las principales cuestiones que se han plantado a la hora de fundamentar la actuación local en este campo ha sido la ausencia de un título competencial referido al cambio climático, carencia que, siguiendo a SIMOU[14], puede imputarse a la falta de percepción de éste como una materia específica sobre la que articular las competencias de las distintas Administraciones Públicas.

En efecto, a diferencia de algunos Estatutos de Autonomía[15], ni la CE, la LRBRL, las leyes autonómicas de autonomía u organización

---

13   Así lo reclama SIMOU, S., *Derecho local...*, *op. cit.* pág. 72.

14   SIMOU, S., *Derecho local...op. cit.*, pág. 75.

15   Sobre los títulos competenciales en materia de cambio climático *vid.* DEL CASTILLO MORA, D. (2020), "La Ley...", *op. cit.* págs. 168 y ss. Apunta dicho autor que los Estatutos de autonomía de Aragón y Castilla-León incluyen el "desarrollo de políticas que contribuyan a mitigar el cambio climático" en el título relativo a las normas adicionales de protección del medio ambiente; Canarias

local (en Andalucía la Ley 5/2010, de 11 de junio), o las sectoriales contienen referencias expresas o atribuyen competencias a las entidades locales sobre cambio climático.

Pese a ello, la ausencia de un título *ad hoc* sobre cambio climático no ha impedido que las entidades locales hayan adoptado decisiones al amparo de las que tienen reconocidas en otras materias (tanto en sus normas de cabecera —la LRBRL o leyes de autonomía local— como en diversas normas sectoriales). En este sentido —y como ha ocurrido a nivel estatal y autonómico— ha sido el sector de actuación jurídico pública sobre el *medio ambiente* el que se ha venido considerando como más idóneo para fundamentar las medidas de adaptación o mitigación a adoptar. En relación con el mismo debe hacerse notar que la Ley 27/2013, de 27 de diciembre, de Racionalización y Sostenibilidad de la Administración Local (LRSAL), introduce una matización en el art. 25.2 al sustituir la expresión "medio ambiente"[16] por la de "medio ambiente urbano", en el que se incluyen "los parques y jardines públicos, la gestión de los residuos sólidos urbanos y la protección contra la contaminación acústica, lumínica y atmosférica en las zonas urbanas". Además, en este artículo se enumeran otras materias de interés local cuya incidencia en el cambio climático es evidente como urbanismo; tratamiento y evacuación y tratamiento de aguas residuales; o el tráfico, estacionamiento de vehículos y movilidad y transporte colectivo urbano. Asimismo, la prestación de los servicios a que alude art. 26 de la LRBRL puede afectar también negativamente al clima (alumbrado público y tratamiento de residuos). A ello deben de añadirse otros ámbitos de actuación local que también poseen una signifi-

---

y Extremadura lo mencionan como materia incluida en su competencia sobre medio ambiente y como principio rector de la actuación de sus poderes públicos. Andalucía, aunque no lo incluye entre las competencias de la Comunidad, sí lo hace en el título VII dedicado al medio ambiente, y lo vincula al fomento de energías renovables y limpias y a políticas que favorezcan la utilización sostenible de los recursos energéticos, la suficiencia energética y el ahorro.

[16] Para SANZ RUBIALES, I., "Medio ambiente y Administración local: competencias limitadas y sostenibilidad económica", *Democracia y Gobierno Local* núm. 25 (2014), pág. 12, la nueva redacción de este artículo no añade "nada nuevo, salvo la mención a la contaminación lumínica y atmosférica".

cativa trascendencia en la materia que nos ocupa como mataderos, turismo, cementerios, incendios, o abastos, entre otras.

Las leyes autonómicas de cambio climático aprobadas por algunas comunidades autónomas, han constatado la suficiencia de las competencias reconocidas a los municipios para construir una política climática propia. Así, por ejemplo, el art. 15 de la LAC recoge la obligación de que éstos elaboren[17] *Planes contra el Cambio Climático*[18] en el ámbito de sus competencias propias reconocidas por la Ley 5/2010, de 11 de junio, de Autonomía Local de Andalucía

---

[17] Dispone dicho artículo que: "Los municipios andaluces elaborarán y aprobarán planes municipales contra el cambio climático, en el ámbito de las competencias propias que les atribuye el artículo 9 de la Ley 5/2010, de 11 junio, de Autonomía Local de Andalucía, y en el marco de las determinaciones *del Plan Andaluz de Acción por el Clima*".

[18] Conforme a lo dispuesto en su apartado 2, dichos planes deberán tener el siguiente contenido mínimo:
a) Análisis y evaluación de las emisiones de gases de efecto invernadero del municipio y, en particular, de las infraestructuras, equipamientos y servicios municipales.
b) Identificación y caracterización de los elementos vulnerables y de los impactos del cambio climático sobre el territorio municipal, basado en el análisis de los Escenarios Climáticos regionales, incluyendo el análisis de eventos meteorológicos extremos.
c) Objetivos y estrategias para la mitigación y adaptación al cambio climático e impulso de la transición energética.
d) Actuaciones para la reducción de emisiones, considerando particularmente las de mayor potencial de mejora de la calidad del aire en el medio urbano, en el marco de las determinaciones del Plan Andaluz de Acción por el Clima.
e) Actuaciones que permitan incorporar las medidas de adaptación al cambio climático e impulso de la transición energética en los instrumentos de planificación y programación municipal, especialmente en el planeamiento urbanístico general.
f) Actuaciones para el fomento de la investigación, el desarrollo y la innovación (I+D+i) para la aplicación de medidas de mitigación, adaptación y transición energética en el ámbito de su competencia.
g) Actuaciones para la sensibilización y formación en materia de cambio climático y transición energética a nivel local, con incorporación de los principios de igualdad de género.
h) Actuaciones para la sustitución progresiva del consumo municipal de energías de origen fósil por energías renovables producidas *in situ*.
i) Actuaciones en materia de construcción y rehabilitación energética de las edificaciones municipales al objeto de alcanzar los objetivos de e ciencia y ahorro energético establecidos en el plan municipal.

y en el marco del *Plan Andaluz de Acción por el Clima*[19]. Dichos planes —que se aprobarán según lo dispuesto para las ordenanzas en la normativa de régimen local— se erigen en una útil herramienta al definirse en ellos actuaciones concretas para la mitigación de emisiones, la transición energética y la adaptación climática, con plazos, presupuestos y responsabilidades que podrán ser muy variadas y que comprenderán medidas para mejorar la eficiencia energética, impulsar el empleo de las energías renovables, mejorar el alumbrado público, conseguir una movilidad sostenible, o impulsar la rehabilitación de edificios, así como otras dirigidas a reducir el riesgo de los impactos del cambio climático y sus efectos, mejorar la resiliencia a los mismos, reducir la vulnerabilidad de la sociedad andaluza al cambio climático o fomentar la investigación y la sensibilización en materia climática.

En definitiva, a la vista de lo expuesto puede afirmarse que la ausencia de un título competencial específico relativo al cambio climático —de cuya necesidad, además, puede dudarse[20]— la legitimación de

---

j) Medidas para impulsar la transición energética en el seno de los planes de movilidad urbana.

k) Actuaciones para optimizar el alumbrado público, de tal suerte que, de acuerdo con la legislación aplicable, se minimice el consumo eléctrico, se garantice la máxima e ciencia energética y se reduzca la contaminación lumínica en función de la mejor tecnología disponible.

l) Programación temporal de las actuaciones previstas, su evaluación económica y ejecución.

[19] Tal y como se recoge en la página Web de la Consejería de Agricultura, ganadería, pesca y desarrollo sostenible de la Junta de Andalucía, el *Plan Andaluz de Acción por el Clima* (PAAC) es el instrumento general de planificación de la Junta de Andalucía para la lucha contra el cambio climático (...). Entre sus objetivos se encuentran: el desarrollo de herramientas de análisis y diagnóstico del cambio climático, la reducción de las emisiones de gases de efecto invernadero o la elaboración de los escenarios climáticos de Andalucía, entre otros. Del Plan dependerán los programas mitigación y transición energética, adaptación y comunicación y participación de lucha contra el cambio climático.

El PAAC correspondiente al periodo 2021-2030 se encuentra en la actualidad en fase de tramitación. Toda la información sobre dicho proceso es accesible en la página: https://www.juntadeandalucia.es/medioambiente/portal/landing-page-%C3%ADndice/-/asset_publisher/zX2ouZa4r1Rf/content/el-plan-andaluz-de-acci-c3-b3n-por-el-clima-2020-borrador-/20151?categoryVal=.

[20] Apunta SIMOU, S., *Derecho local...* pág. 81, si bien este silencio no es óbice para que las EELL dispongan de competencias climáticas, si constituye un importante

las EELL para tomar decisiones en la lucha contra el cambio climático no se ha sustentado en único título sino *en una multiplicidad de ellos* que se han utilizado de manera conjunta y que han permitido avanzar, no sin dificultades[21], en la construcción de una política climática propia. Tras la aprobación de las leyes autonómicas sobre cambio climático se reconoce el papel preponderante de los municipios para la lucha contra el cambio climático lo que constituye un importante avance que, sin embargo, algunos autores estiman insuficiente para asegurar los mínimos de autonomía local en relación a sus políticas climáticas.

2.3. Instrumentos locales idóneos

Uno de los instrumentos más comunes a utilizar por los municipios será el representado por su norma reglamentaria típica: la ordenanza. De hecho, antes de la aprobación de las leyes autonómicas sobre cambio climático (y, por tanto, de la de la ley estatal que es posterior a aquéllas) algunos Ayuntamientos ya habían aprobado sus propias Ordenanzas climáticas. No hay duda de que la aprobación de una ordenanza específica sobre cambio climático será un medio que permitirá orientar el resto de la actuación municipal en este campo, dotando de seguridad jurídica al conjunto de sus decisiones[22]; sin embargo, ello no impide que junto a la misma (o en su

---

"obstáculo jurídico" y, además de "crear inseguridad jurídica, arriesga la eficacia de las acciones tomadas en los otros niveles de gobierno (autonómico, estatal, europeo) para asegurar la lucha coordinada contra el cambio climático".

[21]   Como destaca GALERA RODRIGO, S., "Las competencias en materia de clima: la complejidad jurídica del gobierno multinivel" en GALERA RODRIGO, S. y GÓMEZ ZAMORA, M. M. (Coords.), *Políticas locales de clima y energía.* INAP, Madrid, 2018, pág. 218 y ss., la cuestión de las competencias otorgadas a las entidades locales para adoptar medias climáticas no está resuelta en las leyes autonómicas.

[22]   En la Exposición de Motivos de la Ordenanza del Ayuntamiento de Sevilla para la gestión de la energía, el cambio climático y la sostenibilidad de 2 de octubre considera que con su promulgación se "logrará duna mayor firmeza en los retos planteados y con toda seguridad mayores garantías en su cumplimiento" para añadir que "supone una auténtica innovación en la Campaña Europea de Ciudades y Pueblos Sostenibles, ya que por primera vez se establecen los propósitos en forma reglamentada".

defecto) puedan existir otras estrategias o planes de gran utilidad; entre ellos —además, de los específicos sobre el cambio climático a los que se acaba de aludir— pueden citarse los de ordenación del territorio, los urbanísticos u otros ambientales (como los Planes de Ordenación de los recursos naturales o Planes Rectores de Uso y Gestión).

3. BREVE REFERENCIA A ALGUNOS SECTORES ESPECÍFICOS DE ACTUACIÓN LOCAL

Como se ha dicho, las actividades que pueden influir en el medio ambiente en general y en el clima en particular son diversas, de ahí que el componente climático se deba de incorporar a todas las actuaciones locales que, de uno u otro modo, puedan tener una repercusión en el mismo. Así se destaca la LCCTE en cuya Exposición de Motivos puede leerse que dicha Ley "contempla la integración de los riesgos derivados del cambio climático en la planificación y gestión de políticas sectoriales, como la hidrológica, la de costas, la territorial y urbanística, la de desarrollo urbano, la de edificación e infraestructuras del transporte, la de seguridad y dieta alimentarias, así como la *de salud pública*"[23]. Respecto de esta última debe recordarse la obligación de elaborar el *Plan de salud y Medio ambiente* al que antes aludíamos.

---

[23] Por lo que a la salud pública se refiere, el papel de los entes locales ya se reconocía de forma explícita en el la Ley 14/1986, de 25 de abril, general de Sanidad, cuyo art. 42.3 dispone que: (…) los Ayuntamientos, sin perjuicio de las competencias de las demás Administraciones Públicas, tendrán las siguientes responsabilidades mínimas en relación al obligado cumplimiento de las normas y planes sanitarios:
a) Control sanitario del medio ambiente: Contaminación atmosférica, abastecimiento de aguas, saneamiento de aguas residuales, residuos urbanos e industriales.
b) Control sanitario de industrias, actividades y servicios, transportes, ruidos y vibraciones.
c) Control sanitario de edificios y lugares de vivienda y convivencia humana, especialmente de los centros de alimentación, peluquerías, saunas y centros de higiene personal, hoteles y centros residenciales, escuelas, campamentos turísticos y áreas de actividad físico deportivas y de recreo.

No es posible abordar en un trabajo de estas características un estudio detallado y de todos los sectores sobre los que puede proyectarse la actuación local (y que pueden repercutir sobre la salud: contaminación atmosférica, transporte, industria, ruido, cementerios, etc.), por lo que en las páginas que sigue se apuntarán tan sólo alguno de los más relevantes.

3.1. Contaminación atmosférica

Acaso sea la pureza del aire la que se percibe como más evidentemente afectada por el cambio climático[24]. La relación entre contaminación atmosférica y salud es innegable[25] y así se viene destacando desde hace años en diversas normas[26].

---

d) Control sanitario de la distribución y suministro de alimentos, bebidas y demás productos, directa o indirectamente relacionados con el uso o consumo humanos, así como los medios de su transporte.

e) Control sanitario de los cementerios y policía sanitaria mortuoria.

[24]   En la pág. 28 del PNACC puede leerse que: "El clima influye fuertemente en la distribución espacial y temporal de contaminantes atmosféricos mediante los vientos, la mezcla vertical y la precipitación. El cambio climático puede favorecer la persistencia de condiciones de estabilidad atmosférica que dificultan la dispersión de los contaminantes primarios en las zonas urbanas, agravando la contaminación atmosférica, especialmente las concentraciones de óxidos de nitrógeno y partículas. Por otra parte, las concentraciones de ozono y precursores de PM2.5 aumentan más rápido con mayor luz y a temperaturas ambiente más altas, por lo que el cambio climático tiende a aumentarlas".

[25]   ALMENAR-MUÑOZ, M. "Contaminación atmosférica urbana y cambio climático", en ALONSO IBÁÑEZ, Mª R. (Dir.), *Retos del desarrollo urbano sostenible e integrado*. Tirant lo Blanch, Valencia, 2018, págs. 347, hace notar que "anualmente más de 400.000 ciudadanos mueren prematuramente en la UE como consecuencia de la toxicidad del aire, y miles de personas padecen enfermedades respiratorias y cardiovasculares provocadas por la contaminación del aire. En 2013, debido a unos niveles constantes elevados de dióxido de nitrógeno (NO_2), se produjeron aproximadamente 70.00 muertes prematuras en Europa, un número casi tres veces superior al de muertes por accidentes de tráfico en ese mismo año".

[26]   En particular, a nivel europeo, la Directiva 84/360/CEE, del Consejo de 28 de junio de 1984, relativa a la lucha contra la contaminación atmosférica procedente de actividades industriales que define la contaminación atmosférica en su artículo 2.1 como: "La introducción en la atmósfera, por el hombre, directa o indirectamente, de sustancias o de energía *que tengan una acción nociva de tal naturaleza que ponga en peligro la salud del hombre*, que cause daños a los

Sin desconocer que se trata de un problema de carácter global, las entidades locales pueden y deben regular distintas actividades de su competencia con el fin de evitar, limitar o adaptar aquellas que producen perturbaciones que afecten a su calidad con el consiguiente perjuicio para la salud; el reconocimiento del rol local se ha destacado, por ejemplo, en Andalucía en el apartado d) del artículo 15.2 de la LCA que incluye como contenido obligado de los *Planes municipales contra el cambio climático* las "actuaciones para la reducción de emisiones, considerando particularmente las de mayor potencial de mejora de la calidad del aire en el medio urbano, en el marco de las determinaciones del Plan Andaluz de Acción por el Clima"[27].

En las líneas que siguen —y teniendo en cuenta las limitaciones impuestas a la extensión del presente trabajo— se hará una particular referencia al transporte que es una de las actividades más nocivas (pero con grandes posibilidades de adaptación o mejora), sin desconocer que existen otras también muy perjudiciales que los municipios pueden y deben controlar.

3.1.1. En particular, la regulación del transporte y la movilidad

Es una realidad que la contaminación generada por los medios de transporte tradicionales tiene un peso específico muy relevante en el

---

recursos biológicos y a los ecosistemas, que deteriore los bienes materiales y que dañe o perjudique las actividades recreativas y otras utilizaciones legítimas del medio ambiente". Un estudio sobre la evolución de la normativa comunitaria sobre contaminación atmosférica puede encontrarse en ALMENAR MUÑOZ, M., "Contaminación atmosférica...", *op. cit.*, págs. 339-346.

[27] Este Plan es el instrumento que debe orientar la política sobre cambio climático en Andalucía, obligando a las distintas Administraciones públicas y a las personas físicas o jurídicas que ejerzan sus funciones o actividades en el territorio de esta comunidad. DEL CASTILLO MORA, D., "La Ley...", *op. cit.* pág. 174, destaca su configuración como plan con incidencia en la ordenación del territorio a efectos de la Ley 1/1994, de Ordenación del territorio de la Comunidad Autónoma de Andalucía.

cambio climático[28] y sobre la salud de los ciudadanos[29] pues diferencia de los grandes focos industriales, los gases de los vehículos que circulan por las ciudades, se emiten a nivel del suelo donde respira la población. Por ello, no es de extrañar que uno de los principales objetivos de las leyes sobre la materia haya sido el tránsito hacia formas de transporte menos contaminantes[30] y, en particular, la generalización de los vehículos eléctricos[31].

---

[28]   BADULES IGLESIAS D., "Modere sus humos. La regulación de la movilidad y el transporte en la normativa sobre el cambio climático" (Ref. La Ley 1960/2020), pág. 2, se hace eco de los datos proporcionados por el Ministerio de Transición Ecológica y cambio demográfico, conforme a los cuales el sector transporte es el que produce más emisiones (un 26%) seguido por la generación de electricidad (20%), la industria (19%) y la agricultura (12%). Dentro del sector transporte, la mayor cantidad de emisiones procede de los turismos utilizados para el desplazamiento de personas (casi el 80%). Sobre las competencias locales en esta materia *vid.* SIMOU, S., "Cambio climático, sostenibilidad y movilidad urbana: competencias e instrumentos jurídico-locales", en ALONSO IBÁÑEZ, Mª R. (Dir.), *Retos del desarrollo urbano sostenible e integrado.* Tirant lo Blanch, Valencia, 2018, págs. 297-338.

[29]   Como destaca ALMENAR-MUÑOZ, M., "Contaminación atmosférica...", *op. cit.* pág. 350, el tráfico rodado es el responsable de casi el 40% de las emisiones de óxidos de nitrógeno en la UE.

[30]   En la Exposición de Motivos de la Ley andaluza se destaca que: "Son destacables las determinaciones sobre transporte y movilidad, dirigidas a reducir la emisión de gases de efecto invernadero, que paralelamente, disminuyen la repercusión en la salud pública de la contaminación generada por el tráfico rodado, y cabe también en este punto hacer consideración del elevado potencial a este respecto que tiene la electrificación del transporte acoplada con la generación con fuentes renovables". La trascendencia del sector transporte se subraya, asimismo, en la LCCTE en cuya Exposición de Motivos puede leerse que: "el transporte tiene que ser parte de la respuesta al cambio climático y posicionarse en el nuevo modelo de desarrollo para aprovechar las oportunidades que abre la nueva realidad económica y social. En materia de movilidad sin emisiones, se establece que se adoptarán medidas para alcanzar en 2050 un parque de turismos y vehículos comerciales ligeros sin emisiones directas de CO_2".

[31]   Con la consiguiente necesidad de dotar una red suficiente de puntos de recarga. La LCCTE introduce obligaciones de instalación de infraestructuras de recarga eléctrica en las estaciones de servicio cuyas ventas anuales de gasolina y gasóleo superen los 5 millones de litros. Tal y como constata en su Exposición de Motivos: "Esta infraestructura de recarga deberá tener una potencia igual o superior a 150 kW o a 50 kW dependiendo del volumen de ventas. La obligación se impone a las personas titulares de las estaciones de servicio que presumiblemente disponen de mayor capacidad económica y financiera para hacer frente a la

La Ley 34/2007, de 15 de noviembre, de calidad del aire y protección de la atmósfera (LCAPA) imponía una serie de obligaciones a los municipios que ahora intensifica la LCCTE. En efecto, la LCAPA circunscribía su ámbito de aplicación a los municipios de más de 100.000 habitantes y aglomeraciones[32], mientras que la LCCTE[33] reduce el umbral de población exigido a la mitad, obligando a los municipios de más de 50.000 habitantes y a los territorios insulares a adoptar *planes de movilidad urbana* "sostenible coherentes con los planes de calidad del aire que introduzcan medidas de mitigación que permitan reducir las emisiones derivadas de la movilidad". Asimismo, por su vulnerabilidad frente al cambio climático, la LCCTE ofrece a las Comunidades Autónomas insulares la posibilidad de que insten del Estado la adopción de "medidas de promoción de movilidad limpia, consistentes en restricciones de la circulación de turismos y furgonetas en su ámbito territorial". La adopción de tales medidas obligará a estas entidades a modificar su planeamiento territorial y urbanístico.

La actuación de los entes locales en este ámbito puede desdoblarse en dos: por una parte, en lo que se refiere a la movilidad en *vehículos privados* y, por otra, la relativa al *transporte público*.

Por lo que respecta a los primeros, las competencias de los municipios resultan de diversas normas como la LCCTE (art. 14) que, como se ha dicho, obliga a los municipios de más de 50.000 habitantes a adoptar *de planes de movilidad urbana sostenible* con el contenido

---

inversión requerida. En el caso de concesiones en redes estatales de carreteras, las obligaciones señaladas serán satisfechas por los concesionarios de las mismas. El régimen de obligaciones será el mismo que el establecido para las personas titulares de instalaciones de suministro de combustibles y carburantes a vehículos. La ley recoge un mandato al Gobierno para desarrollar y poner a disposición del público una plataforma de información sobre puntos de recarga y de señalética".

[32] Conforme al art. 16.4: "Los municipios con población superior a 100.000 habitantes y las aglomeraciones, en los plazos reglamentariamente establecidos, adoptarán planes y programas para el cumplimiento y mejora de los objetivos de calidad del aire, en el marco de la legislación sobre seguridad vial y de la planificación autonómica".

[33] El art. 14.1 dispone que: "La Administración General del Estado, las Comunidades Autónomas y las Entidades Locales, en el marco de sus respectivas competencias, adoptarán medidas para alcanzar en el año 2050 un parque de turismos y vehículos comerciales ligeros sin emisiones directas de CO_2 (...)".

que especifica[34]. El cambio más significativo que introduce la LCCTE se refiere al carácter obligatorio de ciertas medidas que se conciben como mínimas y, por tanto, susceptibles de mejora; entre ellas se incluye el establecimiento de *zonas de bajas emisiones*[35] no más tarde de 2023 (por ejemplo, mediante la limitación de la velocidad, restricciones o cierre del tránsito rodado en el interior de las ciudades[36]; prohibición de estacionamiento a no residentes; o la reserva de carriles para vehículos no contaminantes; exención del pago de ciertos impuestos —como el de circulación— para vehículos limpios); medidas para fomentar el desplazamiento compartido y/o no contaminante (a pie o en bicicleta o y otro medio de transporte activo); la promoción del uso del transporte público o, finalmente, la impulsión de medidas educativas y de sensibilización sobre los beneficios de los desplazamientos a pie o mediante vehículos alternativos.

---

[34]   Junto con la LCCTE debe mencionarse el apartado b) del art. 7 del Texto Refundido de la Ley de tráfico y seguridad vial que dispone que corresponde a los municipios: "La regulación mediante ordenanza municipal de circulación, de los usos de las vías urbanas, haciendo compatible la equitativa distribución de los aparcamientos entre todos los usuarios con la necesaria fluidez del tráfico rodado y con el uso peatonal de las calles, así como el establecimiento de medidas de estacionamiento limitado, con el fin de garantizar la rotación de los aparcamientos, prestando especial atención a las necesidades de las personas con discapacidad que tienen reducida su movilidad y que utilizan vehículos, todo ello con el fin de favorecer su integración social".

[35]   El art. 40 de la LCA regula los requisitos para la obtención del reconocimiento de Municipio de "Baja Emisión de Carbono". Este reconocimiento será otorgado por la Consejería competente en materia de cambio climático en atención a las iniciativas públicas puestas en marcha sobre esta materia a nivel municipal y podrá otorgarse también a las entidades de cooperación territorial tipificadas en el artículo 62 de la Ley 5/2010, de 11 de junio, de Autonomía Local de Andalucía. Conforme a lo dispuesto en el apartado segundo de dicho artículo, para obtener esta calificación será requisito indispensable que los municipios tengan aprobado el Plan Municipal contra el Cambio Climático y que en todo caso hayan dado cumplimiento a las obligaciones de comunicación a la Junta de Andalucía de sus acuerdos y actos en relación con la aprobación de los planes municipales de cambio climático y sus revisiones, y de los informes sobre el grado de cumplimiento de los mismos.

[36]   La habilitación para la adopción de dichas medidas resulta del art. 16.4 de la LCA que permite a las entidades locales, adoptar medidas de restricción total o parcial del tráfico, incluyendo restricciones a los vehículos más contaminantes, a ciertas matrículas, a ciertas horas o a ciertas zonas, entre otras.

Respecto de los medios de transporte públicos, las posibles actuaciones se refieren a la adopción de soluciones menos contaminantes: reemplazo de vehículos de transporte colectivo por modelos limpios (electrificación de la red de transporte público u otros combustibles sin emisiones de gases contaminantes). A ello debe de añadirse la renovación ecológica y sustitución de los vehículos "sucios" utilizados por la Administración en la prestación de determinados servicios municipales (bomberos, servicio de limpieza, cuerpos y fuerzas de seguridad, etc.).

Para concluir las breves ideas apuntadas, no se puede dejar de mencionar la necesidad de tomar en consideración los costes climáticos derivados de la electrificación. Desde diversos sectores científicos se llama la atención sobre el gran coste ambiental que lleva aparejada la actividad extractiva necesaria para la obtención de los minerales que necesarios (litio, el cobalto, el níquel, el manganeso, el grafito, entre otros) para la fabricación de las baterías eléctricas con las que se pretenden sustituir los motores actuales basados en combustibles fósiles.

Por último, como se apunta en el apartado siguiente de este trabajo, el planeamiento urbanístico —junto con el territorial— será uno de los instrumentos más útiles para la reducción y el control de la emisión procedente de sectores difusos —entre los que destaca el transporte— al ser al ser ésta una cuestión íntimamente vinculada con el modelo de ciudad que en él se consagre.

3.2. *Urbanismo*

Como se ha insistido páginas atrás, las ciudades desempeñan un papel clave en para el éxito de las políticas climáticas[37] siendo evidente la trascendental influencia que una adecuada planificación ur-

---

[37] SIMOU, S. *Derecho local...*, *op. cit. pág.* 141, considera que la intensificación de la participación local en la lucha contra el cambio climático tiene una explicación clara y es que la gran mayoría de emisiones de GEI proviene de sectores difusos (entre los que se encuentran el residencial y la movilidad) y de las áreas urbanas.

banística[38] posee para la protección de la salud[39], pues el modelo de ciudad que en ésta se plasme condicionará políticas locales muy señaladas desde el punto de vista climático como la de movilidad o la energética[40].

Hasta fechas recientes no se contenía en la normativa territorial y urbanística referencia alguna al cambio climático. La LCCTE termina con esta situación al modificar el apartado c) del art. 20.1 del Texto Refundido de la Ley del Suelo y Rehabilitación urbana (RD Legislativo 7/2015, de 30 de octubre) para incluir, por primera vez,

---

[38] SIMOU, S., *Derecho local…*, *op. cit.* pág. 132, apunta al planeamiento urbanístico como instrumento por excelencia "que permite articular de la forma más óptima los sectores de la actividad humana que contribuyen directa y negativamente al efecto invernadero (energía, residuos, transportes)"; de modo que, como apunta esta autora —pág. 141— "los gobiernos locales son las principales instancias decisorias sobre las formas y estructuras de desarrollo urbanístico en sus ciudades" y su papel, como tales, es determinante en la lucha contra el cambio climático desde los sectores difusos.

[39] Y es que como hace notar GARCÍA MORALES, V. Y., *Cuadernos de Derecho local*, núm. 3 (junio 2013), pág. 88, "las potestades normativa y sancionadora de las entidades locales son fundamentales para la protección del medio ambiente, sin embargo, es en su potestad de planificación, en concreto en la urbanística, donde estas tienen un mayor margen de actuación para formular políticas medioambientales propias".

[40] En el reciente documento de la OMS *Integrar la salud en la planificación urbana y territorial* 2021, pág. 11, disponible en: https://unhabitat.org/sites/default/files/2021/06/21116_spanish_integrating_health_in_urban_and_territorial_planning.pdf, puede leerse que: "la planificación urbana y territorial desempeña un papel decisivo en la promoción de la salud y el bienestar de las ciudades y las comunidades, si bien los factores que influyen en nuestra salud son múltiples y de muy distinta índole. El urbanismo desempeña un papel capital en la prevención de enfermedades en el siglo XXI, ya que las políticas urbanas determinan el aire que respiramos, la calidad de los espacios que utilizamos, el agua que bebemos, la forma de desplazarnos y el acceso a los alimentos y a la atención sanitaria. Las decisiones relativas a la planificación pueden generar riesgos para la salud de la población o agravar los existentes, o pueden promover entornos y estilos de vida más sanos y propiciar ciudades y sociedades saludables y resilientes.

La salud no solo es un indicador de la calidad de la planificación urbana; también es un elemento indispensable para asegurar un desarrollo sostenible. Situar la salud y el bienestar en el centro del proceso de planificación puede favorecer medios de vida adecuados, fomentar comunidades resilientes y dinámicas y dar voz a los grupos vulnerables, al tiempo que permite avanzar en la reducción de las desigualdades en las zonas urbanas".

en los usos del suelo una referencia expresa al cambio climático y obligar a las Administraciones competentes en materia de ordenación territorial y urbanística (la autonómica y la local) a tener en cuenta al regular los usos del suelo los riesgos derivados del cambio climático[41]. Por su parte, el art. 19 de la LCCTE obliga a considerar el cambio climático en la planificación y gestión territorial y urbanística, así como en las intervenciones en el medio urbano, en la edificación y en las infraestructuras del transporte[42].

La integración de la perspectiva climática en el planeamiento territorial y urbanístico determina que se conviertan en instrumentos esenciales en la conformación de una ciudad sostenible y respetuosa

----

[41]   En particular, conforme a lo dispuesto en dicho apartado, se consideran riesgos derivados del cambio climático:
a) Los derivados de los embates marinos, inundaciones costeras y ascenso del nivel del mar.
b) Los que resultan de eventos meteorológicos extremos sobre las infraestructuras y los servicios públicos esenciales, como el abastecimiento de agua y electricidad o los servicios de emergencias.
c) La mortalidad y morbilidad derivados de las altas temperaturas y, en particular, aquellos que afectan a poblaciones vulnerables.
d) Los asociados a la pérdida de ecosistemas y biodiversidad y, en particular, de deterioro o pérdida de bienes, funciones y servicios ecosistémicos esenciales.
e) Los de incendios, con especial atención a los riesgos en la interfaz urbano-forestal y entre las infraestructuras y las zonas forestales.

[42]   Dicho artículo dispone que: La planificación y gestión territorial y urbanística, así como las intervenciones en el medio urbano, la edificación y las infraestructuras de transporte, a efectos de su adaptación a las repercusiones del cambio climático, perseguirán principalmente los siguientes objetivos:
enumera como objetivos a conseguir los siguientes:
a) La consideración, en su elaboración, de los riesgos derivados del cambio climático, en coherencia con las demás políticas relacionadas.
b) La integración, en los instrumentos de planificación y de gestión, de las medidas necesarias para propiciar la adaptación progresiva y resiliencia frente al cambio climático. c) La adecuación de las nuevas instrucciones de cálculo y diseño de la edificación y las infraestructuras de transporte a los efectos derivados del cambio climático, así como la adaptación progresiva de las ya aprobadas, todo ello con el objetivo de disminuir las emisiones.
c) La consideración, en el diseño, remodelación y gestión de la mitigación del denominado efecto "isla de calor", evitando la dispersión a la atmósfera de las energías residuales generadas en las infraestructuras urbanas y su aprovechamiento en las mismas y en edificaciones en superficie como fuentes de energía renovable.

con el medio ambiente[43]. Sin embargo, es preciso insistir en que si bien unos y otros constituyen una pieza muy destacada en la política de mitigación y adaptación al medio ambiente, no pueden concebirse de modo aislado o independiente al estar su potencialidad condicionada por las prescripciones de las normas (propiamente urbanísticas[44] o no[45]) que determinan su contenido.

Junto a ellos, destaca el valor —como medida de control— de las licencias de obras, de edificación y demás de competencia municipal[46].

---

[43]   Como apunta GARCÍA MORALES, V. Y., *Cuadernos de… op. cit.* pág. 88: "las técnicas urbanísticas que se aplican en el planeamiento urbanístico están vinculadas directamente con la protección del medio ambiente. Así, por ejemplo, cuando en los planes urbanísticos se establece la clasificación y calificación de los usos del suelo, densidades, alturas, volúmenes, dotaciones públicas, actividades productivas, comerciales, de transporte, ocio, turísticas, entre otras, se está conformando, no sólo un modelo de ciudad sino que, según los criterios que se adopten en la implementación de dichas técnicas urbanísticas, también se configuran políticas de protección del medio ambiente, ya que estos criterios tendrán efectos sobre los recursos ambientales; agua, aire, energía, recursos naturales, etc.".

[44]   SORO MATEO, B., "El derecho…", *op. cit.* pág. 147 recuerda que "serán las CC.AA. las que, en sus leyes urbanísticas, integren los riesgos derivados del cambio climático en la planificación territorial y urbanística".

[45]   GALERA RODRIGO, S., "Las entidades locales y su función en las Políticas europeas de energía y clima" en ALONSO IBÁÑEZ, Mª R. (Dir.), *Retos del desarrollo urbano sostenible e integrado*. Tirant lo Blanch, Valencia, 2018, pág. 436, recuerda cómo el Derecho europeo ha ido condicionando de forma fragmentaria las políticas urbanas y urbanísticas en los Estados miembros a través de regulaciones sectoriales: aguas, residuos, suelos, etc.

[46]   La evaluación de impacto ambiental de proyectos y la evaluación ambiental de planes es uno de los instrumentos más útiles para lograr la integración de la mitigación y la adaptación en los procedimientos de autorización. De este modo, en algunas regiones, se considera trascendental integrar, a través de estos procedimientos, medidas concretas de adaptación y de reducción o compensación de emisiones en el planeamiento urbanístico y en los proyectos de obras y de industrias y actividades, como una de las formas más eficaces de cumplir con los objetivos de reducción de emisiones y vulnerabilidad marcados por la Unión Europea. Si se consigue trasladar este esquema a la licencia de obras y de actividad y en las decisiones urbanísticas de competencia municipal, se evitará que el crecimiento de las ciudades y de la economía con los nuevos planes y proyectos no sometidos al procedimiento de evaluación ambiental se haga de espaldas al cambio climático e incremente el déficit futuro en mitigación y adaptación.

Por último, debe recordarse que, junto a la "climatización" de los planes sectoriales, algunas leyes autonómicas —como la andaluza— obligan los municipios a elaborar planes específicos de carácter integrador —los *Planes contra el cambio climático*[47]— en los que se concretarán medidas de gran calado.

4. A MODO DE REFLEXIÓN FINAL

En las páginas que anteceden se ha tratado de ofrecer una visión muy sintética sobre la trascendencia del papel que los entes locales juegan en la protección de la salud de los ciudadanos ante los efectos adversos que para ésta supone el cambio climático.

Se ha podido comprobar que si bien el cambio climático, como tal, no es una materia con sustantividad diferenciada, ello no ha supuesto un obstáculo para que aquéllos hayan avanzado en la construcción de una política climática propia al amparo de otros ámbitos de actuación jurídico-pública de interés local.

La entrada en vigor de las leyes estatal y autonómicas sobre cambio climático ha supuesto un destacado avance en el reconocimiento del rol de los entes locales, responsables de la regulación de un buen número de actividades con efectos sobre el clima y con repercusión directa en la salud. A día de hoy no puede dudarse de que desde la correcta previsión, actuación y planificación sectorial de tales actividades, la Administración local podrá y deberá proteger la salud de los vecinos usando viejos y nuevos instrumentos en los que la protección de aquélla constituirá un objetivo nuclear.

La necesidad de construir y avanzar hacia ciudades saludables en las que la protección del bienestar y la salud se erija como fin y objetivo principal, se presenta como una necesidad ineludible y muestra de forma palmaria la necesidad de dejar atrás la inoperatividad de un modelo de ciudad ya superado[48], así como la necesidad de articular

---

[47]   Art. 15.1 de la LCA.

[48]   Como se recoge en el documento de la OMS *Integrar la salud en la planificación urbana y territorial*: "Es necesario un cambio cultural en el mundo de la planificación, en los órganos decisorios y en todas las partes interesadas. Debemos aprovechar los aciertos de la planificación tradicional y adaptarnos a la

sinergias entre profesionales de la salud y responsables locales que permitan trabajar y avanzar hacia la ciudad del futuro.

Como ocurre con el medio ambiente en general, las estrategias que se diseñen contra el cambio climático deben concebirse de forma trasversal, de manera que la lucha contra el mismo —en su doble vertiente de mitigación y adaptación— impregne aquéllas de las políticas públicas que se refieren a actividades con un claro potencial para producir efectos indeseados sobre el clima.

Junto a los planes diseñados a nivel europeo, estatal o regional y en el ámbito competencial que les es propio, ocuparán un lugar destacado aquéllos cuya elaboración se atribuye a los entes locales. En este sentido debe recordarse que la LCCTE prevé que las Entidades Locales darán cumplimiento a lo previsto en ella y cooperarán y colaborarán con el resto de las Administraciones públicas territoriales para su consecución.

Los planes municipales *propiamente climáticos* (planes municipales contra el cambio climático) se contemplan en las leyes autonómicas como instrumentos de planificación de carácter integrador junto o como alternativa a los instrumentos de planificación territorial y urbanística.

A la actuación local en ámbitos tan genuinos como la movilidad y el urbanismo se ha hecho una referencia en la última parte de este trabajo; su consideración particular no significa que no existan otros campos —como la energía, el turismo o la protección de los recursos naturales— de indudable interés por incidencia en el cambio climático y su repercusión en de la salud. Su selección ha obedecido a las limitaciones de extensión impuestas a este trabajo, en el que, no obstante, se deja la puerta abierta a una futura y más ambiciosa reflexión sobre este tema cuyo indudable interés, que resulta acrecentado por la reciente entrada en vigor de la LCCTE.

---

complejidad del rápido cambio global, acometiendo sin dilación las transformaciones necesarias a escala local. Las medidas fiscales y tributarias y las de gobernanza, gestión y reglamentación ambiental no son suficientes por sí solas. Han de acompañarse de una planificación urbana y territorial que sea integradora, ágil, estratégica, participativa y coherente con los principios de los derechos humanos".

BIBLIOGRAFÍA

ALENZA GARCÍA, J. F., "Los municipios ante los retos de la prevención, el aprovechamiento y la eliminación segura de residuos" en ALONSO IBÁÑEZ, Mª R. (Dir.), *Retos del desarrollo urbano sostenible e integrado*. Tirant lo Blanch, Valencia, 2018, págs. 269-296.

ALMENAR MUÑOZ, M., "Contaminación atmosférica urbana y cambio climático", en ALONSO IBÁÑEZ, Mª R. (Dir.), *Retos del desarrollo urbano sostenible e integrado*. Tirant lo Blanch, Valencia, 2018, págs. 339-346.

BADULES IGLESIAS D., "Modere sus humos. La regulación de la movilidad y el transporte en la normativa sobre el cambio climático" (Ref. La Ley 1960/2020).

CASADO CASADO, L., "Las competencias ambientales de los entes locales tras la Ley 27/2013, de 27 de diciembre, de Racionalización y Sostenibilidad de la Administración Local: breve apunte", Democracia y Gobierno local núm. 25 (2014) pág. 13.

CÓRDOBA HERNÁNDEZ, R. y HERNÁNDEZ AJA, A., "Atribuciones municipales frente al cambio climático", *Ambientalia. Revista Interdisciplinar de las Ciencias Ambientales*, 2011, disponible en: https://dialnet.unirioja.es/servlet/autor?codigo=287424.

DEL CASTILLO MORA, D., "La Ley de Medidas frente al Cambio Climático y para la transición hacia un nuevo modelo energético en Andalucía", en HERNÁNDEZ GONZÁLEZ, F. L. (Dir.), *El Derecho ante el reto del cambio climático*. Aranzadi, Cizur Menor (Navarra), 2020, págs. 159-179.

DORTA ANTEQUERA, P. y LÓPEZ DÍEZ, A., "Cambio climático, ¿realidad o ficción?", en HERNÁNDEZ GONZÁLEZ, F. L., *El Derecho ante el reto del cambio climático,* Aranzadi, Cizur Menor (Navarra), 2020, págs. 81-110.

FERNÁNDEZ-PALACIOS, J. Mª (Dir.) "Causas y consecuencias del cambio climático. El caso de Canarias", en HERNÁNDEZ GONZÁLEZ, F. L., *El Derecho ante el reto del cambio climático,* Aranzadi, Cizur Menor (Navarra), 2020, págs. 51-79.

GALERA RODRIGO, S., "Las competencias en materia de clima: la complejidad jurídica del gobierno multinivel" en GALERA RODRIGO, S. y GÓMEZ ZAMORA, M. M. (Coords.), *Políticas locales de clima y energía*. INAP, Madrid, 2018, págs. 215-254.

GALERA RODRIGO, S., "Las entidades locales y su función en las Políticas europeas de energía y clima" en ALONSO IBÁÑEZ, Mª R. (Dir.), *Retos del desarrollo urbano sostenible e integrado*. Tirant lo Blanch, Valencia, 2018, págs. 433-455.

GARCÍA MORALES, V. Y., "Competencias locales y protección del medio ambiente: especial referencia al planeamiento urbanístico y municipal", *Cuadernos de Derecho local* núm. 32 (junio de 2013), págs. 83-90.

NOGUEIRA LÓPEZ, A., "Desarrollo urbano sostenible ¿Actuar localmente sin cambio global?", en *Cuadernos de Derecho Local* núm. 46 (2018), págs. 32-65.

SANZ RUBIALES, I. "Medio ambiente y Administración local: competencias limitadas y sostenibilidad económica", *Democracia y Gobierno Local* núm. 25 (2014), págs. 5-12.

SARASÍBAR IRIARTE, M., "La Administración Sanitaria ante el cambio climático", *Revista Aranzadi de Derecho ambiental* núm. 25 (2013), págs. 89.104.

SIMOU, S., *Derecho local del cambio climático.* Marcial Pons, Madrid, 2020.

SIMOU, S., "Cambio climático, sostenibilidad y movilidad urbana: competencias e instrumentos jurídico-locales", en ALONSO IBÁÑEZ, Mª R. (Dir.), *Retos del desarrollo urbano sostenible e integrado.* Tirant lo Blanch, Valencia, 2018, págs. 297-338.

SORO MATEO, B., "Marco jurídico general de la cuestión climática. Algunas reflexiones a la espera de la aprobación de la ley española de cambio climático y transición energética", en HERNÁNDEZ GONZÁLEZ, F. L., *El Derecho ante el reto del cambio climático,* Aranzadi, Cizur Menor (Navarra), 2020, págs. 115-157.

PARTE II
APLICACIONES DE LA INTELIGENCIA ARTIFICIAL: RETOS DESDE LAS CIENCIAS DE LA SALUD Y EL DERECHO

Desigualdad e inteligencia artificial. Los sesgos de los algoritmos

ANA MARÍA LÓPEZ NARBONA

Abogada. Profesora de Sociología
Universidad de Málaga

SUMARIO: 1. VALORES, PRINCIPIOS ÉTICOS Y ALGORITMOS. LOS SESGOS DE LA INTELIGENCIA ARTIFICIAL. 2. SESGOS ALGORÍTMICOS EN TIEMPOS DE CRISIS. LA PANDEMIA DEL COVID-19. 3. CONCLUSIONES.

Las desigualdades sociales, económicas, de género, raza, nacionalidad, entre otras, tienen orígenes y condicionantes muy diversos. Las nuevas tecnologías plantean importantes desafíos por lo que se refiere a las desigualdades, entre ellos, los sesgos que pueden producir en su funcionamiento. En efecto, las dinámicas de desigualdad se reproducen en tiempos de la cuartan revolución industrial a través de los sesgos y el mal uso de las tecnologías y la inteligencia artificial. En este capítulo, se ofrece un análisis de casos concretos de sesgos algorítmicos que producen desigualdades. Es imprescindible, en consecuencia, desarrollar políticas sociales con un alto contenido en humanismo, valores y principios éticos para evitar sesgos algorítmicos que produzcan desigualdades.

1. VALORES, PRINCIPIOS ÉTICOS Y ALGORITMOS. LOS SESGOS DE LA INTELIGENCIA ARTIFICIAL

Una importante cuestión científica es la controversia entre valores y principios éticos, por un lado, y algoritmos, por otro, por cuanto la Inteligencia Artificial perpetúa sesgos discriminatorios y desigualdades, produciendo asimismo nuevas desigualdades en las sociedades que ya transitan la cuarta revolución industrial. En efecto, es imprescindible plantear el tema de los sesgos de los algoritmos y su impacto en el incremento de las desigualdades. Muchos intelectuales y académicos están alertando de los sesgos en los algoritmos y en la Inteligencia Artificial en supuestos de decisiones médicas, en políticas sociales, etc.

En este sentido, estudios preliminares muestran importantes diferencias, por ejemplo, en tasas de mortalidad dependiendo de la raza, el género, y la edad. Más allá de las condiciones de vida en las que viven las personas, ¿qué parte de la mayor tasa de mortalidad se debe a los principios éticos (¿étnicos?) y a los algoritmos? ¿Cómo tener en cuenta a los grupos más excluidos de la sociedad, como mayores, personas sin hogar, prostitutas, presos?

Para Felländer-Tsai (2020), los sesgos deben ser gestionados porque el origen de los datos en los que se basan los algoritmos puede conducir a interpretaciones erróneas y daño potencial. La principal cuestión a tratar es que los estudios aleatorios estiman los efectos medios (aunque sean ponderados) de un tratamiento médico, por ejemplo, para una población de prueba. Oh et al. (2015) consideran que los participantes en análisis clínicos, por ejemplo, no son a menudo representativos (en género o raza) de la población enferma que, en última instancia, recibe el tratamiento. De acuerdo con Johnson (2013), históricamente las políticas de intervención en asuntos de drogas no están adaptada a los grupos más desfavorecidos.

En este sentido, mujeres, grupos minoritarios, pacientes obesos, por ejemplo, tienden generalmente a tener peores opciones de tratamientos médicos y, en consecuencia, peor salud a lo largo del tiempo. La Inteligencia Artificial produce disparidades en los cuidados de salud. Chen et al. (2019) mostraron diferencias estadísticamente significativas en las tasas de error en mortalidad en las UCI discriminando por raza, género y tipo de seguro médico. Para Miller (2018), una vez se descubre el sesgo algorítmico, los médicos y la Inteligencia Artificial deben trabajar conjuntamente para identificar las fuentes de los sesgos y mejorar los modelos a través de la recolección de datos y las mejoras de los modelos. Otro ámbito en el que se están observando sesgos en la toma de decisiones debidos al uso de algoritmos es los centros penitenciarios.

En Cataluña, cuando un interno solicita un permiso (libertad condicional o tercer grado), el juez que autoriza la solicitud recibe un informe elaborado por un algoritmo (RisCanvi). La falta de transparencia de dicho algoritmo es una de las principales críticas que se plantean. La transparencia es fundamental cuando estamos hablando de derechos humanos y de decisiones, como la de los centros penitenciarios, que pueden implicar desigualdades y discriminaciones. Kim (2017) reclama una auditoría para evitar que los algoritmos puedan producir desigualdad.

Los ordenadores aprenden los prejuicios a partir de identificadores sociales, incluso aunque se omita determinada información sensible, los ordenadores aprenden estereotipos mediante el uso de proxies propios de grupos sociales minoritarios o tradicionalmente discriminados. Además, se ha de tener en cuenta la discriminación estadística (Williams *et al.*, 2018).

2. SESGOS ALGORÍTMICOS EN TIEMPOS DE CRISIS. LA PANDEMIA DEL COVID-19

La pandemia del COVID-19 ha producido una digitalización acelerada y sin precedentes de la sociedad. La sociedad mundial, en su conjunto, y, en concreto, la española y europea han podido constatar que la Inteligencia Artificial y los algoritmos afectan no sólo al ámbito tecnológico o productivo sino a la estructura social y a las formas de vida.

Los gobiernos europeos están promoviendo una Carta de Derechos Digitales para tratar de canalizar adecuadamente estos enormes cambios sociales. Los neuroderechos (vinculados a las tecnologías neuronales que intervienen en nuestra percepción y pensamiento) están tomando carta de naturaleza.

Otro ámbito de análisis importante para luchar contra las desigualdades es el analfabetismo digital y la capacidad de conectarse a la red y al 5G. Los sesgos algorítmicos se han visto expuestos en la actual crisis del COVID-19. España está impulsando la creación del Observatorio de Impacto Social de los Algoritmos (OBISAL). Estudios preliminares han mostrado que determinados grupos (inmigrantes) han sufrido mayores tasas de mortalidad y una mayor desigualdad en cuanto al acceso a ayudas o ERTES.

Si bien los momentos de crisis no son los adecuados para analizar y modificar de manera justa y adecuada la relación entre valores y principios éticos y algoritmos, es imprescindible que esta cuestión no quede olvidada una vez la actual pandemia haya remitido. Las desigualdades que se han producido a todos los niveles son enormes y las brechas entre grupos sociales parecen difíciles de cerrar.

Para Gordijn y Ten Have (2015), en tiempos de emergencia sanitaria, se produce un cambio de interés desde el paciente individual a la sociedad como un todo. Ello puede conllevar numerosas situaciones de desigualdad.

Una vez finalice esta pandemia, es necesario plantearse una serie de cuestiones fundamentales. Por ejemplo, si los algoritmos son más eficientes que los principios éticos y los valores en la toma de decisiones en momentos de crisis, en el caso de algoritmos cuya finalidad es la eficiencia económica o de otro tipo. Por otra parte, si los algoritmos y los valores éticos están teniendo en cuenta los cambios en los valores de las sociedades (Inglehart, 2008, 2017 y 2018).

De acuerdo con Leslie *et al.* (2021), los patrones de desigualdad en la salud se trasladan a los sistemas de Inteligencia Artificial cuando los sesgos y las discriminaciones se introducen en la concepción, diseño y uso de los sistemas en tres planos diferentes.

En primer lugar, las estructuras discriminatorias se consolidan en bases de datos utilizados para entrenar esos sistemas (datos de grupos sociales excluidos que no se tienen en cuenta porque no tienen acceso a los sistemas de salud). En segundo lugar, las deficiencias también se producen cuando se observa la representatividad de los datos (grupos vulnerables están subrepresentados en los datos).

En tercer y ultimo lugar, los sesgos van surgiendo durante el desarrollo e implementación de los sistemas (fallos al incluir, en los modelos, variables demográficas clínicamente relevantes lo que conlleva un perjuicio para grupos sociales vulnerables). Por su parte, Bigman *et al.* (2021) realizaron un estudio en Estados Unidos y Singapur en el que mostraron que identificar las desigualdades en los resultados médicos incrementaba la preferencia por los algoritmos en decisiones de triaje.

Una manera de incrementar la aceptación de la Inteligencia Artificial en el ámbito de la salud, según estos autores, es enfatizar la amenaza de desigualdades y sus resultados negativos en la toma de decisión por parte de personas. Los algoritmos pueden también utilizarse para detectar desigualdades y discriminaciones (Kleinberg *et al.*, 2020) mediante una normativa legal adecuada. En la Unión Europea se está regulando en este sentido.

Entre la normativa más destacada, podemos señalar el *Reglamento Europeo de Inteligencia Artificial* que promueve las auditorías para establecer qué algoritmos son más éticos. Por otra parte, hay tres directivas que tienen como finalidad limitar y controlar a las grandes plataformas digitales, la *Data Act* que regula la propiedad de los datos (la Unión Europea apuesta por que sean los ciudadanos los propietarios), *Digital Services Act* y *Digital Market Act* que regulan las plataformas y los nuevos monopolios que están influyendo de manera decisiva en las democracias. En resumen, es imprescindible que la sociedad en su conjunto tome conciencia de la necesidad de controlar el desarrollo de los algoritmos y la Inteligencia Artificial que, aunque muy útiles, también pueden ser muy perjudiciales.

3. CONCLUSIONES

Los algoritmos y, en general, la Inteligencia Artificial están contribuyendo desde diferentes sectores de la sociedad y la economía a perpetuar sesgos discriminatorios y desigualdades. Por otra parte, se están produciendo nuevas desigualdades en las sociedades que ya transitan la cuarta revolución industrial. En consecuencia, la tecnología necesita más humanismo porque es el reflejo de los valores de una sociedad y no se puede dejar en manos de intereses concretos (ya sean corporativos o privados) el desarrollo de los algoritmos y la Inteligencia Artificial.

Es imprescindible, por lo tanto, reivindicar más humanismo, más conciencia histórica y unas políticas sociales centradas en eliminar las desigualdades y combatir los sesgos tecnológicos.

BIBLIOGRAFÍA

BIGMAN, Y. E.; YAM, K. C., MARCIANO, D., REYNOLDS, S. J. y GRAY, K. (2021). "Threat of racial and economic inequality increases preference for algorithm decision-making". *Computers in Human Behavior, 122,* 106859.

CHEN, I. Y.; SZOLOVITS, P. y GHASSEMI, M. (2019). "Can AI Help Reduce Disparities in General Medical and Mental Health Care?", *AMA Journal of Ethics*, 21(2): 167-179.

FELLÄNDER-TSAI, L. (2020). "AI ethics, accountability, and sustainability: revisiting the Hippocratic oath". *Acta Orthopaedica*, 91(1).

GORDIJN, B. y TEN HAVE, H. (2015). "Disaster Ethics". *Medicine, Health Care and Philosophy*, 18(1): 1-2.

INGLEHART, R. F. (2008). "Changing values among western publics from 1970 to 2006". *West European politics*, 31(1-2), 130-146.

INGLEHART, R. F. (2017). "Evolutionary Modernization Theory: Why People's Motivations are Changing". *Changing Societies y Personalities*. 1(2): 136-151.

INGLEHART, R. F. (2018). *Cultural Evolution: People's motivations are changing, and reshaping the world*. Cambridge: Cambridge University Press.

JOHNSON, K. S. (2013). "Racial and Ethnic Disparities in Palliative Care". *Journal of Palliative Medicine*, 16(11): 1329-1334.

KIM, P. T. (2017). Auditing algorithms for discrimination. *U. Pa. L. Rev. Online*, 166, 189.

KLEINBERG, J.; LUDWIG, J.; MULLAINATHAN, S. y SUNSTEIN, C. R. (2020). "Algorithms as discrimination detectors". *Proceedings of the National Academy of Sciences*, 117(48), 30096-30100.

LESLIE, D.; MAZUMDER, A.; PEPPIN, A.; WOLTERS, M. K. y HAGERTY, A. (2021). Does "AI" stand for augmenting inequality in the era of covid-19 healthcare? *bmj*, 372.

MILLER A. P. (2018). "Want Less-Biased Decisions? Use Algorithms"'. *Harvard Business Review*. July 26.

OH, S. S.; GALANTER, J.; THAKUR, N.; PINO-YANES, M.; BARCELO, N. E.; WHITE, M. J. y BORRELL, L. N. (2015). "Diversity in Clinical and Biomedical Research: a promise yet to be fulfilled". *PLoS Medicine*, 12(12).

WILLIAMS, B. A.; BROOKS, C. F. y SHMARGAD, Y. (2018). "How algorithms discriminate based on data they lack: Challenges, solutions, and policy implications". *Journal of Information Policy*, 8, 78-115.

Implementación de la inteligencia artificial y la robotización aplicada a la salud dentro de nuestro sistema tributario[1]

Mª ÁNGELES RECIO RAMÍREZ
Profesora de Derecho Financiero y Tributario
Universidad de Córdoba

SUMARIO: 1. INTRODUCCIÓN. 2. LA INTELIGENCIA ARTIFICIAL Y LA ROBÓTICA: CONCEPTO. 2.1. Inteligencia Artificial. 2.2. Robótica. 3. REGULACIÓN SOBRE LA INTELIGENCIA ARTIFICIAL Y LA ROBÓTICA. 4. LA CONFUSA TRIBUTACIÓN DE LA INTELIGENCIA ARTIFICIAL Y LOS ROBOTS. 4.1. Los ingresos y los gastos públicos. 4.2. Los puntos o nexos de conexión en Derecho Tributario. 4.3. El valor económico de los datos. 5. CONCLUSIONES.

1. INTRODUCCIÓN

Nos encontramos inmersos en la cuarta revolución industrial, cuyas puntas de lanza son la Inteligencia Artificial y la robótica. Lejos quedan aquellos primeros ordenadores personales de *IBM*, los *Comodore 64*, o los *Sinclair ZX Spectrum* de los años 80. El mundo ha avanzado muchísimo en muy poco tiempo y como suele suceder en la historia el Derecho siempre va a remolque de lo que en la realidad se impone.

En el presente capítulo se pretende encontrar una definición de Inteligencia Artificial y Robótica y su implementación dentro de las ciencias de la salud, al mismo tiempo que exponer las dificultades que estas nuevas realidades suponen para el Derecho Tributario, cuyas bases se asientan sobre conceptos tradicionales que difícilmente sirven para poder establecer un tributo adecuado para ambos conceptos.

---

[1]   Publicación realizada en el marco de la Red Temática de Inteligencia Artificial aplicada a la Salud (REDIAS), Acción D-6, Universidad de Málaga, Plan Propio de Investigación UMA.

2. LA INTELIGENCIA ARTIFICIAL Y
LA ROBÓTICA: CONCEPTO

Últimamente los términos Inteligencia Artificial (en adelante IA) y Robótica se emplean de forma usual, pero hoy en día no se ha dado una definición unívoca de ninguno de ellos, sino que dependiendo del área o sector se concibe de un modo determinado. Hay también una pregunta importante ¿son lo mismo o existe una diferencia clara entre ellos?

2.1. Inteligencia Artificial

El primero en acuñar el término Inteligencia Artificial fue John McCarthy (profesor de la Universidad de Standford) en el año 1955 "ciencia e ingeniería para fabricar máquinas inteligentes". Hoy para encontrar un concepto de Inteligencia Artificial podemos aludir a una muy numerosa doctrina (Salvador, 2021; Criado, 2021)[2]. La Comisión Europea la define como "*systems that display intelligent behaviour by analysing their environment and taking actions —with some degree of autonomy— to achieve specific goals)*", es decir, sistemas que muestran un comportamiento inteligente al analizar su entorno y tomar acciones —con cierto grado de autonomía— para lograr objetivos específicos[3]. Según la Comisión Europea hay dos tipos de IA, por un lado, el software (asistentes virtuales, motores de búsqueda, de análisis de datos, de reconocimiento), y por otro, inteligencia artificial agregada (robots, drones, vehículos autónomos,

---

[2]   Salvador aporta la siguiente definición: "En una aproximación amplia, el concepto se asocia a sistemas de computación capaces de recabar datos e información de diferentes fuentes, pensar, aprender y actuar de acuerdo con unos objetivos vinculados a unos algoritmos. A efectos de la investigación [...] se ha asociado el concepto de IA al campo de la tecnología y las ciencias computacionales, que incluye una serie de técnicas basadas en algoritmos y maquinas (software y hardware)". Y, Criado: "[...]los sistemas basados en IA pueden usar reglas simbólicas o aprender un modelo numérico. Además, pueden adaptar sus comportamientos a partir del análisis del entorno y de la interacción con el mismo".

[3]   Comisión Europea (2019). *A Definition of AI. Main Capabilities and Disciplines*. Disponible en: https://ec.europa.eu/digital-single-market/en/news/definition-artificial-intelligence-main-capabilities-and-scientific-disciplines [última visita 11/08/2021].

Internet de las Cosas). En el Libro Blanco sobre Inteligencia Artificial —un enfoque europeo orientado a la excelencia y la confianza—, Bruselas, 19/02/2020 COM (2020)65 final, se añade que "la IA es una combinación de tecnologías que agrupa datos, algoritmos y capacidad informática"[4].

A los efectos del presente capítulo, podemos decir que la IA es la capacidad que tiene una máquina para poder desarrollar facultades propias de los seres humanos, como pueden ser el aprendizaje, la resolución de problemas, la creatividad, etc. mediante el uso de algoritmos y otras técnicas, entre ellas, las redes neuronales[5]. Es decir, mediante la utilización conjunta de algoritmos y esas otras técnicas se consigue programar un software que capacita para aprender por sí mismo y, por tanto, puede resolver problemas mediante la inclusión de innumerables ejemplos que le son suministrados a través de una base datos (Fernández de Pablos, 2019)[6].

Pero si conectamos el término IA con la salud, decididamente tenemos que enlazarlo con la disciplina médica de la biotecnología, que consiste en toda aplicación tecnológica que utilice sistemas biológicos y organismos vivos o sus derivados para la creación o modificación de productos o procesos para usos específicos[7]. La biotecnología

---

[4]   Disponible en: http://redpoliticasidi.es/system/files/repositorio-archivos/Comunicacion_Libro%20Blanco%20sobre%20la%20Inteligencia%20Artificial_2020. pdf [última visita 11/08/2021].

[5]   Una red neuronal consiste en un grupo conectado de neuronas artificiales, que transmiten datos y por tanto información entre sí, de un modo muy parecido a como se hace por el cerebro humano. En un inicio, reciben la información y datos, que procesan de forma conjunta para posteriormente generar un pronóstico o una predicción. Es decir, se encuentra una solución al problema planteado. Existen diferentes tipologías de redes neuronales dependiendo de cual vaya a ser su aplicación (medicina, agricultura, jurídica, transporte, etc.).

[6]   Como ejemplo, se encuentra la plataforma Watson desarrollada por IBM que opera en la nube. Utilizada por centros sanitarios tan prestigiosos como la Clínica MD Anderson y el Instituto del Genoma de Nueva York. Su funcionamiento reside en generar una hipótesis, proporcionar una respuesta y un nivel de fiabilidad en la misma, mostrando a su interlocutor qué iter es el que le ha llevado a proporcionar esa respuesta. Con cada experiencia se vuelve cada vez más inteligente porque aprende por sí mismo y, además enseña a sus interlocutores.

[7]   Convention on Biological Diversity, Article 2. Use of Terms, United Nations, 1992.

ha sido una de las ciencias de la salud que más ha avanzado con el desarrollo de la IA durante la pandemia del COVID-19, pues en estos momentos se estudia el genoma del virus y como actúa en el organismo humano. Suyos son los logros de vacunas, terapias génicas, o el desarrollo de la insulina. La biotecnología emplea el uso del *Big Data*[8], combinada con la IA y técnicas de redes neuronales, lo que implica trabajar con datos o conjuntos de datos muy voluminosos y complejos que necesitan para su procesamiento un software diferente al convencional, y que se caracteriza por su velocidad. Ello permite realizar predicciones genéticas sobre una persona de una forma más individualizada y veraz.

El uso de estas nuevas metodologías disruptivas es lo que se conoce como *Healthtech*, o lo que es igual, salud y tecnología. Dentro del concepto hay dos espacios diferenciados, por un lado, los tratamientos médicos con nuevas tecnologías que se desarrollan en los centros de salud y hospitales con respecto a los pacientes y, por otro lado, los *wearables* que consisten en pequeños dispositivos electrónicos con un microprocesador de datos que una persona puede llevar consigo. La persona interactúa con el dispositivo y este recopila información sobre la vida o actividad del individuo. Se encuentran presentes en los accesorios y complementos que usamos, por ejemplo, mediante los *smartwatch* o pulseras inteligentes, que proporcionan todo un registro de datos relacionados con la vida (tensión arterial, actividad física, horas de sueño, etc.). Todo esto hará que puedan prevenirse enfermedades y predecirse determinadas patologías, lo que está produciendo una revolución dentro del campo de las ciencias de la salud. Si bien es cierto, que cuando hablamos del tratamiento de datos masivos en las ciencias de la salud, hemos de tener en cuenta que se trata de información confidencial, al ser personal y por tanto ser altamente sensible. Lo que exigirá un cumplimiento riguroso de la normativa de

---

[8]   Macrodatos en español. El *Big Data* sirve para la obtención de un gran volumen de datos, que se caracteriza por la velocidad de transferencia, la variedad de los mismos, su veracidad y, por supuesto, su valor en cuanto a utilidad. Ello se traduce finalmente en gran cantidad de información que puede resultar muy útil —bien analizada— para predecir problemas o mejorar determinados aspectos en diferentes campos, como, por ejemplo, la publicidad, el deporte, la medicina, etc.

protección de datos y el uso de procedimientos de alta seguridad por las empresas en el tratamiento de los mismos.

2.2. Robótica

Por último, no debemos olvidarnos del término robótica que según el Diccionario de la RAE es "la técnica que aplica la informática al diseño y empleo de aparatos que, en sustitución de personas, realizan operaciones o trabajos, por lo general en instalaciones industriales". Cuando hablamos de robótica casi siempre tendemos a pensar en un robot inteligente con forma humana —los llamados androides—. No es inusual que, en esta senda, el propio Parlamento Europeo expusiera en la Resolución de 2017: "crear a largo plazo una personalidad jurídica específica para los robots..."[9].

Existen diferentes tipos de robots, si bien no hay un consenso doctrinal en cuanto a su clasificación. Aunque personalmente, he decantarme por la siguiente (Lambea Rueda, 2019; Meza Rivas y Espósito, 2017):

- "Robot sobre el que el ser humano mantiene el control total y absoluto de sus acciones;
- Robot sobre el que el ser humano tiene el control necesario para poder parar su funcionamiento en un momento determinado;
- Robots con objetivo y ejecución propios, sin posibilidad de control por parte del ser humano".

La robótica en sus primeras etapas estuvo unida a la creación de máquinas o dispositivos de carácter mecánico y/o electrónico. Hoy, con la evolución de la tecnología, podríamos determinar que se ha convertido en una vertiente de la IA. El avance de los robots en las ciencias de la salud, gracias al desarrollo de la IA, ha sido imparable en los últimos años. Podemos hablar de robots para el cuidado, cuyo objetivo es mejorar la calidad de vida de las personas

---

[9]   P8_TA (2017)0051; Comisión de Asuntos Jurídicos PE 582.443 Resolución del Parlamento Europeo, de 16 de febrero de 2017, con recomendaciones destinadas a la Comisión sobre normas de Derecho Civil sobre robótica [2015/2103(INL)]. Disponible en: https://www.europarl.europa.eu/doceo/document/TA-8-2017-0051_ES.html [última visita 11/08/2021].

(Gonzalo de Diego, 2019; Núñez Bello, 2019)[10], robots empleados en especialidades quirúrgicas —las primeras en usarlos fueron la neurocirugía y la traumatología—[11], robots rehabilitadores de lesiones físicas y neuronales (Costa y Diez, 2019; De Lara González y Martínez, 2014), robots en ginecología (Coronado Martín, 2011)[12], etc.

La propia Unión Europea se ha referido a ellos en Resolución del Parlamento Europeo, de 16 de febrero de 2017, con recomendaciones destinadas a la Comisión sobre normas de Derecho Civil sobre Robótica [2015/2103(INL)]: "Considera que los robots en medicina avanzan cada vez más en la ejecución de cirugías de alta precisión y en la realización de procedimientos repetitivos, y que pueden mejorar los resultados de la rehabilitación y proporcionar un apoyo logístico sumamente eficaz en los hospitales; señala que los robots médicos tienen también el potencial de reducir los gastos sanitarios, permitiendo al personal médico desviar su atención del tratamiento a la prevención, así como de liberar más recursos presupuestarios para adaptarse mejor a las diversas necesidades de los pacientes, para la formación continua de los profesionales sanitarios y para la investigación"[13]

---

[10]   Se calcula que dentro de muy pocos años la población correspondiente a la Tercera Edad podría ser cuidada por un robot. Ejemplo de ello es el robot TIAGo, pensado para ayudar e interactuar con personas en pequeñas tareas, como recordar la medicación, monitorizar las constantes vitales y remitirlas al médico, ayudar a realizar ejercicios físicos y memorísticos, etc.

[11]   Actualmente, el robot más sofisticado del mundo es el Sistema Quirúrgico Da Vinci que sigue las ordenes de un cirujano en tiempo real y que cuenta con una gran precisión y destreza. Vid. http://www.icirugiarobotica.com/cirugia-robotica-da-vinci/

[12]   Sobre todo, aplicados a la cirugía mínimamente invasiva, denominada laparoscopia, que ha conseguido menos complicaciones en el postoperatorio, menor dolor para el paciente, menor pérdida de sangre, una recuperación más rápida, menor periodo de hospitalización, y menores cicatrices entre otros.

[13]   Disponible   en: https://www.europarl.europa.eu/doceo/document/TA-8-2017-0051_ES.html#title1.

3. REGULACIÓN SOBRE LA INTELIGENCIA ARTIFICIAL Y LA ROBÓTICA

La Unión Europea ha venido tomando conciencia de la importancia de la IA, y han sido numerosos los documentos que se han publicado tendentes a la promoción, estudio y regulación de la misma. En el año 2017, y centrada en los problemas de la IA, ya preveía que no todo iban a ser ventajas: "[…]es necesario evaluar los cambios económicos y los efectos en el empleo ocasionados por la robótica y el aprendizaje automático; que, a pesar de las innegables ventajas de la robótica, su utilización puede entrañar una transformación del mercado de trabajo y la necesidad de reflexionar en consecuencia sobre el futuro de la educación, el empleo y las políticas sociales". La última publicación ha sido la Propuesta de Reglamento sobre la IA de fecha 21/04/2021, en la que persigue garantizar la seguridad de los sistemas de IA comercializados y que además se respete la legislación vigente sobre derechos fundamentales y valores de la Unión.

Ciñéndonos al ámbito de las ciencias de la salud, ha de mencionarse el Dictamen sobre la Comunicación de la Comisión, al Consejo, al Comité Económico y Social Europeo y al Comité de las regiones relativa a la consecución de la transformación digital de la sanidad y los servicios asistenciales en el Mercado único Digital, la capacitación de los ciudadanos y la creación de una sociedad más saludable, COM (2018) 233 final (2018/C 440/09) en el que se dice refiriéndose expresamente al mercado laboral: "La transformación digital llevará consigo una reorganización del sistema de atención sanitaria, con nuevas formas y normas para la prestación de servicios (por ejemplo, utilizando robots junto con los cuidadores). Además, los cuidadores deben someterse a programas de formación adecuados y específicos (por ejemplo, con formación social, médica o técnica) y estar preparados para los nuevos perfiles de empleo y las transformaciones del entorno laboral. Esto dará lugar a la definición de nuevos modelos de servicios, políticas de apoyo, certificaciones y normas adecuadas para la introducción de servicios y tecnologías digitales en contextos y mercados asistenciales reales".

Igualmente, ha sucedido con otras organizaciones internacionales como la Organización para la Cooperación y Desarrollo Económico (en adelante, OCDE), que el 22 de mayo de 2019 aprobó una Recomendación del Consejo sobre IA suscrita por 42 países en la que se abordan cuestiones específicas de la IA y entre las que se encuentran los principios sobre IA. Ha realizado varias publicaciones tan interesantes como el Manual Hola Mundo: la Inteligencia Artificial y su uso en el sector público. Y, en su seno, también se ha creado en el año 2020 el Observatorio de Políticas de Inteligencia Artificial cuyo objetivo es proporcionar orientación sobre métricas, políticas y buenas prácticas en aras de implementar en los países los principios de la IA.

En el ámbito español también se han tenido iniciativas sobre la IA, así podemos mencionar "Industria Concertada 4.0" que se trata de un plan de acción estratégico desarrollado por el gobierno de España —Ministerio de Industria, Comercio y Turismo— para favorecer la competitividad de las empresas españolas mediante la cooperación pública y privada, a través de la implantación de las nuevas tecnologías, entre ellas la IA y la robótica. Y, en el plano empresarial destaca el Plan Digital 2025 impulsado por la CEOE, en el que se apunta a la necesidad de fomentar la digitalización de diferentes sectores como la industria, el turismo, los servicios financieros, los seguros, el transporte, la energía y la sanidad.

4. LA CONFUSA TRIBUTACIÓN DE LA INTELIGENCIA ARTIFICIAL Y LOS ROBOTS

Llegados hasta aquí, no cabe duda de que nos encontramos inmersos en lo que se ha venido a llamar la cuarta revolución digital. Vivimos en un tiempo en el que la economía se ha globalizado gracias al uso de las tecnologías de la información y de la comunicación. Las empresas han implementado en sus producciones la IA y la robótica, lo que indefectiblemente ha comenzado a provocar que poco a poco el trabajo realizado por los seres humanos sea sustituido por máquinas dotadas de IA.

4.1. Los ingresos y los gastos públicos

Los primeros en sufrir esta sustitución serán aquellos empleos más mecánicos y que exijan una menor cualificación. Es cierto, que surgirán otras oportunidades de trabajo nuevas como, por ejemplo, los desarrolladores de software en diferentes campos. Pero, en cualquier caso, será mayor la destrucción de empleo que la generación de este. Este problema ya se apuntó en un Informe del Foro Económico Mundial de DAVOS (2016) que cifraba la pérdida de empleo en más de 7 millones de puestos de trabajo debido a la cuarta revolución industrial.

La primera cuestión que se nos presenta, desde el punto de vista tributario, es la caída en picado de los ingresos públicos. No hay que olvidar que nuestra Constitución en el artículo 31 establece que todos contribuirán al sostenimiento de los gastos públicos de acuerdo con su capacidad económica. Pues bien, si asistimos a una destrucción masiva del tejido laboral, tendremos por consiguiente un número ingente de personas que carecerán de capacidad económica para hacer frente a sus necesidades básicas, lo que a la postre puede tener una doble consecuencia:

– Por un lado, debemos tener en cuenta que, en el momento actual en toda Europa, y en especial en España, el impuesto que genera más recaudación es el Impuesto sobre la Renta de las Personas Físicas (en adelante, IRPF) con más de un 41% de la recaudación nacional y una cifra que supera los 30.000.000 de contribuyentes. Y, dentro del mismo, la gran mayoría de los ingresos íntegros gravados anualmente proviene de los llamados rendimientos del trabajo, es decir, aquellas contraprestaciones o utilidades, ya sean dinerarias o en especie, que provengan del trabajo personal o una relación laboral, y que lógicamente no sean generados en el ámbito de una actividad económica.

Como se puede apreciar en la tabla 1, el número de contribuyentes más numeroso que ha presentado la declaración de IRPF se sitúa en el tramo de los rendimientos del trabajo, siendo su importe el más relevante al ser contrastado con el resto de los rendimientos del impuesto. Al disminuir las personas que tienen un trabajo en virtud de una relación laboral, la capacidad económica de éstos va a mermar e incluso desaparecer, por lo que esos ingresos públicos es predecible que vayan a disminuir.

Datos Económicos del IRPF, ejercicio 2019

	Declarante principal			Cónyuge y otros		
	Número	Importe	Media	Número	Importe	Media
RENDIMIENTOS DEL TRABAJO	19.169.046	443.086.929.627	23.115	780.199	2.832.551.325	3.631
RENDIMIENTOS DEL CAPITAL MOBILIARIO	10.174.988	17.754.287.135	1.745	1.174.022	331.979.708	283
BIENES INMUEBLES NO AFECTOS A ACTIVIDADES ECONÓMICAS	8.382.362	15.425.963.662	1.840	1.209.914	860.765.758	711
RENDIMIENTOS DE ACTIVIDADES ECONÓMICAS	3.038.685	38.008.989.353	12.508	290.142	26.964.807	93

Fuente: Agencia Estatal de Administración Tributaria[14].

– Y, por otro lado, como consecuencia de esa disminución, se engrosará el gasto público en lo atinente a prestaciones y subsidios por desempleo, así como a otro tipo de prestaciones sociales que actualmente perciben segmentos de población que se encuentra en la pobreza y/o la exclusión social[15]. La deuda pública está claro que seguirá acrecentándose al no disponer el Estado de los contribuyentes necesarios y con la capacidad económica suficiente para hacer frente al sostenimiento del

[14]   Puede consultarse en: https://www.agenciatributaria.es/AEAT/Contenidos_Comunes/La_Agencia_Tributaria/Estadisticas/Publicaciones/sites/irpf/2019/jrubikf7397d50e1587fc63a9f6e4dc46d8e255b9554152.html.
[15]   En el ejercicio económico 2020 se ha transferido a las Comunidades Autónomas, procedente del Estado, un crédito de 100.000.000 euros para Programa de Protección a la Familia y Atención a la pobreza infantil, al objeto de cubrir prestaciones básicas de servicios sociales. En todas las Comunidades Autónomas existe además una batería de medidas para contribuir a paliar la situación de estas personas, consistente en la concesión de una renta mínima de inserción social durante una anualidad, un plan de garantía alimentaria, bonos sociales para la tarifa eléctrica, pensiones no contributivas, etc.

gasto público. El panorama hasta aquí descrito puede parecer alarmante. Sin embargo, no es un horizonte nuevo, ya en 1930 el economista John Maynard Keynes expuso el concepto de "desempleo tecnológico". Y, en 1982 el economista Wassily Leontief, aventuró que en un futuro los trabajadores humanos serían sustituidos por máquinas, lo que supondría que el trabajo humano dejaría de ser el principal factor de producción.

4.2. Los puntos o nexos de conexión en Derecho Tributario

La segunda cuestión que se nos suscita es el problema planteado por la obsolescencia de los llamados puntos de conexión (residencia fiscal y establecimiento permanente) cimientos sobre los que se asienta nuestro Derecho Tributario, debido a que son los que vinculan a un sujeto pasivo con el poder tributario de un determinado país o territorio. El debate sobre los mismos ha sido y es un asunto prioritario en el ámbito internacional, que ha sido abordado dentro del Informe BEPS y su posterior Plan de Acción —iniciativa impulsada por la OCDE para combatir las prácticas de elusión fiscal—. Interesantes para este trabajo son la Acción 1 "Abordar los retos de la economía digital para la imposición" y la Acción 7 "Impedir la elusión artificiosa del estatuto de establecimiento permanente".

La economía digital, gracias a las tecnologías de la información y la comunicación, ha hecho florecer nuevos modelos de negocio, en los que una empresa no es necesario que tenga una residencia física o un establecimiento en un determinado territorio para poder operar dentro del mercado, simplemente basta la tenencia de un dispositivo con acceso a internet para poder obtener y procesar la información en un tiempo real.

La OCDE cataloga estos nuevos modelos empresariales disruptivos en:

- Comercio electrónico o *e-commerce*: la compraventa de bienes o servicios, realizada a través de redes informáticas.
- Servicios de pago para transacciones en linea en modo seguro
- Tiendas de aplicaciones, cuyos productos —aplicaciones— pueden ser de pago o gratuitas.

- Publicidad en linea basada en la IA, mediante el uso de algoritmos que recaban, analizan y procesan la información de los usuarios, para ofrecerles anuncios adaptados a sus perfiles.
- Computación en la nube o *cloud computing*: suministro de servicios informáticos normalizados (almacenamiento, procesamiento, gestión de datos, etc.).
- Plataformas de red o redes sociales.

Este tipo de nuevas operaciones económicas ha mostrado la insuficiencia del actual Derecho Tributario para gravar gran parte de los beneficios empresariales generados por empresas que prestan sus servicios o entregan bienes exclusivamente por canales digitales, pensemos en el reciente asunto surgido sobre la fiscalidad de los *youtubers*. Estas lagunas legales han implicado que las grandes empresas hayan trasladado la sede de sus beneficios a territorios de tributación más baja, restringiendo al máximo su presencia en los territorios de tributación alta, gracias a los denominados *avance tax ruling*[16].

Esta problemática ha sido abordada por la Unión europea en su propuesta de Directiva del Consejo por la que se establecen normas relativas a la fiscalidad de las empresas con una presencia digital significativa, así como por la CEOE en su Informe Intermedio de 2018[17]. Si bien, los Estados miembros no han conseguido todavía

---

[16] Acuerdos fiscales previos, privados y secretos entre una gran empresa y un estado sobre el establecimiento de unas condiciones más ventajosas de tributación de los beneficios empresariales en dicho territorio, para esa entidad en concreto. Ejemplos de ello han sido los *Luxemburgo Leaks*, y dentro de ellos podemos citar como ejemplo, el caso de la empresa francesa *Engie*, que durante una década se benefició de un gravamen en el Impuesto de Sociedades de menos de 0,3%. *Vid.* https://www.europapress.es/economia/noticia-bruselas-obliga-engie-devolver-120-millones-luxemburgo-ayudas-fiscales-ilegales-20180620114630.html, [última visita 31/08/2021]. Por otro lado, según el informe del Estado de la Justicia Fiscal 2020: La justicia fiscal en tiempos de la COVID-19 (noviembre de 2020), se establece que España ha perdido por este motivo, la cantidad anual de 2.665.706.984 de dólares. Este informe puede consultarse completo en: https://taxjustice.net/wp-content/uploads/2020/11/The_State_of_Tax_Justice_2020_SPANISH.pdf, [última consulta 01/09/2021].

[17] Bruselas, 21.3.2018 COM(2018) 147 final 2018/0072 (CNS), disponible en: https://eur-lex.europa.eu/resource.html?uri=cellar:3d33c84c-327b-11e8-b5fe-01aa75ed71a1.0023.02/DOC_1&format=PDF.

llegar al consenso necesario para su aprobación. El objetivo reside en la introducción de un nuevo concepto de Establecimiento Permanente "virtual" cuyo fundamento sería la declaración y el gravamen de los beneficios empresariales en el lugar donde las empresas lleven a cabo una interacción significativa con los usuarios mediante canales digitales. Y, al mismo tiempo, se recomienda a los Estados miembros de la renegociación de sus Convenios para evitar la doble imposición internacional (Mories, 2019; Calderón, 2018; Muleiro, 2019). Según el artículo 4 de la propuesta de directiva mencionada, se considera que existe una presencia digital significativa si se cumplen una o varias de las siguientes condiciones con respecto a la prestación de dichos servicios por parte de la entidad que ejerce esa actividad:

– Aumento superior a 7 millones de euros en el importe de los ingresos anuales en un Estado miembro.

– El número de usuarios de uno o más de los servicios digitales debe ser superior a 100.000 dentro del Estado miembro en ese ejercicio fiscal.

– El número de contratos entre empresas para la prestación de tales servicios digitales debe ser superior a los 3.000 dentro del ejercicio fiscal.

La propuesta de directiva establece las bases para gravar los beneficios de los nuevos negocios digitales, teniendo presente las actividades emprendidas por la empresa a través de una interfaz digital relacionadas con datos o usuarios, para lo cual se hace preciso la geolocalización de la dirección de Protocolo de Internet (IP) del dispositivo. En resumidas cuentas, se está proponiendo un nuevo punto de conexión diferente a los ya conocidos.

Y ello, porque tributariamente, el problema de estas nuevas operaciones reside en determinar dónde se ha realizado el hecho imponible que origina la obligación tributaria principal de pago, puesto que no existe una presencia física o que sea significativa, tal y como la hemos conocido tradicionalmente. Con el uso de internet, en el comercio electrónico nos encontramos con la circunstancia de que no existen lugares físicos o tangibles que cumplan con lo previsto en el artículo 5 del Modelo de Convenio de la OCDE sobre los requisitos necesarios para tener la consideración de establecimiento permanente, debido a ello, las empresas aprovechan esta laguna para beneficiarse de una tributación más favorable. Traemos a colación, a modo ejemplificativo, la actual doctrina administrativa tributaria en España, siguiendo los criterios actualmente mantenidos por la Dirección General de Tributos (en adelante, DGT) en su Consulta vinculante, núm. V2184/19 de 14 agosto (JT 2019\1006), dónde se expresa que un equipo informático sí puede constituir un establecimiento permanente, dado que se trata de un bien tangible, cosa que no ocurre, por ejemplo, con un cibersitio que está compuesto por una combinación de aplicaciones informáticas —software— y datos electrónicos. Al no tener este último —el cibersitio— una localización concreta y tratarse de un bien intangible, no puede ser considerado un establecimiento permanente. A nuestro juicio, esta doctrina pese a ser la actualmente vigente, peca de estar obsoleta, pues una empresa puede tener un servidor (establecimiento permanente) pero varios cibersitios, que a la postre, son los que verdaderamente están originando los beneficios[18]. Ello provoca que en multitud de casos los beneficios empresariales no estén siendo gravados en el país de la fuente.

No debemos olvidarnos, de que actualmente se está comenzando a hablar seriamente de los *Smart Contracts* o contratos inteligentes, cuya estructura se basa en la tecnología *Blockchain*, que se originan, verifican y ejecutan en millones de equipos informáticos al mismo tiempo, mediante algoritmos matemáticos, cuyos contratantes son simples códigos alfanuméricos. Como ya nos hemos preguntado en algún trabajo anterior ¿cuál será la legislación tributaria aplicable a estos casos en los que incluso desconocemos quienes son los sujetos intervinientes, desde dónde operan, cuál es el lugar y momento en qué se formaliza este contrato, caracteres necesarios para determinar el cómo, cuándo y dónde se entiende realizado el hecho imponible (Recio 2019).

---

[18] Es lo que ha sucedido hasta la fecha con el llamado Imperio *GAFAs (Google, Amazon, Facebook, Apple)* que permiten a los usuarios desde cualquier parte del mundo, interactuar en redes sociales, chatear, realizar compras, efectuar pagos, facilitar la recepción de cualquier tipo de prestación de servicios. También está sucediendo con otras multinacionales como Netflix y Airbnb. Esta última, está radicada en Irlanda dónde goza de una tributación más ventajosa que en el resto de los países europeos.

4.3. El valor económico de los datos

Por otro lado, también está la cuestión de cómo cuantificar este hecho imponible cuando se trata de IA, es decir, ¿cómo valoramos económicamente esos bancos masivos de datos cuándo los usuarios de internet representan casi el 60% de la población mundial en el año 2020?[19] En la economía digital ocurre algo que no sucede en la tradicional y es que los datos de los usuarios son de vital importancia. Las empresas hacen uso del *Big Data* al procesar y gestionar los datos de los usuarios que visitan sus *Web* (y que estos ceden de forma gratuita por la instalación de un *App*, por la suscripción de una revista o un canal de noticias, etc.). Datos que les son sumamente útiles para generar valor empresarial, permitiendo identificar a clientes potenciales y resolver probables problemas futuros, o bien, mercantilizándolos mediante la venta o cesión a otras empresas (Recio, 2019).

Teniendo en cuenta el valor económico de los datos, la pregunta es si existe un tributo tradicional que pueda gravarlo, o bien, es necesaria la creación de uno específico que contemple estas operaciones disruptivas originadas por el uso de la IA y la robótica.

En el ámbito europeo existen dos proyectos para someter a gravamen el uso de los datos (IA), por un lado, la propuesta de Directiva ya comentada que establece en su artículo 5 cómo determinar los beneficios imputables a la presencial digital significativa, estableciendo en su apartado 4, que serán tenidas en cuenta aquellas actividades que sean relevantes para el desarrollo, mejora, mantenimiento, protección y explotación de los activos intangibles de la empresa. Realizando

---

[19]   Según la Consultora DOMO en su infografía "Los datos nunca duermen" del año 2018, se mostraban las interacciones de 3.800 millones de personas conectadas a internet a lo largo de un minuto, siendo los resultados —que lógicamente ya se han quedado cortos—: a) 4.333.560 videos de YouTube; b) 473.400 Tuits; c) 176.220 llamadas en Skype; d) 49.380 fotografías colgadas en Instagram; e) Reproducción de 750.000 canciones en Spotify. Más información disponible en: https://blog.orange.es/red/datos-mundo/ [última consulta 01/09/2021]. Se estima que durante el año 2020 se han generado por minuto los siguientes resultados: 41.666.000 mensajes de WhatsApp, 1.000.000 de dólares en compras on line, 1.300.000 videollamadas, más de 400.000 horas de Netflix visualizadas, más de 147.000 fotos subidas a *Facebook*, *Zoom* y *Microsoft Teams* alojan 208.333 y 52.083 usuarios por minuto. Más información en: https://www.arsys.es/blog/infografia-datos-internet/ [última consulta 01/09/2021].

una enumeración no cerrada de las mismas en el apartado 5[20]. Pero lo cierto es que para hacer efectiva esta cuestión se hace preciso un consenso a nivel europeo que actualmente es difícil de alcanzar. Y, por el otro, el establecimiento de un impuesto digital europeo, denominado, Impuesto sobre determinados Servicios Digitales[21], iniciativa que por ahora ha sido abandonada, dadas las reticencias mostradas en la reunión del Ecofin de mayo de 2019 por varios países, entre ellos Irlanda y los países nórdicos[22]. Finamente, muchos países europeos de forma unilateral han buscado la forma de implementar en sus sistemas tributarios nacionales un impuesto sobre los servicios digitales (España[23], Francia, Italia, Austria).

En el ámbito nacional, podemos fijar nuestra mirada en el actual Impuesto sobre Sociedades (en adelante, IS), pero en el mismo no se refleja esta actividad económica como hecho imponible. Se necesitaría una reforma integral del mismo que necesitaría de una buena técnica legislativa tributaria para abordar cuestiones que se han colado en nuestra vida desde hace muy poco tiempo.

---

[20] Art. 5.5 "Las actividades significativas desde el punto de vista económico realizadas por la presencia digital significativa a través de una interfaz digital incluyen, entre otras, las siguientes actividades: a)la recogida, el almacenamiento, el tratamiento, el análisis, el despliegue y la venta de datos a nivel de usuario; b) la recogida, el almacenamiento, el tratamiento y el despliegue de contenido generado por el usuario; c) la venta de espacio publicitario en línea; d) la puesta a disposición de contenidos creados por terceros en un mercado digital; e) la prestación de cualesquiera servicios digitales no enumerados en las letras a) a d)".

[21] Sobre el que se había realizado una estimación, en términos recaudatorios, superior a los 5.000 millones de euros.

[22] Propuesta de Directiva del Consejo relativa al sistema común del impuesto sobre los servicios digitales que grava los ingresos procedentes de la prestación de determinados servicios digitales, COM(2018)148, disponible en: https://ec.europa.eu/transparency/documents-register/detail?ref=COM(2018)148&lang=es [última visita 02/09/2021].

[23] Ley 4/2020, de 15 de octubre, reguladora del Impuesto sobre Determinados Servicios Digitales y Real Decreto 400/2021, de 8 de junio, en el que se desarrollan las reglas de localización de los dispositivos y las obligaciones formaciones del Impuesto sobre Determinados Servicios Digitales. Recientemente la Dirección General de Tributos ha publicado la *Resolución de 25 de junio de 2021*, con el fin de interpretar y aclarar algunas cuestiones relacionadas con el impuesto.

Dado que la IA y la robótica suponen un valor añadido a la empresa que no computa como ingreso, quizás una medida no descabellada sería la supresión de la deducción por actividades de investigación y desarrollo e innovación tecnológica que aparece contemplada en el IS, algo que ya se ha producido, por ejemplo, en Corea del Sur; así como la modificación/ampliación del hecho imponible abarcando la cuantificación del valor de los datos.

Por otro lado, existen también propuestas interesantes que, aunque no han sido consideradas válidas por nuestra DGT, si que pueden tener encaje dentro de nuestro sistema tributario. Nos referimos, por ejemplo, a la propuesta realizada en la Consulta Vinculante de la DGT, núm. V0748/20 sobre la posibilidad de someter a tributación en el Impuesto sobre el Valor Añadido (en adelante, IVA) los servicios digitales prestados por un *App* o una red social, cuando estos se producen sin una contraprestación dineraria sino a través de la cesión de datos de los usuarios. Es decir, existe un intercambio de prestaciones cuantificables económicamente. Convenimos en la réplica que el autor de la consulta tributaria realiza a la DGT, pues esta última basa su respuesta en los fundamentos de la Sentencia del Tribunal de Justicia de la Unión Europea de 3 de marzo de 1994, asunto C-16/93, Tolsma referidos a la tributación de los donativos que recibía un músico callejero, cuestión que en nada tiene que ver con el argumento planteado sobre la prestación de servicios digitales, ya que en éstos últimos, como dice el autor Ignasi Belda, si se produce un acuerdo o pacto expreso por parte del usuario al ceder sus datos a la empresa digital, y por otro, la cantidad y calidad del servicio depende de la cantidad y calidad de los datos cedidos (Belda, 2020). Por tanto, coincidimos en la posibilidad de gravar los servicios digitales prestados por las *Apps* tecnológicas y redes sociales mediante la imposición del IVA, pues estaríamos ante la prestación de servicio digital en el que la empresa obtiene la cesión de datos de los usuarios que, como ya hemos mencionado antes, supone un mayor valor empresarial, al mismo tiempo que estos datos pueden ser mercantilizados a su vez, vendiéndose a otras empresas.

En lo atinente a la robótica, pensemos en que un robot, como activo empresarial, supone un coste de adquisición, pero hay que considerarlo como una inversión. Por tanto, es considerado una maquinaria susceptible de amortización, lo que beneficia fiscal y contablemente a la empresa que lo adquiere (Fernández Amor 2018). Además, el robot no origina gastos de cotización social, ni gastos salariales, y salvo avería, no será objeto de una baja laboral, lo que hace que, en el largo plazo, sea un beneficio económico importante para la empresa en detrimento de los gastos que conlleva la contratación de una persona humana. La adquisición de un robot, al constituir una inversión en I+D+I, puede dar lugar a una deducción dentro del IS, y constituir un gasto deducible de las cantidades contabilizadas en concepto de amortización, lo que permite una buena planificación empresarial (Sánchez-Archidona 2019; Bueno Maluenda, 2020).

Mucho se ha hablado de un impuesto a los robots, pero la pregunta clave es determinar si estos tienen capacidad económica, es decir, ¿pueden ser obligados tributarios dentro de nuestro sistema impositivo? (Oberson, 2017). Es cierto que cómo ya hemos expuesto, tanto la IA como un robot pueden originar rentas y, por tanto, riqueza para una organización empresarial. Ello nos lleva a preguntarnos si la figura de un robot podría encajarse, como uno más, dentro de los obligados tributarios carentes de personalidad jurídica que establece el artículo 35.4 de la Ley General Tributaria, algo nada desacertado. Y, en base a ello, convertirse en contribuyente. La cuestión es compleja debido a que someteríamos a una máquina al deber de contribuir al sostenimiento del gasto público, tal y como establece el artículo 31 de nuestra Constitución, pero entonces... ¿habría que atribuirle ser titular de algún tipo de Derecho?

Otra posibilidad es el establecimiento de un tributo sobre los robots, algo que ya apuntó en su día el propio Bill Gates. Pero el camino para su implantación tampoco es nada fácil. Por un lado, habría que determinar la figura tributaria más acertada dentro de las estipuladas en el artículo 2.2 de nuestra Ley General Tributaria, considerando dentro de la más idónea presumiblemente al impuesto y descartando por su hecho imponible a la contribución especial. Posteriormente, habría que determinar cuál es el elemento material del hecho imponible, es decir, la renta (IRPF ó IS), el patrimonio (Impuesto sobre vehículos de tracción mecánica) o el consumo (Impuesto sobre el IVA o Impuesto Especial sobre determinados medios de transporte). Y, por último, establecer el contribuyente, en función del elemento material gravado, pudiendo ser desde el adquirente del robot hasta el vendedor del mismo (Álvarez Martínez, 2021).

5. CONCLUSIONES

La IA y la robótica han dado lugar a la cuarta revolución industrial, lo que ha provocado que se remuevan los cimientos del Derecho internacional en general, y del Derecho Tributario en particular. Este debe de encontrar un encaje para la tributación de estos nuevos operadores digitales y la prestación de sus servicios.

La IA como la robótica representan un avance evolutivo que, en áreas como las ciencias de la salud han dado lugar a nuevas metodologías en los tratamientos médicos, que harán posible la prevención y detección precoz de enfermedades, procedimientos menos invasivos en las cirugías y una mayor atención y cuidado en las personas mayores o con dependencias. Pero también no es menos cierto que todo no son parabienes, y también tienen una cara no tan amable como, por ejemplo, la pérdida de puestos de trabajado que en un futuro no muy lejano pueden terminar provocando, y con ello una pérdida importante en la recaudación de ingresos públicos imprescindibles para el sostenimiento del gasto público.

No cabe duda, de que la mejor solución pasa por establecer un marco unitario de tributación, uniforme para todas las empresas digitales (*Start Ups* y redes sociales) que emplean la IA y la robótica, con independencia del ámbito geográfico en el que oferten sus productos. La unión europea ha prestado especial atención a este fenómeno realizando varias propuestas, pero es indudable, que tiene un gran desafío por delante representado por el reto que supone la soberanía nacional de cada uno de los Estados miembros. Es imprescindible conseguir una armonización fiscal, no sólo en el ámbito europeo sino también en el ámbito internacional, sobre qué tributo implementar atendiendo a los principios de justicia material del Derecho Tributario.

Nuestro legislador no puede mirar para otro lado, aunque todos seamos conscientes de que a lo largo de nuestra historia el Derecho siempre ha ido unos pasos por detrás de la realidad social. Nuestra propia Agencia Estatal de Administración Tributaria en su Resolución de 19 de enero de 2021, por la que se aprueban las directrices generales del Plan Anual de Control Tributario y Aduanero de 2021 viene a cimentar el uso de la IA y la robótica junto a técnicas como el *machine learning* y el empleo de algoritmos, como lo confirman las Administraciones de Asistencia Digital Integral, mediante el empleo de asistentes virtuales (Sistema de suministro informático de información —SII— y el censal), la mejora del programa Renta Web y el uso del *Big Data* en el ámbito del IRPF. La IA es algo que ya se encuentra normalizado e incorporado a nuestras vidas.

Como conclusión final me gustaría hacer mención de una frase del profesor Sáinz de Bujanda que, pese a los años transcurridos, sigue siendo de plena actualidad: "[...] Tales son, expuestos a grandes rasgos, algunos de los problemas más vivos que hoy tiene planteados el Derecho Financiero. Todos ellos ofrecen arduas dificultades, porque la profunda transformación que actualmente se está produciendo en la estructura social de todos los Estados y el enorme despliegue de actividades que éstos han de acometer para resolver los problemas de la economía interna e internacional, otorga a las cuestiones fiscales una virulencia que no habían alcanzado nunca [...]".

BIBLIOGRAFÍA

ÁLVAREZ MARTÍNEZ, J. (2021), "Robótica y fiscalidad: unas breves consideraciones", en: *Revista Quincena Fiscal*, núm. 3/2021, págs. 5-6.

BELDA REIG, I. (2020), "Análisis jurídico de la respuesta a la Consulta Vinculante V0748-20 sobre un nuevo modelo tributario para los servicios digitales a través de la imposición indirecta", en: *Revista Quincena Fiscal*, núm. 20/2020.

BUENO MALUENDA, M. C. (2020), "España y Japón ante la robotización: un reto fiscal y económico", en: *Mirai, Estudios Japoneses*, págs. 49-59.

CALDERÓN CARRERO, J. M. (2018), "El paquete europeo (2018) en materia de Fiscalidad de la Economía Digital", en: *Carta Tributaria. Revista de Opinión*, núm. 39, págs. 3-5.

CORONADO MARTÍN, M. J. (2011), "Cirugía robótica en ginecología: ¿es el futuro?", en: *Anales de la Real Academia Nacional de Medicina*, núm. 4, 2011, págs. 679-694.

COSTA, U. y DÍEZ, S. (2019), "Robótica para la rehabilitación", en: *Revista Sobre Ruedas*, núm. 102, 2019, págs. 16-20.

CRIADO, J. I. (2021), "Inteligencia Artificial (y Administración Pública)", en: *Eunomía. Revista en Cultura de la Legalidad*, 20, págs. 348-372.

DE LARA GONZÁLEZ, A. y MARTÍNEZ, L. (2014), "Rehabilitación asistida por robots: Pacientes con problemas motores han movido el brazo a partir de su actividad cerebral en el 80% de los intentos", en: *UMH Sapiens: divulgación científica*, núm. 7, 2014, págs. 24-25.

FERNÁNDEZ AMOR, J. A. (2018), "Derecho Tributario y cuarta revolución industrial: análisis jurídico sobre aspectos fiscales de la robótica", en: *Revista Nueva Fiscalidad*, núm. 1/2018, págs. 55 y ss.

FERNÁNDEZ PABLOS, P. (2019), "IBM Watson", en: *Revista MOLEQLA —Revista de Ciencias de la UPO—*, núm. 34, 2019, Disponible en: https://www.upo.es/cms1/export/sites/upo/moleqla/documentos/Numero34/34.pdf.

GONZALO DE DIEGO, B. (2019), "Robótica del cuidado: vertientes fundamentales y sus consecuencias", en: *Revista de Enfermería*, Vol. 13, núm. 4, 2019, Disponible en: http://ene-enfermeria.org/ojs/index.php/ENE/article/view/1073.

KEYNES, J. M. (1930), *Economic Possibilities for Our Grandchildren. In Essays in Persuasion*, New York, Norton y Co.

LAMBEA RUEDA, A. (2019), "Robótica, Cine y Derecho", en: *Bioderecho. es*, núm. 9-2019, *Revista del Centro de Bioderecho, Ética y Salud*, Universidad de Murcia. Disponible en: https://revistas.um.es/bioderecho/article/view/384181/285091.

LEONTIEF, W. W. (1982), *The Distribution of Work and Income. Scientific American*, 247(3), 188-204.

MEZA RIVAS, M. y ESPÓSITO, C. (2017): "Killer robots y sistemas de armas autónomos en el marco del derecho internacional. Implicaciones, desafíos y riesgos", *Acta resumen y conclusiones de #Robot Iuris2017*, 16 de noviembre de 2017, págs. 17-19.

MICHIE, D.; SPIEGELHALTER, D. J. y TAYLOR, C. C. (1994), *Machine Learning, neural and Statical Classification*, disponible en: https://www.researchgate.net/publication/2335004_Machine_Learning_Neural_and_Statistical_Classification, [última visita 10/08/2021].

MORIES JIMÉNEZ, M. T. (2019), "Régimen Tributario de la economía colaborativa", en: Gosálbez Pequeño, H. (dir.), *El régimen jurídico del consumo colaborativo*, ed. Thomson Reuters Aranzadi, págs. 325-326.

MULEIRO PARADA, L. M. (2019), "El futuro de la tributación de la economía digital en la Unión Europea", en: *Revista Crónica Tributaria*, núm. 170, págs. 111 y ss.

NÚÑEZ BELLO, M. (2019), "Roboterapia para mejorar la calidad de vida", en: *Autonomía Personal*, núm. 25, 2019, págs. 36-39.

OBERSON, X., (2017), "¿Taxing robots? From The emergency of an electronic ability to pay to a tax on robots or the use of robots", en: *World Tax Journal*.

RECIO RAMÍREZ, M. A. (2019), *Insurtech* y sus posibles incidencias en el ámbito tributario, en: Gosálbez Pequeño, H. (Dir.), *El régimen jurídico del consumo colaborativo*, ed. Thomson Reuters Aranzadi, págs. 401-402.

SÁINZ DE BUJANDA, F., (1951), "Estado de Derecho y Hacienda Pública", en: *Revista de Administración Pública,* núm. 6. Madrid.

SÁNCHEZ-ARCHIDONA HIDALGO, G. (2019), "La tributación de la robótica y la Inteligencia Artificial como límites del Derecho Financiero y Tributario", en: *Quincena Fiscal,* núm. 12/2019, Aranzadi.

SALVADOR, M. (2021), "Inteligencia artificial y gobernanza de datos en la Administración Pública: sentando las bases para su integración a nivel corporativo", Capítulo 4, en: Ramió, C. (Coord.) *Repensando la Administración Pública. Administración digital e innovación pública,* pág. 143.

Desarrollo actual de la inteligencia artificial en el trabajo de enfermería

MARÍA ÁNGELES VÁZQUEZ SÁNCHEZ

Profesora del Departamento de Enfermería
Facultad de Ciencias de la Salud
Red UMA REDIAS de Derecho e Inteligencia Artificial
aplicada a la Salud y Biotecnología, Universidad de Málaga

SUMARIO: 1. ¿PARA QUÉ SE ESTÁ USANDO LA IA EN EL CAMPO DE LA ENFERMERÍA? 1.1 Control de efectos adversos. 1.2. Prevención de úlceras por presión (UPP). 1.3. Dificultades en la marcha y caídas en pacientes frágiles. 1.4. Educación de pacientes crónicos. 1.5. Ayuda para la toma de decisiones en situación de riesgo incrementado del paciente. 2. ¿QUÉ OTROS ASPECTOS DEBEN SER TENIDOS EN CONSIDERACIÓN PARA SU APLICACIÓN A LA PRÁCTICA ENFERMERA? 3. CONCLUSIÓN.

La inteligencia artificial (IA) ha dejado de ser ciencia ficción para convertirse en parte de la realidad cotidiana, de una forma exponencial, queramos o no, lo sepamos o no, cada vez vamos a usar más información obtenida mediante el uso de la inteligencia artificial y usaremos sus aplicaciones para obtener los mejores resultados. La IA tiene como objetivo desarrollar sistemas que puedan imitar o exhibir propiedades similares a la inteligencia natural, es un concepto cambiante, y actualmente un requisito para un sistema de IA es la capacidad de modificar las asociaciones de predicción utilizando los datos (capacidad de aprender) no considerando dentro de este campo la simple implementación de algoritmos por una máquina. Las técnicas de IA más populares incluyen métodos de aprendizaje automático para procesar datos estructurados, así como el procesamiento del lenguaje natural para datos no estructurados.

Es un campo en continua investigación en Ciencias de la Salud, con un volumen creciente de desarrollo y que seguirá así en un futuro con la suma de la tecnología 5G, los dispositivos personales ("wearables") y otros dispositivos electrónicos, profesionales o no, que monitorizan datos de salud y pueden compartir su información, así como los registros electrónicos, y que forman una base de datos con resultados en salud y factores de riesgo, actualizada constantemente, con un número enorme de registros, cuya explotación permitirá establecer y mejorar sistemas de predicción, monitorización y cuidado de los pacientes, la llamada "big data".

La IA no solo puede facilitar la prestación de cuidados, los diagnósticos o el seguimiento de los pacientes, también va a influir en las metodologías de enseñanza, en la planificación de los recursos, y prácticamente en todos los aspectos relacionados con la atención a las personas. Como muestra se ha puesto en marcha recientemente un software de analítica avanzada e inteligencia artificial que gestiona, examina e interpreta las denuncias por violencia de género con el fin de predecir las agresiones reincidentes. La plataforma —utilizada por la Secretaría de Estado de Seguridad— combina los millones de datos de las denuncias con información de hasta 50 indicadores tales como las condiciones socioeconómicas del núcleo familiar o el grado de vulnerabilidad de las víctimas.

Vamos a utilizar la IA en aspectos no específicos, como el uso de traductores automáticos para facilitar la comunicación con los pacientes, y en aspectos específicos de la atención enfermera. La frontera en estos conceptos va a ser arbitraria y cambiante, cualquier terreno como la prevención de errores puede ser aplicado a la práctica enfermera. Cualquier tecnología tiene como objetivo facilitar el trabajo humano y hacerlo más eficiente. Además, en el sector de la salud, la tecnología desempeña un papel importante en la minimización de errores causados por negligencia humana. En otras palabras, siguiendo a Sunarti *et al.* (2021) la IA es una simulación de inteligencia creada por humanos en máquinas programadas para pensar como humanos. La IA mejorará el diagnóstico, la prevención y la terapia de los pacientes y mejorará la toma de decisiones.

En este capítulo intento dar una perspectiva de los problemas concretos de la práctica enfermera en que se está desarrollando el uso de la IA. Debe tenerse en cuenta que la investigación actual sobre IA supone una realidad rápidamente cambiante, por lo que al tomar una foto fija enseguida va a quedar desfasada, la foto siempre tendrá un tono sepia.

1. ¿PARA QUÉ SE ESTÁ USANDO LA IA EN EL CAMPO DE LA ENFERMERÍA?

1.1. Control de efectos adversos

– Se ha investigado la capacidad de la IA para predecir efectos adversos durante la hospitalización, como el desarrollo de infecciones urinarias (Zachariah *et al.*, 2020) con resultados prometedores, con una buena sensibilidad pero una especificidad solamente moderada. Estos autores emplean dos métodos distintos, la red neuronal y el árbol de decisión, comparan estos métodos con una regresión logística tradicional, esta presentaba un área bajo la curva (AUV, rendimiento diagnóstico) de 0,63; aplicando la red neuronal y el árbol de decisión al conjunto de datos sin procesar el AUC fue de 0,77 y 0,78, respectivamente. El modelo del árbol de decisión tuvo una mayor sensibilidad en comparación con la red neuronal (78,2% frente a 57,3%), pero una menor especificidad (64,2% frente a 81,4%). Los valores predictivos positivos de ambos métodos fueron bajos (3,5% para el árbol de decisión y 4,9% para la red neuronal), mientras que los valores predictivos negativos fueron altos (99,4% para el árbol de decisión y 99,1% para la red neuronal).

– Otra complicación durante el ingreso sobre la que se está investigando, pero que por en el momento no existen resultados es sobre mejorar la seguridad de los catéteres intravenosos en neonatos (Bosque, 2020). Se desarrolló un sistema de monitorización de nanotecnología de infusión intravenosa, que utiliza variables predictoras. Estos autores desarrollan un sistema de monitorización mediante nanotecnología, utilizando como variables predictoras el pH, la presión y saturación de oxígeno en un algoritmo de alarma de lógica difusa para alertar a la enfermera de un riesgo inminente en la seguridad de la infusión intravenosa. El sistema de monitoreo de nanotecnología de infusión intravenosa desarrollado está compuesto por un catéter intravenoso periférico con sensor multimodal de nanotecnología, una bomba intravenosa, un algoritmo de lógica difusa y una alarma. Por ejemplo, al usar este sistema, una presión elevada, un pH bajo y un nivel de oxígeno venoso bajo generarían una alarma por un riesgo inminente de fallo en el sistema de perfusión.

1.2. Prevención de úlceras por presión (UPP)

De acuerdo con el reciente meta-análisis de Jiang *et al.* (2021), existen tres grupos de trabajo en el uso de la IA para la prevención de las UPP que se complementan: modelos predictivos, reconocimiento de la postura, y estudios de imagen. A grandes rasgos, los modelos predictivos se basan en identificar los factores de riesgo en un momento dado, por ejemplo al ingreso hospitalario; los reconocimientos de postura, una vez identificados los pacientes con riesgo elevado identifican la postura y movilidad del paciente, una de las medidas que tomaríamos para evitar el desarrollo de las UPP; y finalmente los estudios de imagen que ayudan a valorar el tamaño de la lesión y el tejido de la misma.

Los modelos predictivos adolecían en general de un riesgo de sesgo elevado, incluían pacientes de UCI, quirófano, centros de cuidados agudos, centros de cuidados intermedios, e ingresos en planta de diferentes especialidades. Los factores de riesgo identificados varían entre los diferentes estudios, en parte debido a que se analizaron de entrado diferentes factores. La precisión del modelo de predicción osciló entre el 63,0 al 90,0%, la sensibilidad entre el 47,8 y el 84,8% y la especificidad entre el 70,3 y el 94,7%.

– Los estudios sobre reconocimiento de postura se basan en el uso de sensores de presión en un número muy variable entre los diferentes estudios. La precisión varió entre el 49,1% y el 100%, la sensibilidad entre el 62,0 y el 100%, no hay datos sobre la especificidad. Ocho de los estudios emplearon el algoritmo de los k-vecinos más cercanos (knn) en el procesamiento de los datos de los sensores de presión.

– Los estudios de imagen incluidos en este meta-análisis incluyeron solo UPP, excluyendo lesiones del pie diabético o úlceras venosas. Las clasificaciones de tejido de heridas con UPP más comunes fueron granulación, esfacelo y necrosis. Un estudio desarrolló un algoritmo de procesamiento de imágenes que medía automáticamente el tamaño del PI. La precisión osciló en los diferentes estudios entre el 78,3 y el 92,0%, la sensibilidad entre el 61,7 y 99,9% y la especificidad entre el 93,9 y el 99,8%. Los algoritmos de redes neuronales convolucionales, como arquitecturas de aprendizaje profundo, se utilizaron a menudo en el análisis de imágenes médicas en los últimos años.

1.3. Dificultades en la marcha y caídas en pacientes frágiles

Este aspecto ha sido considerado "clásicamente" como un campo de aplicación de la IA.

– Centrándonos en la prevención de caídas en personas mayores siguiendo el trabajo de Chan *et al.* (2021), se encuentra que las tecnologías basadas en IA son eficaces en la prevención de caídas en personas mayores. Los autores analizaron de forma separada diferentes tipos de intervenciones: telesalud aislada, sistemas de "casa inteligente", y telesalud asociada a ejercicio. La eficacia se estudió mayoritariamente a través del porcentaje de pacientes que habían experimentado caídas, y en un número menor de estudios a través del número de caídas. Valorando el porcentaje de personas mayores que experimentaron caídas, La telesalud aislada no presentó una eficacia estadísticamente significativa del riesgo de caídas (intervalo de confianza al 95% del efecto, riesgo relativo de 0,60 a 1,08; los trabajos basado en domótica (o casa inteligente) si mostraron una reducción significativa (RR de 0,44 a 0,77), finalmente, la combinación de telesalud con ejercicio fue efectiva (RR de 0,73 a 0,97). La valoración en base al número de caídas mostró eficacia tanto del conjunto de intervenciones, pero dado su número no permitió analizar los diferentes tipos de intervención, para el conjunto la eficacia fue una reducción de 0,29 caídas por persona (IC95% de 0,09 a 0,48).

Los trabajos incluidos en el meta-análisis de Chan *et al.* (2021) analizaron también la eficacia de variables intermedias como el equilibrio y la fuerza de extremidades inferiores. Sobre el equilibrio, las únicas intervenciones que, de forma separada, demostraron una mejora significativa fueron aquellas basadas en la combinación de telesalud con ejercicio (incremento de 0,38 puntos, IC 95% de 0,04 a 0,73), considerando estas tecnologías en conjunto se encontró una mejora significativa (incremento de 0,28 puntos, IC 95% de 0,04 a 0,53). Respecto a la fuerza de las extremidades inferiores no se encontró un efecto significativo ni del conjunto de las intervenciones basadas en IA ni de ningún tipo de intervención. Considerando los datos mostrados, encontramos que la tecnología basada en IA es útil para disminuir la proporción de personas mayores que experimentarán una caída, especialmente la tecnología basada en la domótica (con el inconveniente de que esta tecnología solo va a estar disponible para personas con alto nivel adquisitivo), aunque también es eficaz la combinación de telesalud y ejercicio, que puede constituir una alternativa a intervenciones que requieren una mayor intervención cara a cara.

– Estimación del riesgo de caídas. Revisando el trabajo de Wang *et al.* (2020); que realiza una amplia valoración de los mecanismos utilizados en la detección de caídas en personas mayores y, centrando el interés en el uso de dispositivos individuales.

Las caídas producen en el momento en que ocurren variaciones relevantes en diversas funciones del cuerpo humano, que hoy es posible detectar mediante una serie de dispositivos (acelerómetros, giroscopios, glucómetros, sensores de presión, ECG, EEG o electromiografía). Hoy podemos encontrar sensores de varios tipos, lo suficientemente precisos y accesibles, que se han analizado para detectar las caídas en personas mayores. El método más empleado es el uso de acelerómetros, dado su precio, facilidad de uso y rendimiento. También se han utilizado ampliamente teléfonos inteligentes y cámaras, estas cada vez son más portátiles y con más autonomía en cuanto a las baterías, aunque presentan el problema de que pueden invadir la privacidad y la intimidad del paciente y de los convivientes.

Una alternativa a estos dispositivos portátiles son los dispositivos ambientales, no ligados a la persona en cuestión sino que detectan las caídas en una zona. Uno de los mecanismos empleados en este sentido es el uso de radares de ultrasonido, que ha mostrado ser lo suficientemente accesibles y con una alta precisión (93% en el trabajo de Palipana *et al.* (2018). Es posible también, combinar datos de dispositivos portátiles con datos de dispositivos ambientales, con una mejora significativa en la sensibilidad y la especificidad

La tecnología resulta aún más fascinante y prometedora cuando los métodos analizados incluyen aprendizaje automático, como el aprendizaje tradicional basado en umbrales y el aprendizaje profundo. La investigación de Chelli y Pätzold (2019) aplicó tanto el aprendizaje automático tradicional, como el aprendizaje profundo. Sus experimentos se dividieron en dos partes, a saber, reconocimiento de actividad y detección de caídas. Para el primero, sus experimentos mostraron que el aprendizaje automático tradicional y el aprendizaje profundo superaron a otros enfoques, que mostraron una precisión del 93,2%, para el segundo, con un sensor unido al tórax, la detección de caídas la precisión se encontró como función de la longitud del vector; para la longitud propuesta de 3, se consigue una precisión del 96,8%.

1.4. *Educación de pacientes crónicos*

Es también un campo prometedor para la aplicación de las nuevas tecnologías, especialmente para el uso de técnicas conversacionales o chatbots. La investigación sobre este tema es muy heterogénea, tanto con respecto al uso de la tecnología como respecto a los objetivos de salud perseguidos (Schachner *et al.*, 2020).

Centrando el tema en la educación del paciente diabético se encuentra la revisión de Zhang *et al.* (2020). Siguiendo a estos autores se definen los chatbots de educación sanitaria o de cambio de comportamiento como una tecnología persuasiva, sistemas informáticos diseñados para cambiar las actitudes y comportamientos de los usuarios, mediante la participación en conversaciones y entrega de mensajes e información persuasivos, imitando las características de la conversación entre humanos. El grado óptimo de similitud con la conversación humana no es igualmente aceptado por diferentes usuarios, a los que puede adaptarse de forma individual. Es decir, para utilizar un chatbot de AI como agente de conversación, hay que enfatizar el diseño de la capacidad relacional del sistema en las interacciones del chatbot y del usuario, así, el modelo integrado de dar consejos, y la capacidad de acomodación de la comunicación, combinados con la capacidad del chatbot de memoria persistente (almacenamiento del historial de conversaciones) y la variabilidad (como es cambiar el contenido y la estructura de la conversación), puede proporcionar información útil para guiar la estructura de conversaciones y elecciones específicas en estilos lingüísticos, semánticos y de oraciones.

Los programas a utilizar por los chatbots deben poseer las estructuras de conocimiento básicas y los mensajes de intervención utilizados en los enfoques tradicionales. La integración de mensajes de cambio de comportamiento en conversaciones de chatbot requiere en primer lugar la conservación de bases de datos de conocimientos sobre la actividad física y las pautas dietéticas. A partir de ahí existen diversos enfoques, uno sería diseñar episodios de conversación humano-humano basados en abordar cada uno de los conceptos teóricos (como una enfermera que ofrece educación sanitaria a un participante) y desarrollar módulos de diálogo que imiten tales conversaciones.

Las estrategias persuasivas están diseñadas para motivar cambios de comportamiento y son opciones de mensajes matizados para mejorar la atención, la confianza y el compromiso, o para influir en las reacciones cognitivas y emocionales. Las estrategias persuasivas son importantes para moldear, cambiar y reforzar las actitudes y comportamientos de las personas. Se ha demostrado que incluso el simple hecho de hacer preguntas sobre un comportamiento puede conducir a cambios en el comportamiento, lo que se conoce como efecto de "pregunta-comportamiento". Por lo tanto, una tarea de los chatbots puede ser hacer preguntas para permitir que los usuarios reflexionen y luego se motiven para el cambio de comportamiento. Es igualmente posible incorporar estrategias más persuasivas en módulos de diálogo con temas teóricos, como el uso de apelaciones retóricas clásicas incluidas las apelaciones a la credibilidad y apelaciones emocionales. Además, las estrategias específicas de mensajes persuasivos, como serían el uso de narrativas y ejemplos, también pueden mejorar la participación y el compromiso personal. Por ejemplo, para aumentar el enfoque de las entrevistas motivacionales, podemos considerar usar el atractivo de la credibilidad para fortalecer la confianza del usuario en el chatbot, de modo que se sienta más cómodo al revelar pensamientos. Además, para aumentar el enfoque de la teoría cognitiva social, podemos considerar la construcción de ejemplos narrativos en términos de hablar sobre las experiencias exitosas de compañeros relevantes para impulsar la autoeficacia de los participantes.

Una limitación común de los programas tradicionales es la naturaleza estática de los mensajes persuasivos, debido a las mediciones poco frecuentes de los comportamientos y las etapas de cambio del comportamiento de los usuarios. Los chatbots implementados en teléfonos inteligentes pueden abordar esta limitación mediante el uso de métodos de evaluación ambiental momentánea, acelerómetros integrados, GPS y otros sensores, además de recopilar datos informados por el usuario a partir de encuestas breves a través del teléfono inteligente. Por ejemplo, la investigación ha demostrado que un acelerómetro instalado en teléfonos inteligentes tiene una adecuada precisión para realizar un seguimiento del recuento de pasos y que las señales de GPS se pueden utilizar para estimar los niveles de actividad. Al poder conocer objetivamente los patrones de actividad, es posible el desarrollo de modelos de aprendizaje automático para actualizar los objetivos personalizados y los mensajes persuasivos. Estos resultados indican que los chatbots de IA pueden adaptar no solo los objetivos y técnicas de cambio de comportamiento, sino también los estilos de conversación (como serían, por ejemplo los tonos emocionales) basados en el aprendizaje de las entradas del lenguaje natural del usuario para mejorar la participación y la eficacia de los mensaje. Al rastrear y modelar objetivamente los patrones de actividad, es factible desarrollar modelos de aprendizaje automático para actualizar los objetivos personalizados y los mensajes persuasivos.

1.5. Ayuda para la toma de decisiones en situación de riesgo incrementado del paciente

Se ha empleado la IA como ayuda para la toma de decisiones con los pacientes, uno de los aspectos estudiados ha sido la posibilidad de deterioro rápido del paciente ingresado en un hospital. Centrándonos en el trabajo de Korach *et al.* (2020), se valora la posibilidad de aplicar la inteligencia artificial a los comentarios no estructurados de las enfermeras sobre los pacientes, para detectar situaciones en las que los pacientes se encuentren en una situación de riesgo incrementado de evolucionar rápidamente de forma desfavorable. Se encontró el problema de la baja concordancia entre los investigadores a la hora de identificar las frases relevantes que posteriormente debía identificar el algoritmo. Se seleccionaron 99 frases como de posible relevancia en la fase inicial. Combinando estas frases con las variables edad y sexo se consiguió un modelo predictivo para el rápido deterioro del paciente con una precisión del 73,9%.

2. ¿QUÉ OTROS ASPECTOS DEBEN SER TENIDOS EN CONSIDERACIÓN PARA SU APLICACIÓN A LA PRÁCTICA ENFERMERA?

Aunque el continuo desarrollo en campos muy diversos ha dificultado la realización de una perspectiva más amplia, podemos ver que muchas de las actividades que realizan habitualmente las enfermeras se van a ver modificadas con la implantación de la IA. Tendremos también que considerar que, en nuestra práctica no solo vamos a aplicar tecnologías que están usando actualmente, de forma específica, las enfermeras; algunos aspectos que nos serán útiles se están desarrollando para el público general, como por ejemplo la monitorización del ejercicio físico, mejoran además aspectos como la adherencia a un programa de ejercicios, y otros se pueden estar desarrollando en campos específicos de la IA, pero tendrán utilidad en nuestro trabajo.

Aunque no se ha buscado una exposición exhaustiva, se puede ver que prácticamente todos los campos relacionados con la atención a los pacientes van a experimentar cambios en los próximos años. La utilización de la IA va a modificar no solo el trabajo específico de enfermería sino también el cuidado de los pacientes. Así podemos ver con Xie *et al.* (2020) las perspectivas que se abren para ayudar a las personas con deterioro cognitivo concluyendo que las nuevas tecnologías ofrecen resultados positivos en cuanto a su viabilidad y a la satisfacción de los pacientes y sus cuidadoras.

Para conseguir una amplia implantación de estas tecnologías es necesario abordar las dudas sobre su privacidad y el respeto a los principios éticos, realizar una introducción de la intención y la experiencia del equipo humano detrás de la IA puede mejorar su credibilidad. Del mismo modo, proporcionar a los usuarios explicaciones de alto nivel sobre los algoritmos de aprendizaje automático y el procesamiento de datos puede ayudar a aumentar la transparencia.

La protección de la privacidad del usuario enfrenta múltiples desafíos. Hay investigaciones emergentes que muestran que se pueden modelar múltiples conjuntos de datos anónimos para volver a identificar a las personas, por lo que resulta necesario adoptar estándares elevados de confidencialidad y anonimización de los datos, para disminuir los riesgos de identificación. Otro aspecto central que necesita ser incorporado en el campo de la IA es el marco bioético clásico que consiste en (1) no maleficencia, (2) beneficencia, (3) respeto por la autonomía y (4) la justicia. No maleficencia significa la obligación de no infligir ningún daño o incurrir en el menor daño posible para alcanzar un resultado beneficioso. La beneficencia denota una obligación moral de actuar en beneficio de los demás. Desarrollar un compromiso con la no maleficencia y la beneficencia significa que la intención es beneficiar a los usuarios con información, conocimiento, atención y orientación, así como tomar medidas positivas para prevenir y eliminar el daño del usuario. Por ejemplo, los chatbots deben diseñarse para comprender las expresiones de los usuarios que indican que pueden estar atravesando situaciones difíciles que requieren la ayuda de moderadores humanos. Específicamente, es importante prever y planificar de manera preventiva la posibilidad de que se produzcan errores técnicos y fallos computacionales, y es fundamental contar con moderadores humanos para monitorizar la participación de los usuarios con regularidad y poder conectarse con los usuarios cuando surgen situaciones difíciles. El respeto a la autonomía significa que el usuario tiene la capacidad de actuar intencionalmente con comprensión y sin ser controlado o manipulado. Esto especifica que los usuarios deben contar con total transparencia sobre los objetivos, métodos y riesgos potenciales de la intervención. Dada la complejidad de la IA y los diseños tecnológicos, los investigadores deben esforzarse por proporcionar explicaciones comprensibles que los usuarios puedan comprender y luego tomar decisiones por sí mismos. Además, los usuarios deben estar completamente informados en el proceso de consentimiento y en el formulario de consentimiento sobre cómo se utilizarán sus datos con el tiempo durante o incluso después de la intervención y se les debe dar la oportunidad de optar por no utilizar sus datos de esta manera. El compromiso con la justicia requiere que los investigadores consideren el acceso equitativo de la tecnología y los beneficios para diferentes poblaciones, especialmente la consideración de los usuarios con grandes necesidades que tienen un nivel socioeconómico más bajo y alfabetización digital, o usuarios con discapacidades. Por lo tanto, se recomienda que las poblaciones desatendidas, especialmente los grupos minoritarios sociales y étnicos, estén representadas e involucradas en todas las etapas del diseño y la implementación de intervenciones para garantizar la equidad en la salud y la justicia social. Específicamente, los investigadores deben considerar la aplicación de estrategias de suavizado en la construcción del sistema de diálogo y el diseño de algoritmos socialmente conscientes.

Para conseguir una utilización, lo más completa posible, de la IA habrá que conseguir la participación de la comunidad en los Servicios de Salud, lo que será otra ventaja de las nuevas tecnologías.

Seria incompleta cualquier aproximación a este fascinante campo sin atender también a las voces críticas. De acuerdo con la revisión de Bishop (2021), La mayoría de los trabajos que valoran el uso de la IA en la práctica enfermera aparecen cerca de la irrupción de una nueva técnica, mostrando resultados prometedores sin embargo estos trabajos no son habitualmente replicados con lo que no se pueden descartar sesgos ni inferirse la validez externa de los resultados, estas posibilidades de errores en la apreciación de la verdadera utilidad de la IA se incrementa al ser muchas veces las variables incluidas en los estudios difíciles de medir, con una importante carga de subjetividad por el evaluador al mismo tiempo que existe una falta de concordancia entre los observadores.

La falta de réplicas de los trabajos se genera dado que una técnica que hoy resulta novedosa va a quedar desplazada y sustituida por una nueva técnica en cuestión de meses.

Otra limitación, en la aplicación de la IA en la rutina de la práctica diaria se relaciona con el componente humano; este aspecto ha sido trabajado por Castagno y Khalifa (2020), la mayoría de los profesionales de la salud carecen de una comprensión completa y clara de los principios de la IA y están preocupados por las posibles consecuencias de su uso generalizado en la práctica clínica. La cooperación de los trabajadores de la salud es crucial para la integración de la IA en la práctica clínica. Esto destaca la necesidad de una mejor educación y marcos regulatorios claros. Sin embargo, la etiqueta de inteligencia artificial aplicada a la tecnología se ha convertido también en un producto de marketing, como "ecológico" "light" o "bio" sin que el usuario final llegue a tener clara la utilidad de la IA en la situación en que se aplicará el producto, sus limitaciones y la seguridad de su empleo.

La implantación de la IA en la atención y cuidado de los pacientes genera beneficios claros y presenta también importantes desafíos, en cuanto a los beneficios la IA mejora las opciones y los resultados de salud de los pacientes, y va a tener también beneficios secundarios en cuanto a reducción de costes y ahorro de tiempo. La IA facilitará la prestación de servicios en zonas aisladas o áreas rurales y, en general, puede hacer que el sistema sea más equitativo. En cuanto a los desafíos destaca la necesidad de una implantación temprana y sostenible, tener en cuenta la perspectiva de los usuarios (tanto de los pacientes como de las enfermeras), otros desafíos a los que deberá hacer frente la implantación de la IA señalados por Sunarti *et al.* (2021), incluyen el riesgo de sesgo (la infrarrepresentación en los datos de entrenamiento para los sistemas de IA de colectivos étnicos o sociales minoritarios puede conducir a que los resultados tengan una falta de validez en determinados entornos) la falta de claridad para algunos algoritmos de IA (probablemente resulten preferibles los programas de código abierto), los problemas de privacidad de los datos utilizados para el entrenamiento del modelo de IA y los problemas de seguridad y las responsabilidades de implementación de la IA en entornos clínicos. Existen algunos de los problemas éticos que enfrentan las aplicaciones clínicas de la IA. Son seguridad, eficacia, privacidad, información y consentimiento, derecho a decidir, "derecho a juzgar", costos y acceso.

3. CONCLUSIÓN

Podemos concluir que la IA como todas las tecnologías que han ido apareciendo va a modificar y mejorar el trabajo de las enfermeras, ofrecerá una mayor precisión en los diagnósticos, identificando a los pacientes en mayor riesgo y prediciendo eventos negativos, mejorará los cuidados que podrán ofrecerse de forma más acertada en cuanto a quién y cuándo se prestan, disminuyendo errores y efectos adversos, facilitando la prestación de los cuidados de calidad en zonas más remotas, con una disminución de los costes, y permitiendo que sean los propios pacientes los que se hagan responsables de su cuidado entre otras ventajas. Para lograr esto se deberán vencer algunas dificultades iniciales que pueden generar rechazo, como asegurar la privacidad de los usuarios, implementar algoritmos que puedan ser conocidos por profesionales y pacientes, así como asegurar la validez de los resultados para grupos minoritarios.

BIBLIOGRAFÍA

BISHOP, J. M. (2021). Artificial Intelligence Is Stupid and Causal Reasoning Will Not Fix It. *Frontiers in psychology*, *11*, 513474. https://doi.org/10.3389/fpsyg.2020.513474.

BOSQUE, E. M. (2020). Development of an Alarm Algorithm, With Nanotechnology Multimodal Sensor, to Predict Impending Infusion Failure and Improve Safety of Peripheral Intravenous Catheters in Neonates. *Advances in neonatal care: official journal of the National Association of Neonatal Nurses*, 20(3), 233-243. https://doi.org/10.1097/ ANC.0000000000000690.

CASTAGNO, S. y KHALIFA, M. (2020). Perceptions of Artificial Intelligence Among Healthcare Staff: A Qualitative Survey Study. *Frontiers in artificial intelligence*, 3, 578983. https://doi.org/10.3389/frai.2020.578983.

CHAN, J.; KLAININ-YOBAS, P., CHI, Y.; GAN, J., CHOW, G. y WU, X. V. (2021). The effectiveness of e-interventions on fall, neuromuscular functions and quality of life in community-dwelling older adults: A systematic review and meta-analysis. *International journal of nursing studies*, 113, 103784. https://doi.org/10.1016/j.ijnurstu.2020.103784.

CHELLI, A. y PÄTZOLD, M. (2019). A machine learning approach for fall detection and daily living activity recognition. *IEEE Access* 7, 38670-38687. https://doi.org/10.1109/ACCESS.2019.2906693.

JIANG, M.; MA, Y.; GUO, S.; JIN, L.; LV, L.; HAN, L. y AN, N. (2021). Using Machine Learning Technologies in Pressure Injury Management: Systematic Review. *JMIR medical informatics*, 9(3), e25704. https://doi. org/10.2196/25704

KORACH, Z. T.; YANG, J.; ROSSETTI, S. C.; CATO, K. D.; KANG, M. J.; KNAPLUND, C.; SCHNOCK, K. O.; GARCÍA, J. P.; JIA, H.; SCHWARTZ, J. M. y ZHOU, L. (2020). Mining clinical phrases from nursing notes to discover risk factors of patient deterioration. *International journal of medical informatics*, 135, 104053. https://doi.org/10.1016/j. ijmedinf.2019.104053.

PALIPANA, S.; ROJAS, D.; AGRAWAL, P. y PESCH, D. (2018). Falldefi: ubiquitous fall detection using commodity wi-fi devices. *Proc. ACM Interact. Mobile Wearable Ubiquit. Technol.* 1, 1-25. https://doi. org/10.1145/3161183

SCHACHNER, T.; KELLER, R. y V. WANGENHEIM, F. (2020). Artificial Intelligence-Based Conversational Agents for Chronic Conditions: Systematic Literature Review. *Journal of medical Internet research*, 22(9), e20701. https://doi.org/10.2196/20701

SUNARTI, S.; FADZLUL RAHMAN, F.; NAUFAL, M.; RISKY, M.; FEBRIYANTO, K. y MASNINA, R. (2021). Artificial intelligence in healthcare: opportunities and risk for future. *Gaceta sanitaria*, 35 Suppl 1, S67-S70. https://doi.org/10.1016/j.gaceta.2020.12.019.

WANG, X.; ELLUL, J. y AZZOPARDI, G. (2020). Elderly Fall Detection Systems: A Literature Survey. *Frontiers in robotics and AI*, 7, 71. https:// doi.org/10.3389/frobt.2020.00071.

XIE, B.; TAO, C.; LI, J.; HILSABECK, R. C. y AGUIRRE, A. (2020). Artificial Intelligence for Caregivers of Persons With Alzheimer's Disease and Related Dementias: Systematic Literature Review. *JMIR medical informatics*, 8(8), e18189. https://doi.org/10.2196/18189

ZACHARIAH, P.; SANABRIA, E.; LIU, J.; COHEN, B.; YAO, D. y LARSON, E. (2020). Novel Strategies for Predicting Healthcare-Associated Infections at Admission: Implications for Nursing Care. *Nursing research*, 69(5), 399-403. https://doi.org/10.1097/NNR.0000000000000449.

ZHANG, J.; OH, Y. J.; LANGE, P.; YU, Z. y FUKUOKA, Y. (2020). Artificial Intelligence Chatbot Behavior Change Model for Designing Artificial Intelligence Chatbots to Promote Physical Activity and a Healthy Diet: Viewpoint. *Journal of medical Internet research*, 22(9), e22845. https://doi.org/10.2196/22845

Redes inteligentes para el control epidemiológico

MARÍA LIDÓN LARA ORTIZ
Profesora Ayudante Doctora de Derecho Administrativo, Universitat Jaume I

1. LA INTELIGENCIA ARTIFICIAL APLICADA A LOS SERVICIOS PÚBLICOS

1.1. Las utilidades de la inteligencia artificial en los servicios públicos

La inteligencia artificial ha llegado para quedarse y transformar la mayoría de actividades humanas, automatizándolas y permitiendo un intercambio de datos sin precedentes[1]. Su aplicación va a suponer la simplificación y optimización de las tareas a las que se proyecta su aplicación. Antes de la pandemia originada por la COVID-19, las nuevas tecnologías emergentes de la cuarta revolución industrial[2] se concebían como oportunidades de mejora y expansión, especialmente en los sectores económicos. Sin embargo, las nuevas tecnologías han recibido un impulso excepcional, como consecuencia de las medidas de distanciamiento social aplicadas en la gestión de la pandemia, de-

---

[1] La automatización y el intercambio de datos son dos características destacadas por la doctrina científica. En este sentido, ANDRÉS SEGOVIA, B. (2021). El reinicio tecnológico de la inteligencia artificial en el sistema público de salud. *Ius et Scientia*, Ed. Universidad de Sevilla, pág. 328.

[2] CORDERO VALDAVIDA, M. (2019). Blockchain en el sector público, una perspectiva internacional. *Revista Vasca de Gestión de Personas y Organizaciones Públicas*, 16, pág. 27.

viniendo en instrumentos imprescindibles para poder desempeñar las tareas más esenciales.

En el marco de las Administraciones Públicas, donde las nuevas tecnologías vienen irrumpiendo desde principios de siglo XXI, lo que hasta el año 2019 era una posibilidad u oportunidad de mejora en la eficiencia y modernización de las mismas, en el año 2020 se ha convertido en una necesidad ya que el aparato burocrático de todas las Administraciones ha seguido en funcionamiento, apoyándose en gran medida en la infraestructura digital.

Las herramientas de base digital pueden aportar a la gestión de las Administraciones públicas seguridad, eficiencia y transparencia en todas las transacciones y decisiones automatizadas registradas en la red. Estos valores tienen trascendencia jurídica para el sector público ya que así se recogen como principios que rigen la actuación administrativa en los artículos 9.3 y 103 de la Constitución española, y en la Ley 19/2013, de 9 de diciembre, de transparencia, acceso a la información pública y buen gobierno.

Precisamente, en España los primeros pasos hacia la digitalización se dieron con la Ley 11/2007, de 22 de junio, de acceso electrónico de los ciudadanos a los Servicios Públicos, que les dio carta de naturaleza legal, al establecer el derecho de los ciudadanos a relacionarse electrónicamente con las Administraciones Públicas, así como la obligación de éstas de dotarse de los medios y sistemas necesarios para que ese derecho pudiera ejercerse, pero siempre preservando todos los derechos y garantías del ciudadano en sus relaciones con la Administración[3]. Posteriormente, la Ley 39/2015 se concibió como reforma del procedimiento administrativo común en España con la finalidad de profundizar en la agilización de los procedimientos con un pleno funcionamiento electrónico[4], y con la finalidad de un mejor cumplimiento de los principios constitucionales de eficacia y seguridad jurídica que deben regir la actuación de las Administraciones pú-

---

[3] BLASCO DÍAZ, J. L. (2007). Los derechos de los ciudadanos en su relación electrónica con la Administración. *Revista Española de Derecho Administrativo*, 136, págs. 791-821.

[4] Así se recoge en el Preámbulo de la Ley 39/2015, de 1 de octubre, del Procedimiento Administrativo Común de las Administraciones Públicas.

blicas[5]. Actualmente se está planteando dar un paso más para mejorar la gestión administrativa, mediante la aplicación de otras herramientas innovadoras de base digital que incluso conllevan la automatización de algunas decisiones administrativas.

1.2. *Interoperabilidad y* blockchain

Una de las herramientas tecnológicas cuya aplicación está en auge es la *blockchain o distributed ledger technology* (DLT), definida como "una base de datos descentralizada, organizada en bloques de transacciones relacionados entre sí de forma matemática y distribuida entre diferentes participantes llamados nodos"[6]. La tecnología *blockchain* está basada en una red peer-to-peer o P2P en la que los nodos, como terceros ajenos que comprueban la veracidad de los eventos, son iguales entre sí. Ello permite articular un registro distribuido que los hace menos vulnerables a ataques informáticos, por existir otros nodos que suplirían la actividad del que pudiera resultar afectado por un ataque cibernético.

Lo cierto es que la tecnología *blockchain* se han configurado como una innovación destinada a impactar directamente en la forma de proceder de las Administraciones públicas, por los beneficios que puede aportar a la actividad administrativa, a pesar de que el origen de su aplicación práctica no se encuentra en el marco de la prestación de servicios públicos, sino en el sistema financiero, dónde en el año 2008 se ideó como base tecnológica para la gestión y negociación de criptomonedas, o más propiamente llamadas, criptoactivos[7]. Su origen teórico es un poco más lejano, situándose en los años ochenta

---

5   La mejora de la eficacia administrativa se puso de relieve en cuanto se configuró la aplicación de medios electrónicos al procedimiento administrativo, tratando el caso concreto de los registros administrativos, puesto que se agiliza la tramitación, CANTÓ LÓPEZ, M. T. (2012). La ordenación del sistema de registro electrónico en la administración pública. *Revista de Administración Pública*, 187, Madrid, pág. 250.

6   LÓPEZ RODRÍGUEZ, A. M. (2021). *Derecho comparado y digitalización*. Tecnos, Madrid, pág. 181.

7   LARA ORTIZ, M. L. (2020). Criptomonedas, ¿Riesgos o ventajas? BELANDO GARÍN, B. y MARIMÓN DURÁ, R. (dirs.), *Retos del mercado financiero digital*. Aranzadi, Pamplona, págs. 318-321.

y desarrollándose posteriormente, hasta que en 1998, Nick Szabo lo describió como un sistema descentralizado de pagos basado en el uso de técnicas criptográficas para facilitar la generación de unidades de valor virtual de forma estructurada[8], ya que en sus inicios venía referido a lo que hoy conocemos como criptoactivos.

Las ventajas que puede ofrecer la tecnología *blockchain* hacen que se esté considerando su aplicación a otras facetas, y más concretamente a algunas actuaciones y registros administrativos. Existen ciertas implicaciones jurídicas que deben ser consideradas en el diseño de las herramientas o aplicaciones digitales a los diferentes sectores en los que se está comenzando a aplicar, muy especialmente en el sector público[9], donde también se está incentivando su aplicación desde la Unión Europea en los últimos años. Así, la Comunicación COM(2016) 179 final, de 19 de abril de 2016, de la Comisión al Parlamento Europeo, al Consejo, al Comité Económico y Social Europeo y al Comité de las Regiones inició el camino hacia la digitalización, con el *Plan de Acción sobre Administración Electrónica de la Unión Europea 2016-2020* para acelerar la transformación digital de la Administración, determinando que el año 2020 los servicios públicos de la Administración de la UE deberían ser digitales, sobre el fundamento de que mejoran la eficiencia y suponen un abaratamiento de los costes además de permitir una tramitación más ágil. Este plan hizo referencia al concepto de interoperabilidad y al *Marco Europeo de Interoperabilidad*, como garantía de un entendimiento común de la interoperabilidad en toda la Unión Europea. En el mismo, aún no se hizo referencia a la tecnología *blockchain*, porque las ventajas de su aplicación a los servicios públicos se han verificado posteriormente. La Declaración de Cooperación para una *European Blockchain Partnership*, del 10 de abril 2018, consideró ya su aplicación, pretendiendo que se configurase de forma homogénea, al menos en sus bases, en todo el Mercado Único Digital, proponiendo la generación de un marco de cooperación europea para que se establezca una única *blockchain* con la finalidad de lograr que los servicios públicos

---

8   PORXAS, N. y CONEJERO, M. (2018). Tecnología *blockchain*: funcionamiento, aplicaciones y retos jurídicos relacionados. *Actualidad Jurídica Uría Menéndez*, 48, pág. 24.

9   PORXAS, N. y CONEJERO, M. (2018). Cit. Tecnología *blockchain*..., pág. 32.

digitales de todas las Administraciones de todos los Estado Miembros fuesen interoperables y compatibles. Ahora estamos todavía en una fase muy inicial, la de su ideación y diseño, pero en los próximos años se espera que se consolide su aplicación, ya que sería un sistema único de intercambio de datos en el que quedaría garantizada la interoperabilidad.

Por su parte, la configuración normativa del sector público español aún no acoge la tecnología *blockchain*, pero en el momento en que se escriben estas líneas, hay ya una propuesta no de Ley en el Congreso de los Diputados, de fecha 21 de junio de 2018, por la que a solicitud de un grupo parlamentario, se publicó en el Boletín Oficial de las Cortes Generales[10]:

El Congreso de los Diputados insta al Gobierno a:

1. Introducir la tecnología *blockchain* en el sector público español con el objetivo de mejorar los procesos internos y aportar trazabilidad, robustez y transparencia en la toma de decisiones.

2. Desarrollar la tecnología *blockchain* en modelos de colaboración pública y privada con el fin de favorecer mercados secundarios de bienes y servicios que abaraten los costes, aumenten la productividad e impulsen la creación de empleo especializado.

3. Facilitar la formación de los recursos humanos en tecnologías *blockchain* con el objeto de mejorar al máximo su implantación.

En el momento en que se formuló esta solicitud se consideró que la Administración pública podría beneficiarse de estas nuevas tecnologías, porque la *blockchain* podría aportar un mayor control público en los sectores que lo requiriesen, permitiría la trazabilidad de las decisiones administrativas y de las circunstancias de hecho que se registrasen como elementos objetivos que fundamentasen futuras decisiones, así como la transparencia en los procedimientos administrativos.

En el caso de producirse la incorporación definitiva de la tecnología DLT a la gestión de las Administraciones Públicas se garantizarían los principios de eficacia en relación con la eficiencia, seguridad y transparencia que sirven de fundamento a la aplicación de las tecnologías que ya se están utilizando, y también otros principios como el

---

[10] Boletín Oficial de las Cortes Generales de 21 de junio de 2018.

de objetividad, que debe regir en las actuaciones administrativas, de conformidad con el artículo 103 CE, ya que con la configuración en abstracto del algoritmo para diseñar un procedimiento automatizado, la objetividad formará parte del ADN del mismo, garantizándose también la transparencia administrativa, allá donde deba ser ofrecida, al mismo tiempo que se preservan los datos personales que deban ser protegidos[11], pues así quedarán definidos, desde la programación de su visibilidad según con el permiso con el que se acceda a la información de que se trate.

Los asuntos públicos raramente son gestionados por una Administración completamente aislada, siendo usual el intercambio de documentos o informaciones[12], lo que genera la necesidad de que los sistemas que utilicen sean compatibles o interoperables. Además, debido al hecho de que para la prestación de diversos servicios públicos o en el ámbito de algunas actividades administrativas existe un reparto competencial que conlleva la necesaria coordinación administrativa no sólo a nivel interno en España, sino incluso, actuando en cooperación con las autoridades de la Unión Europea o con las autoridades nacionales de otros Estados miembros, es esencial que los sistemas tecnológicos utilizados sean compatibles. Sería igualmente útil esta homogenización de la interoperabilidad incluso en los casos en los que los servicios públicos se prestan mediante la colaboración público-privada, lo que puede ocurrir, además de en otros casos, cuando así se acuerde para la prestaciones de servicios ligadas al ejercicio por la Administración del servicio público que le ha sido encomendado[13].

---

[11]   La protección de los datos personales que se gestionan a través de este tipo de sistemas digitales es uno de los retos que se plantean debido a la gran cantidad de datos que se pueden intercambiar y la entidad de los mismos. OCAMPO MUÑOA, M. G. (2019). Nuevos desafíos para la protección de datos personales en México. La regulación de la tecnología *blockchain*. *Investigaciones Jurídicas de la UNAM - IIJ-BJV*, Universidad Nacional Autónoma de México, pág. 6.

[12]   JIMÉNEZ, S. (2019). *Transformación digital para Administraciones Públicas. Crear valor para la ciudadanía del siglo XXI*. Instituto Nacional de Administración Pública, Madrid, pág. 136.

[13]   GONZÁLEZ GARCÍA, J. V. (2006). Contrato de colaboración público-privada. *Revista de Administración Pública*, 170, Madrid, pág. 24.

Para ello, la clave está en la interoperabilidad, que debe uniformizar los aspectos organizativo, semántico, técnico y jurídico[14], que está ya regulada a nivel interno para aquellos casos en los que las Administraciones públicas españolas deben colaborar y para permitir el uso de distintos registros de entrada para realizar presentación de solicitudes y que lleguen al organismo destinatario. Esto está ya previsto desde el año 2007 cuando aún no se había aplicado la *blockchain*, residiendo la base normativa para su configuración a nivel interno, en el Esquema Nacional de Interoperabilidad que se establece en el apartado 1 del artículo 42 de la Ley 11/2007, de 22 de junio, de acceso electrónico de los ciudadanos a los Servicios Públicos. Su finalidad fue la creación de las condiciones necesarias para garantizar el adecuado nivel de interoperabilidad técnica, semántica y organizativa de los sistemas y aplicaciones empleados por las Administraciones públicas, que permitiesen el ejercicio de derechos y el cumplimiento de deberes a través del acceso electrónico a los servicios públicos, a la vez que redundase en beneficio de la eficacia y la eficiencia. Posteriormente, el Real Decreto 4/2010, de 8 de enero, por el que se reguló el Esquema Nacional de Interoperabilidad en el ámbito de la Administración Electrónica, perfiló esta cuestión, siendo desarrollada por la Resolución de 19 de julio de 2011, de la Secretaría de Estado para la Función Pública, por la que se aprobó la Norma Técnica de Interoperabilidad de Documento Electrónico. Además, estas normas garantizan que la información que se transmite y gestiona entre Administraciones públicas quede debidamente protegida de accesos externos indeseados, siendo transmitida por vía electrónica a otras Administraciones por medio de entornos cerrados de comunicación[15].

La interoperabilidad armonizada a nivel europeo hará posible la digitalización de los servicios públicos o actividades administrativas donde la Unión Europea también tenga conferidas funciones que deban ejercerse en cooperación con los Estados miembros. Igual que

---

[14] GAMERO CASADO, E. (2009). Interoperabilidad y administración electrónica: conéctense, por favor. *Revista de Administración Pública*, núm. 179, Madrid, págs. 296 y 297.

[15] MARTÍNEZ GUTIÉRREZ, R. (2010). Régimen jurídico del intercambio electrónico de datos, documentos y certificaciones entre administraciones. *Revista de Administración Pública*, núm. 183, Madrid, pág. 365.

ocurre en España, dicha interoperabilidad puede hacer posible que se utilicen sistemas compatibles y que hablen el mismo lenguaje técnico a nivel interno, además de garantizar la seguridad de los datos personales que son objeto de transacción[16], lo que es imprescindible para trasladar al plano tecnológico el reparto competencial que existe en algunos ámbitos, evitando la fragmentación digital. El desarrollo de la *blockchain*, a través de una fórmula armonizada en el marco europeo, puede garantizar esa interoperabilidad para la prestación de servicios públicos y para el desempeño de otras actividades administrativas que requieran cooperación europea.

2. EL CONTROL EPIDEMIOLÓGICO. COMPETENCIAS Y REDES DE INTERCAMBIO DE DATOS

2.1. Las competencias administrativas para el control epidemiológico en España

Una de las cuestiones jurídicas que subyacen en la configuración de una red digital de control epidemiológico, y que podría diseñarse utilizando la tecnología *blockchain*, es la delimitación competencial entre las distintas Administraciones públicas responsables del referido control. En este sentido, debemos diferenciar dos ámbitos distintos, con dos regímenes competenciales diferentes, que podrían implicarse dependiendo de la gravedad de la enfermedad.

De entrada, podemos considerar que las cuestiones sanitarias están asentadas sobre la base del artículo 43 de la Constitución española, que reconoce el derecho a su protección, "encomendando para ello a los poderes públicos la organización y tutela de la salud pública a través de medidas preventivas y de las prestaciones y

---

[16] La delimitación de los límites sobre el acceso a los datos sanitarios y la transmisión de informaciones al respecto han sido tratados especialmente por BEATO ESPEJO, M. (1996). Derechos de los usuarios del sistema sanitario a los diez años de la aprobación de la ley general de sanidad. *Revista de Administración Pública*, 141, Madrid, págs. 39 a 50; y ABERASTURI GORRIÑO, U. (2011). Movimiento internacional de datos. Especial referencia a la transferencia internacional de datos sanitarios. *Revista de Administración Pública*, núm. 186, Madrid, págs. 329-369.

servicios necesarios"[17], lo que se interpreta generalmente como el derecho a recibir cuidados sanitarios frente a la enfermedad, según aclara el Preámbulo de la Ley 33/2011, de 4 de octubre, General de Salud Pública (en adelante, LGSP). El mandato del artículo 43 de la Constitución española se concretó en el Sistema Nacional de Salud (en adelante, SNS) que establece los derechos y deberes de los ciudadanos en sus relaciones con él, tras la aprobación de la Ley General de Sanidad, 14/1986, de 25 de abril (en adelante, LGS)[18]. Desde este punto de vista, sirve de título competencial sobre el que se asienta esta norma, conforme a la Disposición final cuarta de la LGS, el artículo 149.1.16ª de la CE que atribuye al Estado la competencia exclusiva sobre las bases y coordinación general de la sanidad, de lo que resulta su carácter de norma básica. Concordando con ello y de conformidad con el artículo 148.1.21ª de la CE, las Comunidades Autónomas pueden asumir competencias en materia de sanidad, lo que todas ellas han hecho en sus respectivos Estatutos de Autonomía, puesto que son los Estatutos vía Ley Orgánica los que fijan las competencias autonómicas, lo que también puede hacerse mediante Ley Orgánica de transferencia o delegación —prevista en el artículo 150.2 de la CE—, como señaló tempranamente el Tribunal Constitucional en su Sentencia número 76/1983. Por ello, el Estado mantiene las competencias en los aspectos básicos y de coordinación en lo referente al sistema de sanidad en general, y a la preservación y fomento del derecho a la salud en los términos ordenados por el artículo 43 de la Constitución española, y las Comunidades Autónomas ostentan, conforme a sus respectivos Estatutos de Autonomía, competencias en sanidad, que quedan delimitadas en el ámbito de la gestión de la prestación del servicio público sanitario.

Mientras aquellos títulos competenciales sirven para delimitar competencias para la gestión de las cuestiones sanitarias en una situación de normalidad, ámbito en el que también existen redes de información para mejorar la gestión y prestaciones asistenciales del

---

17   Preámbulo de la Ley 33/2011, de 4 de octubre, General de Salud Pública.
18   BEATO ESPEJO, M. (1996). Derechos de los usuarios del sistema sanitario a los diez años de la aprobación de la ley general de sanidad. *Revista de Administración Pública*, 141, Madrid, pág. 25.

servicio sanitario[19], existe implicación de otras competencias cuando estamos ante una epidemia o, como es el caso de la COVID-19, de una pandemia, porque en este caso, las competencias de sanidad ceden frente a las de salud pública en relación con la seguridad pública, que por la magnitud de la afectación del bien jurídico protegido (que es la salud e incluso la vida de las personas), debe considerarse no de forma aislada o individual, sino de forma colectiva, pues el riesgo para el bien jurídico es colectivo y no individual. Este elemento hace que las competencias sobre sanidad se vean desplazadas a un segundo plano pero no son eliminadas, ya que el riesgo es de carácter sanitario, y por la especialidad de la materia no deben de desaparecer por completo de la ecuación. Sin embargo, sí quedan relegadas a un segundo plano por acción del elemento de la colectividad que se puede ver afectada, lo que hace que las medidas de gestión puedan exceder del ámbito sanitario. Esta cuestión fue abordada por el Tribunal Constitucional en su Sentencia número 33/1982, de 8 de junio que diferenció las competencias de sanidad que resultan del artículo 149.1.16ª de la Constitución española, aplicables cuando se trata de la gestión de cuestiones de salud en una situación ordinaria, frente a las competencias en materia de salud pública, que, por su componente de seguridad pública, encuentran su fundamento en el artículo 149.1.29ª de la Constitución española, aplicándose a casos donde se compromete la salud de los ciudadanos de forma colectiva[20]. Las pandemias y las epidemias tienen este componente de calamidad pública que desplaza la competencia para su gestión y nos lleva a buscar la competencia en el artículo 149.1.29ª de la Constitución española[21], pues como especificó la STC 33/1982, ésta "corresponde al Estado en virtud del art. 149.1.29 de la Constitución, siempre que esa intervención esté justificada por razones de necesidad y urgencia y sea proporcionada en su forma y duración a esa situación de urgente necesidad"[22]. Ello

---

[19] GÓMEZ JIMÉNEZ, M. L. (2012). Sistemas de Información Sanitaria y Gestión del Gasto Público. *RevistaeSalud.com*, Vol. 8, Nº 32, pág. 9.

[20] Sentencia del Tribunal Constitucional número 33/1982, de 8 de junio, FJ 6, (ECLI:ES:TC:1982:33).

[21] Sentencia del Tribunal Constitucional número 33/1982, de 8 de junio, FJ 2, (ECLI:ES:TC:1982:33).

[22] Sentencia del Tribunal Constitucional número 33/1982, de 8 de junio, FJ 7, (ECLI:ES:TC:1982:33).

es consecuencia de que las epidemias son calamidades que afectan a la seguridad pública, como riesgo colectivo, y requieren cierta "reacción policial específica desencadenada para prevenirla, mantenerla o restablecerla"[23]. A pesar de todo, no faltan opiniones que consideran que la gestión de epidemias y pandemias debe basarse exclusivamente en el sistema de salud, pero destacan como inconveniente la parquedad de la LGS y de la Ley Orgánica 3/1986, de 14 de abril, de medidas especiales en materia de Salud Pública, e incluso de las previsiones sobre este riesgo colectivo que contiene la regulación de protección civil y la Ley Orgánica 4/1981, de 1 de junio, de los Estados de Alarma, Excepción y Sitio[24].

A nuestro juicio es clarificadora, para ordenar el aspecto competencial en estos casos, la previsión contenida en el artículo 2.5 de la Ley 17/2015, de 9 de julio de Sistema Nacional de Protección Civil (en adelante, LSNPC) y que define como emergencia de protección civil toda:

> ...situación de riesgo colectivo sobrevenida por un evento que pone en peligro inminente a personas o bienes y exige una gestión rápida por parte de los poderes públicos para atenderlas y mitigar los daños y tratar de evitar que se convierta en una catástrofe. Se corresponde con otras denominaciones como emergencia extraordinaria, por contraposición a emergencia ordinaria que no tiene afectación colectiva.

Tomando en cuenta el concepto de emergencia de protección civil, cambia la clasificación de una epidemia o pandemia, debiendo ser considerada como emergencia de protección civil, y no como un evento sanitario que debe resolverse a través del Sistema Nacional de Salud, pues los recursos y competencias ínsitos en él, aunque necesarios, son insuficientes.

En el Sistema Nacional de Protección Civil (en adelante, SNPC), sí existe previsión para atender emergencias sanitarias del tipo epidemiológico pero la previsión es muy limitada, ya que tan sólo el artícu-

---

[23]   DE LA MORENA, L. (1986). La "seguridad pública" como concepto jurídico indeterminado: su concreta aplicación a los traspasos de servicios en materia de espectáculos públicos. *Revista de Administración Pública*, 109, págs. 321-362.

[24]   CIERCO SEIRA, C. (2005). Epidemias y derecho administrativo. Las posibles respuestas de la Administración en situaciones de grave riesgo sanitario para la población. *DS: Derecho y salud*, número 13 (2), pág. 255.

lo 28.1 de la LSNPC la clasifica como emergencia de interés nacional, cuya competencia de gestión corresponderá al Estado, por la relevancia de la gravedad de la emergencia al considerar que siempre lo son los casos cuya gestión requieren de la aplicación de la Ley Orgánica 4/1981, que determina la declaración de un estado de alarma. Este es el hecho determinante de que la competencia de su gestión deba ser estatal cuando estamos ante epidemias graves o pandemias, siendo otra cuestión que la STC 148/2021, de 14 de julio[25] considerase que el estado de alarma para gestionar la pandemia, aprobado por Real Decreto 463/2020, se excedió en las limitaciones a la libre circulación impuestas, ya que es el estado de alarma lo que se prevé en nuestro sistema jurídico para afrontar tales calamidades. Ello implica que, mientras no se modifique esta previsión, las limitaciones a la libre circulación que se impongan para gestionar situación similares deben ser más moderadas, para considerarse claramente limitaciones y no suspensiones de la libertad de circulación regulada en el artículo 19 de la Constitución española, debiendo su intensidad ser menor que la aplicada a través del estado de alarma que se declaró con el Real Decreto 463/2020, y sus sucesivas prórrogas, pues el Tribunal Constitucional las consideró de excesiva intensidad.

Dejando al margen las posibilidades de mayor desarrollo normativo frente a emergencias sanitarias sobre la base del SNPC[26], lo que venimos a afirmar es que la base que ofrece el SNPC complementado con el SNS, asentada en el artículo 35 de la LSNPC, que permite considerar al SNS como complementario del SNPC, al igual que al resto de recursos adscritos a cualquier otro negociado, permite el desarrollo de redes de control epidemiológico, que por las facilidades que ofrece la tecnología actual podrían estructurarse desarrollando un sistema *blockchain* o de tecnología DLT.

Para el diseño de tales redes, en España, deben ser considerados, por tanto, los títulos competenciales derivados del artículo 149.1.16ª de la Constitución española en relación con 148.1.21ª de la Constitución

---

[25]   Sentencia Tribunal Constitucional 148/2021, de 14 de julio, FJ 5 (ECLI:ES:TC:2021:148)

[26]   A esta cuestión nos referimos en LARA ORTIZ, M. L. (2021). Replanteando la gestión de emergencias sanitarias. *Revista Española de Derecho Constitucional*, 122, págs. 153-182. doi: https://doi.org/10.18042/cepc/redc.122.05.

española, y los diferentes Estatutos de Autonomía que distribuyen las competencias en materia de sanidad, pero vinculados como complemento de las redes de información del SNPC, que se asientan en la competencia sobre seguridad pública del artículo 149.1.29ª de la Constitución española, en relación con el artículo 148.1.22ª de la Constitución española, que permite a las Comunidades Autónomas asumir competencias sobre las policías locales (lo que se extiende a las autonómicas) en sus propios territorios. Con ello se podrían desarrollar las redes actualmente existentes que, en materia de sanidad, se gestionan por las Comunidades Autónomas junto al Estado a través del Sistema de Coordinación de Alertas y Emergencias de Sanidad y Consumo, y en materia de protección civil, por el Estado con participación de las Comunidades Autónomas, y que además están conectadas con el Mecanismo de Protección Civil de la Unión Europea. La conexión digital e interoperabilidad de estas redes facilitaría la labor de coordinación que corresponde al Estado tanto en el ámbito sanitario[27], como en el de la protección civil, lo que puede redundar en una mejorada prestación de los servicios públicos incluidos en ambos ámbitos.

Nuestra propuesta implica la conexión de todas las redes que gestionan datos sanitarios para el control epidemiológico, o de otro tipo, más allá del Sistema Nacional de Salud, donde queda anclado el Centro de Coordinación de Alertas y Emergencias Sanitarias, insertado en el Sistema de Coordinación de Alertas y Emergencias de Sanidad y Consumo (en adelante, SICAS), que fue creado por la Orden SCO/564/2004, de 27 de febrero, como sistema de apoyo en la gestión de situaciones de crisis y catástrofes sanitarias y de consumo, conforme prevé su artículo 3.d), pero que no aporta informaciones al SNPC. En este último, existen otras redes que, conectadas con las redes del SICAS, mejorarían la eficacia del control epidemiológico, como son la Red Nacional de Información sobre Protección Civil, que interconecta todos los datos e informaciones necesarias para garantizar respuestas eficaces ante las situaciones de emergencia de todo tipo, y se gestiona por el Centro Nacional de Seguimiento y Coordinación de

---

[27]   LÓPEZ SALUDAS, J. M. (2013). ¿Se debe reunificar la sanidad pública? *eXtoikos*, Nº 12, 2013, pág. 24.

Emergencias de Protección Civil, según resulta del artículo 9 LSNPC. También encontramos la Red de Alerta Nacional de Protección Civil, como instrumento de comunicación inmediata y de prevención de toda emergencia, al incorporar a los órganos competentes de coordinación de emergencias de las Comunidades Autónomas, como cauce para la transmisión de las alarmas a quien corresponda, que regula el artículo 12 LSNPC. Esta red es gestionada por el Ministerio del Interior, a través del Centro Nacional de Seguimiento y Coordinación de Emergencias de Protección Civil, sin perjuicio de las competencias que tienen las Comunidades Autónomas en este ámbito.

Consideramos que la actual desconexión de los sistemas de información del SICAS y del SNPC reduce la eficacia de ambos, y que siendo la eficacia uno de los principios rectores de la prestación de servicios públicos, y que tanto la sanidad como la protección civil lo son, sería favorable para el mejor desempeño de ambos sectores que se pudieran intercambiar informaciones, especialmente con el fin de mejorar las capacidades de respuesta frente a crisis sanitarias de envergadura, como la de la COVID-19. Su conexión sería posible, hoy en día, a través de un sistema *blockchain*, y su conexión se basa en la concurrencia de los títulos competenciales anteriores, bajo la premisa de que las emergencias de protección civil incluyen, entre otros tipos de emergencias de diferente origen, las emergencias sanitarias, por lo que su tratamiento no debería quedar al margen de las Redes de Información o de Alerta que se utilizan para gestionar emergencias de protección civil, sino que deberían conectarse con ellas con el propósito de efectuar un mejor control epidemiológico sobre la base del intercambio de los datos registrados.

Esta vía es coherente con las recientes iniciativas de la Unión Europea en el ámbito del Mecanismo de Protección Civil de la Unión Europea, en cuanto que se ha ordenado la inclusión en la red digital europea de gestión de emergencias, también los datos sanitarios relevantes para evaluar y afrontar crisis sanitarias, consideradas como especie de emergencia. Tal vez, siguiendo las indicaciones de Bruselas, todos los Estados miembros, así como España, conecten ambas redes de intercambio de datos —las de sanidad y las de protección civil—.

2.2. La implicación de la Unión Europea en el control epidemiológico

Del mismo modo que ocurre en el ámbito nacional español, podemos diferenciar a nivel europeo un tratamiento competencial diferente en relación a la salud pública y a la protección civil, e igualmente, ambos ámbitos pueden converger en el intercambio de informaciones útiles para la mayor eficacia de la prestación de los servicios públicos en ambos ámbitos. Para ello sería útil conectar las redes de control epidemiológico y de gestión de emergencias de protección civil dando a la Unión Europea en rol de coordinación y soporte complementario que en ambos ámbitos asume con diferente fundamento.

Así, en el aspecto de salud pública, sirve de base para que la Unión Europea pueda intervenir en estos casos, la previsión contenida en el artículo 168 del Tratado de Funcionamiento de la Unión Europea (en adelante, TFUE), que hace referencia a la cooperación y coordinación de los Estados miembros, y prevé que las acciones públicas sobre cuestiones de salud pública no queden circunscritas únicamente en la organización de la asistencia sanitaria[28], disponiendo el artículo 168.1 del TFUE que:

> La acción de la Unión, que complementará las políticas nacionales, se encaminará a mejorar la salud pública, prevenir las enfermedades humanas y evitar las fuentes de peligro para la salud física y psíquica. Dicha acción abarcará la lucha contra las enfermedades más graves y ampliamente difundidas, apoyando la investigación de su etiología, de su transmisión y de su prevención, así como la información y la educación sanitarias, y la vigilancia de las amenazas transfronterizas graves para la salud, la alerta en caso de tales amenazas y la lucha contra ellas.

Por otro lado, en lo referente a la protección civil, la Unión Europea no permanece al margen, toda vez que su fundamento material se encuentra en la seguridad pública, cuestión que se concibe como de competencia estatal, por la vinculación de su fundamento, al menos parcialmente, con la soberanía estatal y la defensa nacional, lo que hace que las competencias permanezcan, en gran medida, bajo el

---

[28] FONT I LLOVET, T. (2016). Organización y gestión de los servicios de salud. El impacto del derecho europeo. *Revista de Administración Pública*, 199, Madrid, pág. 254.

control de los Estados miembros a nivel individual. Sin embargo, la protección civil es mucho más, y bajo el fundamento de solidaridad que inspiran las relaciones de cooperación europea de conformidad con el artículo 3.3 del Tratado de la Unión Europea, desde inicios del siglo XXI, este es uno de los aspectos que ha recibido una considerable expansión, tras la activación en el año 2001 del Mecanismo de Protección Civil de la Unión Europea, creado por Decisión del Consejo 1999/847/CE, para garantizar una contribución práctica y oportuna a la prevención de las catástrofes, y a la preparación y respuesta ante las mismas, a escala europea. Actualmente, se encuentra regulado por la Decisión número 1313/2013/UE del Parlamento Europeo y del Consejo de 17 de diciembre de 2013[29], modificado en el año 2019, con la finalidad de incrementar sus capacidades para hacer frente a emergencias de todo tipo, y más recientemente, nuevamente modificado por el Reglamento (UE) 2021/836 del Parlamento y del Consejo de 20 de mayo de 2021, que busca mejorar su capacidad de respuesta ante todo tipo de emergencias, pero con una consideración especial de cómo afrontar emergencia sanitarias. Ello es consecuencia de la Declaración conjunta de los miembros del Consejo Europeo y el Parlamento Europeo de 26 de marzo de 2020, y de su Resolución de 17 de abril de 2020 sobre la acción coordinada de la Unión para luchar contra la pandemia de COVID-19 y sus consecuencias. Como fundamento del Reglamento (UE) 2021/836 es destacable, la siguiente declaración de su Considerando n° 3:

> Durante la pandemia de COVID-19, la Unión pudo adoptar con rapidez, sobre la base de las disposiciones vigentes de la Decisión n° 1313/2013/UE, disposiciones de ejecución para ampliar las capacidades de rescEU de modo que incluyesen el almacenamiento de contramedidas médicas tales como vacunas y tratamientos terapéuticos, y de equipos de cuidados médicos intensivos, equipos de protección individual y suministros de laboratorio, con fines de preparación y respuesta ante una amenaza transfronteriza grave para la salud. Al objeto de mejorar la eficacia de las medidas de preparación y respuesta, las nuevas disposiciones que

---

[29]   Complementado con la Decisión de Ejecución de la Comisión de 16 de octubre de 2014 por la que se establecen las normas de desarrollo de la Decisión n° 1313/2013/UE del Parlamento Europeo y del Consejo, relativa a un Mecanismo de Protección Civil de la Unión, y por la que se derogan las Decisiones 2004/277/ CE, Euratom y 2007/606/CE, Euratom.

refuerzan el marco jurídico vigente, también permitiendo a la Comisión adquirir directamente, en determinadas condiciones, las capacidades de rescEU necesarias, podrían reducir aún más en el futuro el tiempo de despliegue. También es importante que las operaciones de rescEU estén bien coordinadas con las autoridades nacionales de protección civil.

Esta modificación de la regulación europea faculta a la Comisión para sumar esfuerzos en la adquisición de capacidades para atender emergencias, e implícitamente se está refiriendo a la posibilidad de comprar vacunas, equipos de protección y todo lo necesario para sumar esfuerzos en la lucha contra la COVID-19. Por su puesto, esta facultad puede ser aplicada para atender otras adversidades de diferente naturaleza porque su inclusión es genérica, y no específica frente a la COVID-19 u otros virus que pudieran sobrevenir. El texto citado, es además clarificador desde el punto de vista conceptual, pues pone en relación directa las emergencias sanitarias manifestadas a nivel colectivo, como son las epidemias y pandemias, con las emergencias de cualquier otro tipo que se gestionan sobre las bases de la protección civil, y que en derecho español están también vinculadas pero de forma muy débil ante la inexistencia de un desarrollo normativo adecuado para la gestión de emergencias sanitarias de la magnitud de la COVID-19, lo que ha dado lugar a cierta confusión para encontrar el fundamento de las medidas de respuesta.

Teniendo en cuenta que en el Mecanismo de Protección Civil de la UE participan todos los Estados miembros de la Unión Europea, las herramientas ideadas en el marco del mismo facilitan la coordinación en el ámbito de la protección civil a fin de mejorar la eficacia de los sistemas de prevención, preparación y respuesta ante las catástrofes naturales o de origen humano. El Mecanismo Europeo de Protección Civil de la Unión Europea cuenta, para ello, con un Centro de Coordinación de la Respuesta a Emergencias ("Centro de Coordinación"), con capacidad operativa 24 horas al día, 7 días por semana, una Capacidad Europea de Respuesta a Emergencias (CERE), que consta de una reserva común voluntaria de capacidades comprometidas previamente por los Estados miembros y comprende módulos, otras capacidades de respuesta y expertos, un Sistema Común de Comunicación e Información de Emergencia, que es un elemento esencial para el intercambio de datos, garantizando la autenticidad, integridad y confidencialidad de la información intercambiada entre los Estados miembros de forma rutinaria y en situaciones de emergencia. Cuenta también con un Sistema de financiación para intervención en emergencias. El Reglamento (UE) 2021/836 amplia expresamente el ámbito del Mecanismo de Protección Civil de la UE, para extenderlo a las emergencias sanitarias graves, junto con todo tipo de catástrofes naturales y de origen humano, incluidas las consecuencias de los actos de terrorismo, las catástrofes de carácter tecnológico, radiológico o medioambiental, la contaminación marina, y el desequilibrio hidrogeológico que se produzcan dentro o fuera de la Unión. Se puede afirmar que ahora el Mecanismo de Protección Civil de la Unión Europea se perfecciona en sinergia y de forma complementaria con el Programa UEproSalud establecido por el Reglamento (UE) 2021/522 del Parlamento Europeo y del Consejo[30]. La concepción del carácter complementario del sistema de protección civil respecto del de salud en el ámbito europeo y, en el marco de sus competencias, es inverso al carácter complementario que se determina de cualquier recurso —incluido todos los del sistema de salud—, para afrontar cualquier tipo de emergencia, como resulta del artículo 35 de la LSNPC a nivel interno, en España. En nuestra opinión, es más correcto el sistema resultante del artículo 35 de la LSNPC, pues se debe considerar que las emergencias sanitarias son un tipo de emergencias, por lo que "emergencia" es el género y "emergencia sanitaria" es la especie. A pesar de todo, resulta de ello que el SNPC o el Mecanismo de Protección Civil de la Unión Europea constituyen la infraestructura esencial para atender emergencias, y los recursos de cualquier tipo que se incluyan, incluidos los recursos sanitarios, deberían configurarse como complementarios del sistema.

2.3. El control epidemiológico a través de una red digital basada en el Mecanismo de Protección Civil de la Unión Europea

Tanto en el marco europeo como en el nacional, lo que resulta de todo lo anterior es que, frente a una emergencia sanitaria, deben

---

[30]   Reglamento (UE) 2021/522 del Parlamento Europeo y del Consejo de 24 de marzo de 2021 sobre la creación de un programa de acción de la Unión en el ámbito de la salud ("programa UE proSalud") para el período 2021-2027.

ser conectados y puestos en relación los datos de los sistemas de intercambio de informaciones sanitarios y de protección civil, a nivel interno y en el ámbito europeo. Con ello, se cumplirían mejor las funciones encomendadas al Mecanismo de Protección Civil de la Unión Europea, que en el artículo 5.1.c) de la Decisión 1313/2013/UE, tras ser modificado en 2021, incluye la tarea de elaborar y actualizar periódicamente un inventario y un mapa intersectoriales de los riesgos de catástrofes naturales y de origen humano, incluidos los riesgos de catástrofes que ocasionen o puedan ocasionar efectos transfronterizos en varios países, e informar a la Comisión de las repercusiones transfronterizas de riesgos, y los riesgos relacionados con catástrofes que ocasionen o puedan ocasionar efectos transfronterizos en varios países.

En este sentido, el Centro de Coordinación del Mecanismo se encargará, en particular, de coordinar, supervisar y apoyar en tiempo real la respuesta a las emergencias a escala de la Unión, trabajando en estrecho contacto con las autoridades nacionales de protección civil y los organismos pertinentes de la Unión, para promover un enfoque intersectorial de la gestión de catástrofes, para lo que tendrá acceso a las capacidades operativas, analíticas, de seguimiento, de gestión de la información y de comunicación para abordar una amplia gama de emergencias dentro y fuera de la Unión.

La tecnología actual permite, en base a un sistema *blockchain,* desarrollar las tareas encomendadas, accediendo a la información de los Estados miembros con inmediatez y con las garantías técnicas y jurídicas necesarias, pues especialmente estas últimas, deben ser observadas desde su diseño, programando el acceso dentro de los límites que la regulación sobre protección de datos personales protege, pero, permitiendo, al mismo tiempo, desarrollar una red de control de emergencias que se ajuste a las exigencias de las nuevas funciones del Mecanismo de Protección Civil de la Unión Europea. Entre las funciones actuales del mismo destacan, conforme al artículo 8.1 de la Decisión 1313/2013/UE, el desarrollo de sistemas transnacionales de detección y alerta rápida de interés para la Unión, con el fin de mitigar los efectos inmediatos de las catástrofes; la integración de los sistemas transnacionales existentes de detección y alerta rápida basados en un enfoque que integre múltiples peligros, para reducir al mínimo el tiempo de respuesta a las catástrofes; el mantenimiento y desarrollo de la concienciación situacional y la capacidad de análisis, junto con la realización de un seguimiento de las catástrofes y el asesoramiento basado en conocimientos científicos al respecto. También son funciones que le incumben convertir la información científica en información operativa, y crear, mantener y desarrollar asociaciones científicas europeas que se ocupen de los peligros naturales y de origen humano, lo cual, a su vez, debe permitir promover la vinculación entre los sistemas nacionales de alerta rápida y de la vinculación de dichos sistemas con el Centro de Coordinación y el Sistema de Comunicación e Información.

Todas estas funciones se verían beneficiadas por el uso de la tecnología *blockchain* que conectase las distintas redes europeas y nacionales de sanidad y protección civil en el marco del Mecanismo de Protección Civil de la Unión Europea, y serviría también para que este pudieran ensamblar los esfuerzos de los Estados miembros y de las organizaciones internacionales encargadas, con conocimientos científicos, tecnologías innovadoras y conocimientos especializados, cuando los Estados miembros y dichas organizaciones desarrollen aún más sus sistemas de alerta rápida.

A través de la Red de Conocimientos sobre Protección Civil de la Unión, se puede también establecer y gestionar la capacidad de movilizar y enviar equipos de expertos para ayudar en la respuesta ante emergencias, además de facilitar la coordinación de los Estados miembros en el posicionamiento previo de las capacidades de respuesta ante catástrofes dentro de la Unión, y mejorar la interoperabilidad de los módulos y de otras capacidades de respuesta, teniendo en cuenta las mejores prácticas a nivel de los Estados miembros y a nivel internacional.

Para todo ello es esencial el intercambio de datos, que posteriormente sean analizados por los expertos designados por la Unión Europea en el marco del Mecanismo, ya que también se prevé que los análisis resultantes se compartan a través del Sistema de Comunicación e Información, con el acuerdo de los Estados miembros afectados. Para poder intercambiar esos datos y los análisis resultantes, el artículo 13 de la Decisión 1313/2013/UE ordena a la Comisión Europea la creación de una Red digital de Conocimientos sobre Protección Civil de la Unión para agregar, procesar y difundir los conocimientos y la información pertinentes para el Mecanismo de la Unión, basándose en un enfoque que integre múltiples peligros e incluyendo a los actores pertinentes en materia de protección civil y gestión de catástrofes, centros de excelencia, universidades e investigadores. La Comisión, a través de la Red, puede tener en cuenta debidamente los conocimientos especializados disponibles en los Estados miembros, a nivel de la Unión, a nivel de otras organizaciones y entidades internacionales, a nivel de terceros países y a nivel de las organizaciones que trabajan sobre el terreno, y apoyará la coherencia de los procesos de planificación y toma de decisiones, facilitando el intercambio permanente de conocimientos e información en todos los ámbitos de actividad del Mecanismo de la Unión.

La regulación de esta red prevé su propia metodología para perfeccionarse a través de un programa de formación y ejercicios para reforzar la coordinación, compatibilidad y complementariedad entre las capacidades que incluye el mecanismo, y así, crear y gestionar un programa de lecciones extraídas de la experiencia en acciones de protección civil realizadas en el marco del Mecanismo de Protección Civil de la Unión, incluidos aspectos de todo el ciclo de gestión de catástrofes, con objeto de ofrecer una amplia base para los procesos de aprendizaje y el desarrollo de conocimientos.

Se prevé también que esta Red comparta sus conocimientos a nivel internacional, con organizaciones internacionales y terceros países, para contribuir al cumplimiento de los compromisos internacionales, especialmente los asumidos en el Marco de Sendai para la Reducción del Riesgo de Desastres 2015-2030. De hecho, también se prevé que en los equipos de expertos que pudiera nombrar la Comisión frente a desastres de cualquier tipo, puedan integrarse expertos enviados por las agencias de las Naciones Unidas u otras organizaciones internacionales con objeto de reforzar la cooperación y facilitar evaluaciones conjuntas, recurriendo a conocimientos especializados científicos, en materia de emergencias médicas y sectoriales.

Con todo ello, se puede afirmar que la Red de Conocimientos sobre Protección Civil de la Unión Europea puede ser la precursora de un sistema digital de gestión de emergencias que incluya el control epidemiológico transnacional, y que podría perfeccionarse sobre la base de la tecnología *blockchain*.

3. CONCLUSIONES

La Red digital de Conocimientos sobre Protección Civil de la Unión, prevista en el artículo 13 de la Decisión 1313/2013/UE modificado por el Reglamento (UE) 2021/836, sienta las bases para el intercambio de datos para el control de cualquier emergencia, pero también para el control epidemiológico, lo que sin duda será un avance relevante para terminar de resolver la emergencia sanitaria originada por la COVID-19, y afrontar futuras crisis sanitarias o de otro tipo. Las ventajas que la base tecnológica de la *blockchain* ofrece facilitarían la gestión de la Red de Conocimientos sobre Protección Civil de la Unión, que se proyecta como red digital, y que debe mantener unas condiciones de seguridad e interoperabilidad que dicha tecnología ofrece. Sin embargo, la regulación sobre *blockchain*, aunque también impulsada por la Unión Europea para la prestación de servicios públicos, todavía no está suficientemente implantada en el momento de creación de la red europea para control de emergencias, y que sería igualmente útil para el control epidemiológico. Se necesitan mayores avances en este sentido. A pesar de todo, la Red digital de Conocimientos sobre Protección Civil de la Unión, tal y como se configura tras la reforma de 2021, va a ser de mucha utilidad para llevar a cabo el control de la pandemia originada por la COVID-19, que es el mayor riesgo sanitario todavía activo en el momento en que se escriben estas líneas, y que ha demostrado que, dado que los riesgos no conocen fronteras, la gestión de las crisis debe contar con herramientas de eficacia transfronteriza, como pueden ser la misma Red de Conocimientos sobre Protección Civil de la Unión, que bien puede considerarse, a la vista de sus funciones y capacidades, como red digital para control epidemiológico de relevancia internacional.

La misma presupone que los Estados Miembros conecten a sus redes de información y alerta de emergencias, los sistemas internos de gestión de datos epidemiológicos que suelen asentarse sobre los diversos sistemas se salud nacionales. Mientras esta conexión entre los datos sanitarios y los de emergencias de protección civil no se produzca a nivel nacional, no se podrá acceder a todos los datos relevantes para que la red sea eficaz o se duplicará la información, lo que sería un sobreesfuerzo ineficiente, y por tanto, inadmisible desde el punto de vista de los principios rectores sobre los que debe basarse la prestación de servicios públicos. Es necesario, por tanto, que los sistemas de datos y redes internas de los Estados Miembros tanto en materia de salud, como en materia de protección civil, sean interoperables con la Red de Conocimientos sobre Protección Civil de la Unión, para poder vincularse con ella y compartir datos relevantes para el control de todo tipo de emergencias, incluidas las sanitarias.

BIBLIOGRAFÍA

ABERASTURI GORRIÑO, U. (2011). Movimiento internacional de datos. Especial referencia a la transferencia internacional de datos sanitarios. *Revista de Administración Pública*, núm. 186, Madrid, 329-369.

ANDRÉS SEGOVIA, B. (2021). El reinicio tecnológico de la inteligencia artificial en el sistema público de salud. *Ius et Scientia*, Ed. Universidad de Sevilla, 327-356.

BEATO ESPEJO, M. (1996). Derechos de los usuarios del sistema sanitario a los diez años de la aprobación de la ley general de sanidad. *Revista de Administración Pública*, 141, Madrid, 25-60.

BLASCO DÍAZ, J. L. (2007). Los derechos de los ciudadanos en su relación electrónica con la Administración. *Revista Española de Derecho Administrativo*, 136, 791-821.

CANTÓ LÓPEZ, M. T. (2012). La ordenación del sistema de registro electrónico en la administración pública. *Revista de Administración Pública*, 187, Madrid, 241-268.

CIERCO SEIRA, C. (2005). Epidemias y derecho administrativo. Las posibles respuestas de la Administración en situaciones de grave riesgo sanitario para la población. *DS: Derecho y salud*, número 13 (2), 211-256.

CORDERO VALDAVIDA, M. (2019). Blockchain en el sector público, una perspectiva internacional. *Revista Vasca de Gestión de Personas y Organizaciones Públicas*, 16, 16-34.

DE LA MORENA, L. (1986). La "seguridad pública" como concepto jurídico indeterminado: su concreta aplicación a los traspasos de servicios en materia de espectáculos públicos. *Revista de Administración Pública*, 109, 321-362.

FONT I LLOVET, T. (2016). Organización y gestión de los servicios de salud. El impacto del derecho europeo. *Revista de Administración Pública*, 199, Madrid, 253-288.

GAMERO CASADO, E. (2009). Interoperabilidad y administración electrónica: conéctense, por favor. *Revista de Administración Pública*, núm. 179, Madrid, 291-332.

GÓMEZ JIMÉNEZ, M. L. (2012). Sistemas de Información Sanitaria y Gestión del Gasto Público. *RevistaeSalud.com*, Vol. 8, Nº 32, 12 págs.

GONZÁLEZ GARCÍA, J. V. (2006). Contrato de colaboración público-privada. *Revista de Administración Pública*, 170, Madrid, 7-39.

JIMÉNEZ, S. (2019). *Transformación digital para Administraciones Públicas. Crear valor para la ciudadanía del siglo XXI.* Instituto Nacional de Administración Pública, Madrid, 273 págs.

LARA ORTIZ, M. L. (2021). Replanteando la gestión de emergencias sanitarias. *Revista Española de Derecho Constitucional*, 122, 153-182. doi: https://doi.org/10.18042/cepc/redc.122.05.

LARA ORTIZ, M. L. (2020). Criptomonedas, ¿Riesgos o ventajas? Belando Garín B. y Marimón Durá, R. (dirs.), *Retos del mercado financiero digital.* Aranzadi, Pamplona, 315-340.

LÓPEZ RODRÍGUEZ, A. M. (2021). *Derecho comparado y digitalización.* Tecnos, Madrid, 348 págs.

LÓPEZ SALUDAS, J. M. (2013). ¿Se debe reunificar la sanidad pública? *eXtoikos*, Nº 12, 2013, págs. 21-30.

MARTÍNEZ GUTIÉRREZ, R. (2010). Régimen jurídico del intercambio electrónico de datos, documentos y certificaciones entre administraciones. *Revista de Administración Pública*, núm. 183, Madrid, 359-391.

OCAMPO MUÑOA, M. G. (2019). Nuevos desafíos para la protección de datos personales en México. La regulación de la tecnología *blockchain*. *Investigaciones Jurídicas de la UNAM - IIJ-BJV*, Universidad Nacional Autónoma de México, 3-20.

PORXAS, N. y CONEJERO, M. (2018). Tecnología *blockchain*: funcionamiento, aplicaciones y retos jurídicos relacionados. *Actualidad Jurídica Uría Menéndez*, 48, 24-36.

La vigilancia epidemiológica de la salud y los nuevos retos

RAQUEL CUETO GALÁN
Departamento de Salud Pública
Universidad de Málaga

SUMARIO: 1. EL CONCEPTO DE VIGILANCIA DE LA SALUD. 2. OBJETIVOS Y TIPOS DE VIGILANCIA EPIDEMIOLÓGICA. 3. SISTEMAS DE INFORMACIÓN DE VIGILANCIA DE LA SALUD A NIVEL NACIONAL. 3.1. Sistema centinela de vigilancia de gripe en España (ScVGE). 4. SISTEMAS DE INFORMACIÓN DE VIGILANCIA DE LA SALUD EN ANDALUCÍA. 5. LA PANDEMIA Y LA VIGILANCIA EPIDEMIOLÓGICA. 6. CONCLUSIONES.

La Vigilancia de la Salud se define, según la Ley 16/2011 de Salud Pública de Andalucía, como la compilación, comparación y análisis de datos de forma sistemática y continua para fines relacionados con la Salud Pública, y la difusión oportuna para su evaluación y para dar la respuesta de Salud Pública que sea procedente (Salud Pública de Andalucía, 2012, 20 de enero). En el Decreto 66/1996, de 13 de febrero se regulan y determinan las normas del Sistema de Vigilancia Epidemiológica (Junta de Andalucía, 1996, 19 de marzo), siendo en la Orden de 19 de diciembre de 1996, de la Consejería de Salud, donde se establece la relación de enfermedades de declaración obligatoria y se define el concepto de alertas en Salud Pública (Junta de Andalucía, 1997).

En España, la vigilancia de enfermedades transmisibles está regulada legislativamente en el Real Decreto 2210/1995. En él se establece la constitución de la Red Nacional de Vigilancia Epidemiológica (RENAVE) que "permite la recogida y el análisis de la información epidemiológica con el fin de poder detectar problemas, valorar los cambios en el tiempo y en el espacio, contribuir a la aplicación de medidas de control individual y colectivo de los problemas que supongan un riesgo para la salud de incidencia e interés nacional o internacional y difundir la información a sus niveles operativos competentes"

(Ministerio de Sanidad y Consumo, 1996). La RENAVE se encuentra al servicio del Sistema Nacional de Salud.

La vigilancia epidemiológica supone una de las mejores herramientas a nuestro alcance para prevenir epidemias. Es un sistema efectivo que nos permite identificar problemas de salud y facilitar el control y resolución de los mismos. Asimismo, favorece la identificación precoz de los brotes de enfermedades o epidemias con el fin de conseguir su control poniendo en marcha todos los medios a nuestro alcance lo antes posible.

Esta vigilancia es muy útil para entender cómo se va desarrollando una determinada enfermedad, cuál es su tendencia e incidencia y sobre todo, si la tenemos geográficamente controlada o por el contrario se escapa al ámbito autonómico. Por otro lado, gracias a los protocolos establecidos, es posible evaluar los resultados de las intervenciones realizadas en el ámbito de la prevención y el control de las enfermedades.

1. EL CONCEPTO DE VIGILANCIA DE LA SALUD

La ampliación y evolución del propio concepto de salud ha hecho que la vigilancia de la salud adquiera una entidad propia con sus propios objetivos, áreas de conocimiento, metodología y procedimiento. De esta forma la vigilancia, que durante mucho tiempo fue considerada una rama de la epidemiología, ahora aparece como una entidad propia dentro de la Salud Pública (Declich S, 1994).

Este término de vigilancia epidemiológica asociado al estudio de las enfermedades aparece por primera vez alrededor de 1955, relacionado con el Centro de enfermedades Transmisibles de los Estados Unidos (Raska, 1964). La definición de vigilancia surgirá posteriormente en la 21ª Asamblea Mundial de la Salud en 1968 donde se incluían en la definición las actividades de investigación epidemiológica como parte de la vigilancia en sí (Asamblea Mundial de la Salud).

El concepto moderno de vigilancia surge en una conferencia en la Escuela de Salud Pública de Harvard en 1962 de la mano de Alexander Langmuir (Langmuir, 1968). Langmuir estableció que la vigilancia aplicada a una persona implica mantener una alerta responsable, haciendo observaciones sistemáticas y tomando acciones apropiadas cuando estén indicadas.

En 1988 Thacker y Berkelman propusieron el uso del término vigilancia en Salud Pública, como alternativa al de vigilancia epidemiológica, coincidiendo con Langmuir y señalando que la vigilancia no involucra la investigación ni la provisión de servicios por sí misma (Thacker y Berkelman, 1988). Esto se vio reflejado en la nueva definición del Centro para el Control y la Prevención de Enfermedades (CDC) que en 1992 la definió como "la recolección sistemática, análisis e interpretación de datos de salud necesarios para la planificación, implementación y evaluación de políticas de Salud Pública, combinado con la difusión oportuna de los datos a aquellos que necesitan saber" (Thacker y Stroup, 1994).

Por ello, la vigilancia epidemiológica implica no solo la recogida de datos sobre un determinado problema de salud o patología y su análisis, sino que posteriormente dicha información debe servir para mejorar las condiciones de salud utilizando toda esta información recogida para prevenir enfermedades y mejorar las condiciones de salud de una determinada población.

Actualmente, en la vigilancia epidemiológica se lleva a cabo una declaración individualizada de los casos, lo que favorece la aportación de datos epidemiológicos como la edad, sexo, lugar de residencia, fecha de inicio de síntomas, antecedentes de vacunación en caso de enfermedad susceptible de inmunización, etc., considerados fundamentales para la caracterización del comportamiento de las enfermedades en la población.

2. OBJETIVOS Y TIPOS DE VIGILANCIA EPIDEMIOLÓGICA

El objetivo fundamental de la vigilancia epidemiológica es proporcionar la información necesaria para el control de las enfermedades transmisibles en la población. Es importante que la estructura que conforma este sistema y que permite conectar la información recopilada con la puesta en marcha de diferentes medidas activas se adecúe a los distintos niveles administrativos y asistenciales de nuestro sistema sanitario (Thacker y Berkelman, 1988).

Tener un conocimiento real y actual sobre el comportamiento de una enfermedad, el riesgo de transmisibilidad, las variaciones en la incidencia y la mortalidad facilitaría todo lo anterior y además permitiría poner en marcha diferentes medidas preventivas, así como evaluarlas. Para ello, es necesario que desde los distintos niveles sanitarios se proporcionen todos los datos posibles siempre en base a unos protocolos unificados, consensuados y actualizados que permitan comparar los datos de la misma forma. En función de los datos obtenidos se propondrán una serie de medidas a la población general o concreta dependiendo de la enfermedad sobre la que estemos trabajando.

El dictamen de la Comisión Europea para la reconstrucción social y económica publicado en julio de 2020 (Dictamen de la Comisión Europea para la reconstrucción social y económica, 2020), concluye la necesidad de reforzar la vigilancia en Salud Pública, y el desarrollo a nivel de las Comunidades Autónomas (CC.AA.) de estructuras de Salud Pública dotadas de los medios humanos, tecnológicos y los recursos económicos necesarios para poder llevar a cabo todo lo anterior con las máximas garantías posibles.

Dentro de la vigilancia epidemiológica podemos hablar de tres tipos de vigilancia fundamentales:

- La vigilancia pasiva, en la que no buscamos información sobre una enfermedad de manera activa, sino que se centra en la recopilación y análisis de la información que llega a través de la red de vigilancia. Es decir, aquí, el sistema espera el envío de la información por parte de diferentes sistemas (sistemas centinelas, sistemas de declaración obligatoria, etc.). Suele ser útil en enfermedades de alta frecuencia y aunque es un tipo de vigilancia con menos inversión económica, puede correrse el riesgo de perder información importante en el camino.

- La vigilancia activa en la que el personal encargado busca activamente información sobre la enfermedad bien porque no se pueda esperar a la notificación o bien, en otros casos porque se necesite una información de calidad.

- Y la vigilancia epidemiológica especializada o centinela. Aquí, se utilizan datos de alta calidad obtenidos en centros especializados seleccionados. De todas las unidades del sistema de salud, las centinelas son unidades seleccionadas que permiten realizar la vigilancia de la población en zonas de riesgo. En este modelo, no tenemos una información global de todos los casos, sino de una muestra representativa, pero con altos índices de calidad que nos permite estimar la magnitud del problema e incluso vaticinar su distribución y propagación.

Las enfermedades candidatas a realizar esta vigilancia epidemiológica, sea del tipo que sea, suelen ser prioritarias, generalmente en relación a su incidencia en la población, a su gravedad o bien por ser desconocidas. Es decir, cuando nos encontramos ante una epidemia (mayor incidencia de lo normal), una endemia (enfermedad que afecta a una determinada zona geográfica) o un brote (cuando existe relación entre uno o más casos de una enfermedad).

Por ejemplo, la enfermedad por el virus del Ébola es una enfermedad endémica que afecta a una zona geográfica concreta como son algunas regiones del centro del continente africano. Cuando la enfermedad se propaga generalmente a causa de un brote descontrolado, hablaríamos de epidemia, ya que estaríamos ante una incidencia mayor de lo habitual. Un brote epidémico supone una aparición repentina de una enfermedad debida a una infección en un lugar específico y en un momento determinado, como sería el caso del sarampión. Ante enfermedades infecciosas nuevas, se declara el brote epidémico desde el primer caso. Por otro lado, el término pandemia se refiere a aquel brote que afecta a más de un continente y en el que los casos de cada país son provocados por la transmisión comunitaria (Pulido, 2020). En todos estos casos es fundamental el papel que realiza la vigilancia epidemiológica.

3. SISTEMAS DE INFORMACIÓN DE VIGILANCIA DE LA SALUD A NIVEL NACIONAL

En nuestro país, la vigilancia epidemiológica se lleva a cabo en diferentes niveles. A nivel nacional está centrada en la RENAVE que está gestionada por el Centro Nacional de Epidemiología (CNE). Esta Red está formada por diferentes profesionales dentro de la Salud Pública que forman parte del sistema de salud a nivel local, autonómico o nacional. La red surge con el objetivo de proporcionar información sobre distintas enfermedades (presentación, factores de riesgo y distribución) a todos aquellos profesionales que la requieran. De esta forma se pueden poner en marcha diferentes medidas preventivas en la población.

Aunque en algunas ocasiones es necesaria la intervención o coordinación de las autoridades autonómicas, nacionales o internacionales, en general la puesta en marcha de estas medidas recae sobre las competencias autonómicas llevándose a cabo en la zona más cercana al caso, es decir, a nivel local.

La RENAVE integra tanto la notificación como la investigación en relación con las enfermedades transmisibles. Esta red se crea en 1995 con los objetivos fundamentales de "enmarcar el sistema nacional de vigilancia de las enfermedades en la estructura descentralizada existente en España e incorporar a la red nuevas enfermedades susceptibles de control favoreciendo la detección precoz y la rapidez en la intervención" (Ministerio Sanidad y Consumo, 1996).

Hasta entonces las comunidades autónomas tenían el mayor peso en cuanto a la intervención sanitaria y esta red vino a dar mayor importancia a la coordinación e intercambio de información entre las comunidades para facilitar el control de las diferentes enfermedades, así como la comunicación con diferentes países de la Unión Europea (Diario Oficial de las Comunidades Europeas, 1994).

El sistema básico de la RENAVE está integrado por la declaración obligatoria de enfermedades, la notificación de situaciones epidémicas y de brotes y la declaración de la información microbiológica. La declaración obligatoria de los casos nuevos de una serie de enfermedades (EDO) continúa siendo una de las actividades más importantes de esta red. El concepto de EDO quiere decir que la detección de un caso en el que se sospeche una de esas enfermedades obliga al profesional de la salud a notificarla a la autoridad sanitaria correspondiente. De esta manera se consigue hacer una detección lo más precoz posible y poner en marcha todas aquellas medidas pertinentes que contribuyan al control de dicho caso.

Vigilancia actual en España. Real decreto 2210/1995

Otros sistemas de vigilancia de la RENAVE son los registros de casos, encuestas de seroprevalencia, sistemas centinelas, etc., sin olvidarnos que la legislación vigente posibilita la capacidad de añadir otros sistemas a la red como complemento para el control de las enfermedades o con el fin de ayudar en problemas específicos (Ministerio Sanidad y Consumo, 1996).

A nivel tecnológico, cuando comenzó a desarrollarse la RENAVE se pensó en un conjunto de sistemas y subredes distintas dedicadas a una enfermedad o conjunto de enfermedades. El crecimiento de la red y la notificación de datos de multitud de formas diferentes ha provocado que el mantenimiento sea complicado, así como la extracción y comunicación de la información. Con el fin de simplificar el sistema surgen nuevas plataformas como el Sistema de Vigilancia en España (SiViEs). Este sistema es una plataforma tecnológica que integra todos los procesos de vigilancia epidemiológica en España y cuyas características fundamentales son la integración y la flexibilidad.

Se vio que los sistemas tradicionales de información para vigilancia epidemiológica basados en conceptos fijos se estaban quedando desfasados. La posible aparición de una nueva pandemia de gripe volvió a poner de manifiesto la necesidad e importancia de tener una buena vigilancia epidemiológica, así como de incorporar cambios a nivel tecnológico.

En la Unión Europea, el Centro Europeo para la Prevención y el Control de las Enfermedades (ECDC) está avanzando en el proceso de integración de redes de enfermedades, clúster, brotes y de distintas plataformas informáticas, el SiViEs en España y el TESSy en Europa. El ECDC maneja además otros dos sistemas fundamentales para el control de enfermedades como son el sistema SAPREN (alertas de detección de amenazas) y la plataforma EPISEN (información epidemiológica).

Pero todo esto conlleva un esfuerzo por parte de todos para aunar conocimientos y capacidades. Un claro ejemplo seria el SVGE (Sistema de Vigilancia de Gripe en España) que a raíz de la enfermedad por Coronavirus 2019 (COVID-19) ha adquirido una gran importancia. Este sistema engloba el sistema centinela de vigilancia de gripe (ScVGE), la notificación de brotes de gripe, la vigilancia de casos graves hospitalizados confirmados de gripe (CGHCG), la vigilancia de casos hospitalizados con gripe, independientemente de su gravedad (Chosp), el exceso de mortalidad por todas las causas a partir del sistema de Monitorización de la Mortalidad diaria (MoMo) y EuroMOMO, la vigilancia de virus respiratorio sincitial (VRS) y la vigilancia internacional.

3.1. Sistema centinela de vigilancia de gripe en España (ScVGE)

Este sistema se puso en marcha en 1996 y su objetivo fundamental es ofrecer la información epidemiológica más específica posible acerca del virus gripal en España. Está formado por epidemiólogos y virólogos de las comunidades autónomas, el CNE y el Centro Nacional de Microbiología (CNM) del Instituto de Salud Carlos III (ISCIII). Más concretamente participan en él, además de las unidades administrativas e institutos de Salud Pública, veinte laboratorios con capacidad para detectar y aislar el virus de la gripe y dieciséis redes de vigilancia centinela de gripe coordinadas a su vez por el CNE. Los profesionales sanitarios de Atención Primaria colaboran de manera voluntaria recogiendo información de la gripe en un área determinada (Vigilancia de Gripe en España, 2019).

Este sistema es uno de los más completos y perfeccionados y sin embargo, la emergencia de la enfermedad por COVID-19 durante febrero y marzo de 2020 determinó una alteración del mismo tanto a nivel de Atención Primaria como hospitalaria, obligando a replantear el propio sistema. El objetivo fundamental de este replanteamiento en el que se han seguido las recomendaciones internacionales del ECDC y de la Organización Mundial de la Salud (OMS) es vigilar la gripe y la COVID-19 conjuntamente y que estos sistemas permanezcan en el tiempo como sistemas de vigilancia de infección respiratoria aguda, permitiendo así que se puedan vigilar no solo estos virus sino cualquier virus respiratorio emergente futuro.

4. SISTEMAS DE INFORMACIÓN DE VIGILANCIA DE LA SALUD EN ANDALUCÍA

Existen en la práctica tres niveles (local, provincial y central) en la estructura y actuación del dispositivo de alerta de Salud Pública ante una alerta. En Andalucía, al igual que en otras CC.AA., también existe un sistema de vigilancia epidemiológica puesto en marcha incluso antes de ponerse en marcha la RENAVE. Concretamente, dentro de estos sistemas, en Andalucía contamos con:

1. Sistema de Información para la vigilancia de Enfermedades de Declaración Obligatoria y Alertas de Salud Pública (RedAlerta). La red de alertas en Andalucía detecta e interviene de manera urgente y eficaz, ante situaciones de riesgo para la Salud Pública, potenciales, reales o que generen alarma social.

2. Sistema de Información para la Vigilancia de la Salud (SIVSA). Este sistema se puso en marcha a finales de 2007 y surge como una aplicación informática para un Sistema de Información para la Vigilancia de la Salud. Se pretende facilitar la gestión y análisis de datos mediante la generación de informes, presentación de indicadores, tablas de datos, etc., en los distintos niveles del SSPA (Sistema de Salud Público de Andalucía). Su implantación en el Sistema de Vigilancia Epidemiológica de Andalucía se realizó a lo largo de 2011.

En la comunidad autónoma de Andalucía esta actividad se desarrolla en armonía con el Sistema Nacional de Salud. En 1996, se crea y desarrolla el Sistema de Vigilancia Epidemiológica de Andalucía (SVEA) y el concepto de alertas en Salud Pública, definidas como las situaciones de riesgo que requieran intervención inmediata, aparición de brotes epidémicos y casos de EDO urgentes (Junta de Andalucía, 1997). La relación de enfermedades de declaración está modificada por la Orden de 12 de noviembre de 2015 (Orden de 12 de noviembre de 2015).

Solo en 2020, en Andalucía, se han detectado 4.896 alertas con afectación humana, no relacionadas con la COVID-19, detectadas y controladas por Salud Pública. Esto pone de manifiesto la gran importancia y la sobrecarga a la que últimamente está sometido el SVEA.

El Servicio de Vigilancia y Salud Laboral dependiente de la Dirección General de Salud Pública y Ordenación Farmacéutica se encarga de la coordinación del SVEA, representa la estructura orgánica de referencia para la Vigilancia de Salud en Andalucía y constituye el nodo de coordinación con otras comunidades autónomas y con la estructura coordinadora de la vigilancia a nivel nacional (Red Nacional de Vigilancia Epidemiológica-RENAVE, Centro de Coordinación de Alertas y Emergencias Sanitarias-CAES, entre otros).

5. LA PANDEMIA Y LA VIGILANCIA EPIDEMIOLÓGICA

Dentro de los eventos de salud bajo vigilancia (enfermedades, síndromes, factores de riesgo y otros eventos de Salud Pública) es necesario considerar, dentro del proceso de priorización, todo evento que pueda constituir una potencial emergencia de Salud Pública de importancia internacional. En el algoritmo de decisión del Reglamento Sanitario Internacional de 2005 (RSI-2005) (Organización Mundial de la Salud, 2005) se establece que todo evento con respuesta afirmativa a dos de las siguientes cuatro preguntas constituyen una potencial emergencia de Salud Pública de importancia internacional, por tanto, debe ser notificado a la OMS:

1) ¿tiene el evento una repercusión de Salud Pública grave?;

2) ¿se trata de un evento inusitado o imprevisto?;

3) ¿existe un riesgo significativo de propagación internacional?; y,

4) ¿existe un riesgo significativo de restricciones a los viajes o al comercio internacionales?

Todas estas cuestiones marcan un punto concreto importante que debe ser ampliado. Con la pandemia de la COVID-19 hemos visto que estos epígrafes claramente consideraban a esta enfermedad como una emergencia sanitaria pero no estaban delimitados aquellos aspectos clínico sanitarios que establecieran el ámbito de actuación en cuestiones de competencias local, autonómica y estatal.

En situaciones de alerta epidemiológica, es necesario acelerar el proceso y poner en marcha todos aquellos medios que nos permitan obtener información de los casos y los contactos para poder establecer y poner en marcha las medidas oportunas más eficaces. Por ello, en estos casos la periodicidad de la notificación, así como la definición de caso habitual puede y debe ser modificada.

Lo que está claro es que para que todo este sistema de vigilancia funcione es necesario una minuciosa coordinación entre los diferentes niveles dentro de los sistemas de vigilancia en Salud Pública y los programas de prevención y control. Asimismo, es igualmente prioritaria la coordinación con aquellas unidades administrativas con responsabilidad en la toma de decisiones relacionadas con las medidas de control. Se deben diferenciar las responsabilidades, funciones y competencias de cada uno de estos niveles.

El coronavirus SARS-CoV-2 causante de la enfermedad respiratoria aguda COVID-19 detectado en China en 2019 reveló muy rápidamente su potencial epidémico y fue reconocido como un problema de salud global (Novel Coronavirus (2019-nCoV) situation reports). La situación causada por el rápido aumento del número de nuevos casos y muertes a causa de la COVID-19 requirió el rápido desarrollo de recomendaciones y procedimientos internacionales para limitar la propagación de infecciones y el monitoreo continuo de la situación epidemiológica (Paules CI, 2020). Pasado el tiempo, la incidencia, mortalidad y velocidad de expansión de esta pandemia paso a ser diferente entre países e incluso entre las regiones dentro de un mismo país a pesar de establecer las mismas medidas para conseguir su control.

En el campo de la vigilancia epidemiológica de los casos de COVID-19, las organizaciones internacionales como la OMS y los centros regionales de vigilancia, han desarrollado requisitos básicos para la presentación de datos sobre los nuevos casos detectados de infección (Estrategia de detección precoz, vigilancia y control de COVID-19).

Actualmente, la COVID-19 es una enfermedad de declaración obligatoria y, como tal, la responsabilidad de la notificación de acuerdo a los criterios establecidos en cada momento corresponde a los facultativos y servicios de Salud Pública de las comunidades autónomas que realizan esta notificación. España está compuesta por 17 comunidades autónomas y 2 ciudades autónomas. Estas se subdividen en 52 provincias y 8.131 municipios [Instituto Nacional de Estadística (INE)].

Los casos de COVID-19, son notificados a la RENAVE desde los distritos sanitarios y hospitales de referencia y son almacenados en la plataforma electrónica del SiViES coordinado por el CNE. Esta base contiene datos demográficos, epidemiológicos, clínicos y de laboratorio. En SiViEs se contabilizan todos los casos notificados, siguiendo la estrategia de vigilancia vigente en cada momento (Estrategia de detección precoz, vigilancia y control de COVID-19).

Los datos que se han ido comunicando han ido variando y modificándose conforme a las prioridades en cada momento. Inicialmente esos datos recogidos en forma de encuesta, contenían una mayor cantidad de datos epidemiológicos y clínicos de los casos. A partir del 11 de mayo de 2020, debido a la entrada en vigor de la nueva Estrategia de Vigilancia y Control en la fase de transición de la pandemia de COVID-19, hubo un cambio en la notificación de las CC.AA. al Ministerio de Sanidad, simplificando la encuesta para hacerla más ágil (Estrategia de detección precoz, vigilancia y control de COVID-19).

Como parte de ese seguimiento de las enfermedades dentro de la vigilancia epidemiológica surge un estudio de la OMS coordinado en nuestro país por el Instituto de Salud Carlos III que proporciona una encuesta sobre la COVID-19, con el objetivo de dar seguimiento al comportamiento y actitudes de la población relacionadas con la enfermedad en nuestro país (COSMO-SPAIN) [Monitorización del comportamiento y las actitudes de la población relacionadas con la COVID-19 en España (COSMO-SPAIN): Estudio OMS].

Los resultados de esta encuesta pretenden aportar información importante que permita desarrollar campañas de sensibilización y estrategias de salud. Los datos obtenidos, se van publicando regularmente en la página web del instituto (https://portalcne.isciii.es/cosmo-spain/) siendo la última de mayo de 2021 con una participación de 1.001 individuos.

Para frenar y controlar los contagios es necesario dotar de herramientas suficientes y eficaces a los diferentes sistemas de salud. Está claro que un buen sistema de vigilancia epidemiológica capaz de hacer frente a brotes futuros es fundamental. Tanto es así, que la COVID-19 ha supuesto un gran reto para todos y cada uno de los sistemas sanitarios del mundo (Figueiredo, Daponte, Figueiredo, García, y Kalache., 2021).

La vigilancia epidemiológica ha sido y es una de las mayores herramientas que necesitan poner en marcha los diferentes sistemas sanitarios para impedir la propagación de enfermedades y prever herramientas que favorezcan un mejor estado de salud de la población (Pérez y Aguilar, 2013).

La pandemia ha supuesto un aumento de la necesidad de recursos tanto materiales como humanos. Este hecho, tal y como se ha puesto de manifiesto en incontables ocasiones, ha sido insuficientemente resuelto por lo que es necesario caminar hacia un sistema de vigilancia e incluso de salud adecuadamente dotado y con capacidad de respuesta para las alertas sanitarias que estén por llegar.

Cumplir con las demandas del RSI-2005 supondría un gran avance. Este reglamento entró en vigor en 2007, tanto a nivel internacional como nacional y ha supuesto un cambio en la visión que hasta entonces teníamos de la detección y respuesta frente a las alertas sanitarias. De hecho, la COVID-19 ha sido la primera emergencia de Salud Pública de interés internacional que se ha dado tras su aprobación y puesta en marcha. En este sentido, deberíamos reflexionar acerca del establecimiento de sistemas de alertas que estén operativos durante los 7 días de la semana, 24 horas al día.

Pero, además, de manera protocolizada, todos los integrantes de este sistema de vigilancia deberían tener la capacidad para movilizar recursos de manera rápida. Las creaciones de planes protocolizados en base a estas directrices evitarían en parte el agotamiento del personal y la falta de respuesta y atención al ciudadano.

La pandemia provocada por SARS-CoV-2, declarada así el día 11 de marzo de 2020 por la OMS, ha puesto de manifiesto que es necesario establecer competencias y directrices claras que favorezcan a toda la población, sin diferencias entre regiones o comunidades. Alcanzar estas directrices, consensuadas incluso a nivel europeo, debería ser un objetivo primordial a considerar, ya que nos permitiría anticiparnos a los acontecimientos en futuras pandemias.

Es importante reflexionar sobre la toma de decisiones basadas en la información obtenida a nivel nacional, e incluso internacional, sin ajustar a las características de cada área territorial. Además, deberían quedar reflejadas y establecidas las actuaciones y responsabilidades que desempeñan cada uno de los intervinientes en el sistema de vigilancia, independientemente del ámbito de actuación, para facilitar el trabajo en futuras ocasiones.

6. CONCLUSIONES

– La vigilancia epidemiológica es una de las mejores herramientas a nuestro alcance para prevenir epidemias. Es un sistema efectivo que nos permite identificar problemas de salud y facilitar el control y resolución de los mismos, favoreciendo la identificación precoz de los brotes de enfermedades o epidemias con el fin de conseguir su control.

– En el momento actual, las nuevas tecnologías de la información y la accesibilidad a los registros de atención primaria y hospitalaria, así como la posibilidad de relacionar distintas fuentes de datos en las CC.AA., establecen nuevas posibilidades de acceso a la información y notificación de los casos y además determinan nuevas posibilidades dentro de las redes de vigilancia que podrían mejorar significativamente la calidad de las notificaciones.

– A raíz de la situación pandémica vivida, es necesario avanzar hacia un modelo de vigilancia epidemiológica moderno, flexible, ágil, eficiente, con fines compartidos y niveles equiparables de desarrollo entre el nivel central, provincial y local (Distritos de Atención Primaria, Agencias de Gestión Sanitaria y Hospitales), con sistemas de información con los que se pueda trabajar, facilitando una información veraz y actual sobre el nivel de salud y que asegure una detección y respuesta rápida ante los problemas de salud de la población.

– La comunicación de resultados y el establecimiento de una normativa clara y consensuada, que nos permita establecer criterios clínicos sanitarios ante una posible pandemia y que delimite las competencias locales, autonómicas y nacionales, facilitaría el trabajo de estas redes epidemiológicas que intentan contener, detectar, notificar y actuar frente a las diferentes enfermedades presentes y futuras.

– En estos momentos, tras la finalización de la alerta pandémica, es necesario autoevaluar las actuaciones que se han llevado a cabo desde la vigilancia epidemiológica para poder identificar las áreas que necesitan ser reforzadas en un futuro, ofreciendo medidas de mejoras en todos los ámbitos.

BIBLIOGRAFÍA

ASAMBLEA MUNDIAL DE LA SALUD, 2. (s.f.). *21ª Asamblea Mundial de la Salud, Ginebra, 6-24 de mayo de 1968: parte I: resoluciones y decisiones: anexos.* Organización Mundial de la Salud. Obtenido de https://apps.who.int/iris/handle/10665/95260

DECLICH S., C. A. (1994). *Public health surveillance: historical origins, methods and evaluation.* [Vol. 72(2)]. Bulletin of the World Health Organization.

DIARIO OFICIAL DE LAS COMUNIDADES EUROPEAS (1994). *Conclusiones del Consejo 94/C 15/04 relativas a la creación de una red de vigilancia epidemiológica en la Comunidad.* DOCE Nº C15/6, 18/01/1994.

DICTAMEN DE LA COMISIÓN EUROPEA PARA LA RECONSTRUCCIÓN SOCIAL Y ECONÓMICA (2020, julio). Obtenido de https://www.congreso.es/docu/comisiones/reconstruccion/153_1_Dictamen.pdf

ESTRATEGIA DE DETECCIÓN PRECOZ, VIGILANCIA Y CONTROL DE COVID-19 (s.f.). Obtenido de https://www.mscbs.gob.es/profesionales/saludPublica/ccayes/alertasActual/nCov/documentos/COVID19_Estrategia_vigilancia_y_control_e_indicadores.pdf

FIGUEIREDO, A. M.; DAPONTE, A.; FIGUEIREDO, D. C.; GARCÍA, E. G. y KALACHE, A. (2021). Letalidad del COVID-19: ausencia de patrón epidemiológico. *Gaceta Sanitaria,* 355-357. Obtenido de https://www.gacetasanitaria.org/es-letalidad-covid-19-ausencia-patron-epidemiologico-articulo-S0213911120300844

INSTITUTO NACIONAL DE ESTADÍSTICA (INE) (s.f.). *INEbase.* Obtenido de https://www.ine.es/dyngs/INEbase/listaoperaciones.htm

JUNTA DE ANDALUCÍA (1996, 19 de marzo). *DECRETO 66/1996, de 13 de febrero, por el que se constituye, en la Comunidad Autónoma de Andalucía, el Sistema de Vigilancia Epidemiológica y se determinan normas sobre el mismo.* Boletín Oficial de la Junta de Andalucía núm. 35. Obtenido de https://www.juntadeandalucia.es/boja/1996/35/6

JUNTA DE ANDALUCÍA (1997). *ORDEN de 19 de diciembre de 1996, por la que se desarrolla el Sistema de Vigilancia Epidemiológica en la Comunidad Autónoma de Andalucía y se establece la relación de enfermedades de declaración obligatoria.* Boletín número 4 de 09/01/1997. Obtenido de https://www.juntadeandalucia.es/boja/1997/4/9.

LANGMUIR, C. A. (1968). "The Surveillance of Communicable Diseases of National Importance". *N Engl J Med, 268*, 182-192.

MINISTERIO SANIDAD Y CONSUMO (1996). *Real Decreto 2210/1995 de 28 de diciembre, por el que se crea la red nacional de vigilancia epidemiológica.* Boletín Oficial del Estado, núm. 21, 24/01/1996. Obtenido de https://www.boe.es/buscar/pdf/1996/BOE-A-1996-1502-consolidado.pdf

MONITORIZACIÓN DEL COMPORTAMIENTO Y LAS ACTITUDES DE LA POBLACIÓN RELACIONADAS CON LA COVID-19 EN ESPAÑA *(COSMO-SPAIN): Estudio OMS.* (s.f.). Obtenido de https://portalcne.isciii.es/cosmo-spain/

NOVEL CORONAVIRUS (2019-NCOV) SITUATION REPORTS (s.f.). Obtenido de https://www.who.int/emergencies/diseases/novel-coronavirus-2019/situation-reports

ORDEN DE 12 DE NOVIEMBRE DE 2015, *por la que se modifica la Orden de 19 de diciembre de 1996, por la que se desarrolla el sistema de vigilancia epidemiológica en la Comunidad Autónoma de Andalucía y se establece la relación de enfermedades de declaración.* (2015). BOJA nº 228 de 24/11/2015.

ORGANIZACIÓN MUNDIAL DE LA SALUD (2005). *Organización Mundial de la Salud. Reglamento Sanitario Internacional (2005). Asamblea Mundial de la Salud; 58ª Sesión. Documento WHA58.3.* Ginebra: BOE núm. 62, 12/03/2008. Obtenido de http://www.paho.org/spanish/ad/dpc/cd/eer-ihrs.html.

PAULES CI, M. H. (23 de enero de 2020). *Coronavirus Infections-More Than Just the Common Cold. JAMA [Internet].* Obtenido de https://jamanetwork.com/journals/jama/fullarticle/2759815.

PÉREZ, C. G. y AGUILAR, P. A. (2013). Vigilancia epidemiológica en salud. *AMC.* Obtenido de http://scielo.sld. cu/ scielos.php?script=sci_arttext&p id=S1025-02552013000600013

PULIDO, S. (12 de marzo de 2020). ¿Cuál es la diferencia entre brote, epidemia y pandemia? *Gaceta Médica.* Obtenido de https://gacetamedica.com/investigacion/cual-es-la-diferencia-entre-brote-epidemia-y-pandemia/

RASKA, K. (1964). "The Epidemiological Surveillance Programme". *J Hyg Epid Microb Innn, 8*, 137-168.

SALUD PÚBLICA DE ANDALUCÍA (2012, 20 de enero). *Ley 16/2011, de 23 de diciembre, de Salud Pública de Andalucía.* BOE núm. 17. Obtenido

de   https://www.boe.es/buscar/pdf/2012/BOE-A-2012-879-consolidado.
pdf

THACKER, S. y STROUP, D. (1994). Future directions of comprehensive
public health surveillance and health information systems in the United
States. *American Journal of Epidemiology 1994; 140:1-15*, 1-15.

THACKER, S. y BERKELMAN, R. (1988). Public Healih Surveillance in The
United States. *Epidemiol Rev, 19*, 164-90.

VIGILANCIA DE GRIPE EN ESPAÑA (2019). Centro Nacional
Epidemiología.   Obtenido   de   https://vgripe.isciii.es/documen-
tos/20192020/home/Sistemas%20y%20fuentes%20de%20informa-
cion%20del%20SVGE_2019-20.pdf

Construcciones saludables: hacia la necesaria sinergia de salud y tecnología en la edificación

FERNANDO GARCÍA-MORENO RODRÍGUEZ
Profesor Titular de Derecho Administrativo
Facultad de Derecho. Universidad de Burgos

1. INTRODUCCIÓN

En el presente trabajo pretendo mostrar un aspecto sumamente novedoso del urbanismo que tradicionalmente ha pasado desapercibido, o reparando en él, no se ha querido regular, al considerarlo una tendencia o moda pasajera, cuando no, una entelequia o utopía, motivo por el cual siempre se ha desdeñado, o en el mejor de los casos, postergado, no siendo aquel otro que el de las construcciones y edificaciones saludables. Es perfectamente comprensible y entendible que, dentro del modelo urbanístico inmediatamente precedente al actual, caracterizado, como es sabido, por la expansión y el desarrollismo de las ciudades, muchas veces, además, exacerbado y desmedido, no encontrase acomodo dicha finalidad o propósito, pues la prioridad era construir y edificar lo máximo posible, sin muchos miramientos, primando más la cantidad que la calidad.

Mucho más sorprendente resulta que el nuevo modelo urbano que ha venido a reemplazar a aquel, como consecuencia de la implementación en el ámbito urbanístico del principio de sostenibilidad y más exactamente, del desarrollo sostenible, en cuanto que secuela aplicada al crecimiento y progreso humano, y que ha deparado el modelo de desarrollo urbano sostenible, no haya dado cabida, o en su caso, de manera tibia y tangencial a las construcciones y edificaciones saludables. Tal hecho resulta más notorio y chocante aún, si se repara en que este nuevo modelo de desarrollo urbano es algo propio y característico del siglo XXI, en donde se han dado importantes pasos dentro del urbanismo que, en la dirección correcta, deberían desembocar en las construcciones y edificaciones saludables, como por ejemplo y sin ánimo de exhaustividad, la implementación de los sistemas de evaluación de sostenibilidad y certificación urbana o la aprobación de Códigos Técnicos de la Edificación.

Otro hecho determinante para que las construcciones y edificaciones saludables puedan ser una realidad, además de los avances acaecidos en el ámbito urbanístico a que me he referido con anterioridad, es el actual estado de la técnica, pues tal y como reza el título del presente trabajo, las construcciones y edificaciones saludables no son sino el resultado postrero de conjugar salud y tecnología[1]. Afortunadamente, desde hace ya años el progreso tecnológico permite que las construcciones y edificaciones saludables sean una realidad si realmente se apuesta por ellas, por lo que el no contar en el presente con las mismas, o como mucho resultar anecdóticas en relación con el parque de viviendas existente, se debe más a una falta de voluntad o visión estratégica que a imposibilidades urbanísticas o técnicas.

---

[1] Resulta interesante cómo a la unión de salud y tecnología se le agrega o relaciona el calificativo de "responsable", lo que por otro lado tiene todo su sentido, pues la suma de dichos factores debe conducir a este último calificativo. Buena prueba de ello es el trabajo, titulado: "Salud y tecnología en los nuevos edificios responsables" (tema elegido para la octava edición de CONTART, en Ibiza), *Cercha: revista de los aparejadores y arquitectos técnicos*, núm. 142, 2019, pág. 36.

No puedo ni debo terminar la presente introducción sin hacer alusión a que la pandemia del COVID-19, que desde principios del año 2020 y aun en el presente azota a España al igual que a toda la humanidad, ha hecho recapacitar a las máximas autoridades y responsables tanto de los diversos poderes legislativos (Cortes Generales y Parlamentos o Cortes Autonómicas) como ejecutivos (Administración General del Estado, Administración de las Comunidades Autónomas, Administración de las Entidades Locales) no solo ya sobre la conveniencia de contar con construcciones y edificaciones saludables, sino sobre lo importante y vital que resulta contar con ellas, debiendo promover su difusión y generalización frente a la excepcionalidad que las caracteriza en el presente[2].

2. LAS CONSTRUCCIONES Y EDIFICACIONES SALUDABLES COMO PARADIGMA DE LA SOSTENIBILIDAD. EDIFICIOS DE ENERGÍA (CASI) NULA Y (PRÁCTICAMENTE) CERO CONTAMINACIÓN ACÚSTICA, LUMÍNICA Y ODORÍFICA

Factores como el ritmo de crecimiento de la población y el cada vez más creciente consumo de recursos y utilización del medio ambiente, el cambio climático, la deforestación, etc… no vienen provocados únicamente por la actividad industrial y del transporte, a los que con carácter general se les ha atribuido el origen de la contaminación global, dado que el entorno construido es el responsable del 20% al 50% del consumo de recursos[3]. Resulta por ello imperativo aplicar criterios de sostenibilidad en la construcción que lleven a la conservación de los recursos naturales y maximicen la reutilización de los recursos. De hecho, estos dos objetivos o propósitos a que me acabo

---

[2] Véase sobre el particular, el interesante trabajo de GÓMEZ JIMÉNEZ, M. L., "Vivienda domótica adaptada a la emergencia sanitaria: ideas preliminares, retos y propuestas normativas para la sociedad post COVID-19", *Revista de Derecho Urbanístico y Medio Ambiente*, núm. 337-338, 2020, pág. 305 y ss.

[3] En idéntico sentido al apuntado en el texto *ut supra* se manifiestan ALAVEDRA RIBOT, P., DOMÍNGUEZ, J., GONZALO, E. y SERRA, J., "La construcción sostenible: el estado de la cuestión", *Informes de la construcción*, vol. 49, núm. 451, 1997, pág. 41.

de referir (conservar los recursos naturales y reutilizar al máximo los productos y bienes empleados), son los que mejor y en mayor grado definen lo que se aspira a lograr con las ciudades sostenibles.

Junto con la aplicación de criterios de sostenibilidad en la construcción que parecen del todo inevitables a la par que incuestionables, parece también lógico buscar no solo construcciones eficientes y respetuosas con el medio ambiente sino con el propio hombre que las va a ocupar. De poco serviría a este último el contar con construcciones con los más altos estándares ambientales si se siguen dando en las viviendas, oficinas, locales o negocios en los que vive o desempeña sus actividades, muchos de los problemas multiseculares de nuestro urbanismo, como un mal aislamiento término y acústico, falta de la debida ventilación, etc… que hacen la vida de las personas que habitan o trabajan en los mismos, incómoda, desagradable o molesta[4]. Se impone, por tanto, que las construcciones a la vez que ecológicas, por respetuosas con el medio ambiente, también lo sean con las personas que están llamadas a vivir o trabajar en ellas. Es por todo ello, por lo que considero que de la mano de las construcciones sostenibles deben venir también las construcciones y edificaciones saludables.

2.1. Algunas puntualizaciones en relación con el urbanismo sostenible como posibilitador y artífice de las nuevas construcciones y edificaciones saludables

Tal y como he tenido la oportunidad de apuntar en la introducción del presente trabajo, las construcciones y edificaciones saludables tienen su razón de ser y encuentran su debido acomodo dentro del vigente modelo urbano, caracterizado por el urbanismo sostenible y no en el precedente, en donde, no siendo incompatibles con él, resultan más extrañas al mismo, dado que el modelo urbano de desarro-

---

[4]   Véase sobre el particular "Proyecto BALI: Sistemas y edificios acústicamente eficientes y saludables", *ConArquitectura: arquitectura con arcilla cocida*, núm. 40, 2011, págs. 61 y ss., en donde se tiende a optimizar el que, a mi modo de ver, es uno de los aspectos más importantes que contribuye a asegurar un adecuado confort y calidad de vida a cuantos habitan o trabajan en la construcción o edificación de que en cada caso se trate, a saber, la insonorización, o cuanto menos estar exentos los mismos de ruidos molestos y/o perturbadores.

llo sostenible a diferencia del modelo anterior preconiza aumentar y mejorar todo lo posible la calidad de vida de sus habitantes, dentro de la cual, como he señalado, tienen cabida y encajan perfectamente las construcciones y edificaciones saludables, pues una de las características definitorias de estas últimas, como su propia denominación indica, es ser buenas, positivas y beneficiosas para sus propietarios o moradores, lo que sin lugar a dudas de ningún género, contribuye a que estos últimos tengan una mejor y mayor calidad de vida.

Partiendo de tal hecho y tal y como reza el título del presente subapartado, considero obligado hacer algunas puntualizaciones, concretamente tres, que pueden contribuir a contextualizar mejor dentro del actual modelo urbano de desarrollo sostenible las construcciones y edificaciones saludables. Pues bien, con la finalidad de cumplir tal objetivo, debo hacer la primera de dichas puntualizaciones para advertir que dicho modelo urbano que ha venido a sustituir al tradicional modelo urbano expansivo y desarrollista de las ciudades, se caracteriza, a diferencia de su predecesor, por centrarse casi y exclusivamente en la ciudad construida y existente, motivo por el cual las actuaciones que básicamente impulsa son todas aquellas relacionadas con la rehabilitación edificatoria y la regeneración y la renovación urbana de las mallas, tejidos, urdimbres o entramados urbanos, todas las cuales se agrupan bajo la denominación genérica de rehabilitación urbana[5]. Bien puede decirse, aun sin ser lo mismo, que el urbanismo sostenible ha convergido con la tradicional reforma interior de las poblaciones, materializándose en el presente, en gran medida, que no sólo y exclusivamente, en todas las actuaciones propias y características que conforman la rehabilitación urbana[6].

---

[5] Para profundizar más en la evolución y todo lo que ha supuesto y comportado el cambio del tradicional modelo urbano expansivo y desarrollista al vigente modelo urbano sostenible, me remito por entero al trabajo de GARCÍA-MORENO RODRÍGUEZ, F., "Una visión panorámica del paulatino, pero, irreversible cambio, de la expansión de nuestras ciudades a su reforma interior: situación presente y perspectivas de futuro", *Práctica Urbanística*, núm. 138, 2016, pág. 14 y ss. Con idéntico propósito, me remito igualmente al trabajo de SÁNCHEZ GOYANES, E., "El tránsito al urbanismo sostenible", *Práctica Urbanística*, núm. 52, 2006, pág. 18.

[6] La conjunción del urbanismo sostenible con la tradicional reforma interior de las poblaciones la ejemplifica magistralmente en su trabajo AZMECUA ORMEÑO,

Tal hecho, como se imaginará, es sumamente propicio al surgimiento e implementación de construcciones y edificaciones saludables, ya que, a diferencia de antaño, el urbanismo se centra en la ciudad construida y existente, frente a la ciudad planificada y por hacer que caracterizaba el precedente modelo de desarrollo urbano. Ello ocasiona que todas las actuaciones se focalicen, en gran medida, en derredor del parque de viviendas existentes, con la finalidad, bien de mejorar directamente las mismas (rehabilitación edificatoria), bien el entorno que más directamente las rodea o circunda, como infraestructuras, dotaciones, equipamientos y servicios públicos (regeneración y renovación urbana), todo lo cual, sobre todo en el primero de dichos supuestos (rehabilitación edificatoria), tiende a lograr no solo en viviendas, sino también en locales, negocios, etc... construcciones y edificaciones más saludables de las existentes, al tratar de aislarlas térmica y energéticamente mejor de cómo estaban, hacerlas más estancas e impenetrables por lo que a los ruidos, luminosidad y olores indeseables se refiere, etc... lo que constituye la quintaesencia de lo que vienen a ser y representan las construcciones y edificaciones saludables.

Una segunda puntualización que debo hacer es que el cambio de tendencia del tradicional modelo de desarrollo urbano expansivo y desarrollista al actual modelo urbano sostenible, no se ha debido tanto a la voluntad de los respectivos gobiernos nacionales al haber reparado en lo ilógico e irresponsable del crecimiento urbano que estaban permitiendo, cuando no, incentivando, como a la preocupación que mostraron muchos organismos, instituciones y entidades internacionales del más variado signo y condición (fundamentalmente, la Organización de las Naciones Unidas y la Unión Europea, aunque no únicamente ellas) por tan alocado e imprudente crecimiento, al considerar, no sin razón, que ese no era el modelo a seguir, sino, justamente, el contrario[7]. Tales circunstancias propiciaron que el paso de un

---

E., "La renovación urbana como manifestación del paradigma del urbanismo sostenible", *Revista de Derecho Urbanístico y Medio Ambiente*, núm. 285, 2013, págs. 89 y ss.

[7]   Tal situación y lo impredecible de la misma, fue lo que, inicialmente, de manera tibia, y posteriormente, cada vez con mayor contundencia y profusión, propició que tales organizaciones internacionales y detrás de ellas otras, interviniesen para tratar de cambiar y más exactamente, revertir aquella. En definitiva, bien puede decirse, que fue la incapacidad de los propios Estados de ver lo errático

modelo de desarrollo urbano a otro no se produjese por suplantación automática, es decir, por sustitución inmediata de un modelo caduco o denostado (expansivo y desarrollista), por otro perfectamente definido y concretado (sostenible), sino por depuración, en un principio, del viejo modelo, y posteriormente, a medida que se iba creando una alternativa real y sólida al mismo, por la implantación progresiva de este último.

La referida puntualización, pese a que pueda parecer inocua en relación con las construcciones y edificaciones saludables, en absoluto lo es, por cuanto que de ella se infiere que ha habido un largo periodo de tiempo en que no saliendo del todo del tradicional modelo de desarrollo urbano expansivo y desarrollista, tampoco se estaba dentro propiamente del modelo de desarrollo urbano sostenible, en cuyo interregno la suerte que han corrido las construcciones y edificaciones saludables ha sido muy dispar, máxime, si se tiene en cuenta que dicha transición ha sido todo menos homogénea y regular. Con ello pretendo llamar la atención sobre el hecho de que realmente hasta finales de la primera década de la presente centuria no se puede considerar instaurado verdadera y realmente el modelo de desarrollo urbano sostenible, por lo que las construcciones y edificaciones saludables no han encontrado hasta hace escasas fechas el acomodo, tanto normativo como social, propicio o adecuado para poderse llevar a efecto.

Una tercera y última puntualización que considero necesaria hacer es que no debe confundirse la contención de las ciudades que predica el modelo de desarrollo urbano sostenible frente a su tradicional expansión y desarrollismo, con su estancamiento o paralización, sino, únicamente, que cambia el objeto de atención e interés por las mismas, pasando a serlo, a diferencia de antaño, la ciudad construida y existente, por cierto, abandonada a su suerte desde hacía décadas. Con el tiempo, dicho criterio, al ir tomando más cuerpo se ha concretado en lo que ha venido a denominarse: compacidad de las ciudades[8].

---

y equivocado de su modelo de crecimiento urbano, o bien, viéndole y siendo conscientes del mismo, la negativa, en unos casos, y la imposibilidad, en otros, de poderlo cambiar, lo que produjo la intervención cada vez más firme y decidida de las instituciones internacionales a que ya me he referido.

[8] A efectos de tener claras las diferencias existentes entre lo que es y representa la ciudad compacta, por un lado, y por otro, su antítesis, que no es otra que la

La misma implica que las ciudades deben ocuparse en su totalidad, sin dejar ningún espacio o intersticio urbano dentro de ellas, de modo y manera que sólo una vez compactadas suficientemente, procederá, en su caso, de necesitarse o requerirse, la aprobación del crecimiento preciso de aquellas. Debe quedar claro, por tanto, que pese a postular el actual modelo de desarrollo urbano sostenible la contención, permite, asimismo, que aquellas puedan crecer, es decir, expandirse y desarrollarse, si bien y a diferencia de lo que venía siendo tradicional, sólo en la medida que justifiquen adecuada y debidamente la necesidad de dicho crecimiento, como por ejemplo, a través del crecimiento vegetativo positivo que experimenta la respectiva ciudad (bien debido a sus propios habitantes o a la venida o captación de foráneos), o a inversiones empresariales, comerciales o de cualquier otro tipo cerradas en firme que tienen como objeto implantarse en la misma, etc...

Tal hecho, aunque inicialmente pueda no parecerlo, es importante en relación con las construcciones y edificaciones saludables, incluso, determinante, dado que permite afirmar, habiendo muchos supuestos a día de hoy que lo corroboran, que tales construcciones y edificaciones no solo tienen cabida y se dan en el interior de la ciudad construida y existente, es decir, en los intersticios urbanos que quedan por terminar de "coser", sino también en aquella o aquellas partes perimetrales o externas de la misma que crecen, en definitiva, en sus zonas de nueva expansión. Ello, amén de despejar cualquier posible duda sobre la ubicación de las construcciones y edificaciones saludables, permite hablar de dos categorías distintas en relación con las mismas, a saber, construcciones y edificaciones saludables fruto de la rehabilitación edificatoria (en el interior de la ciudad construida y existente)[9] y construcciones y edificaciones saludables de nueva

---

ciudad difusa, resulta interesante el trabajo de MANGADA SAMAÍN, E., "Ciudad compacta, dispersa o difusa", *Temas para el debate*, núm. 252, 2015, págs. 17 y ss. Véase con idéntico propósito, pero en este caso de manera específica en relación con la sostenibilidad urbana, RUEDA I PALENZUELA, S., "Modelos urbanos más sostenibles. Modelos urbanos de ocupación del territorio: la ciudad compacta y la ciudad difusa", en *Experiencias de desarrollo local: Territorio y tecnología*, Aconcaua Libros, Sevilla, 2007, págs. 9 y ss.

[9]   Como acertadamente apunta GRAU TERÉS, A., "La rehabilitación, una oportunidad para conseguir edificios Smart. Las claves: eficiencia, confort, seguridad y salud", *El Instalador*, núm. 551, 2017, págs. 38 y ss, la rehabilitación es una gran

construcción (en las zonas de expansión), si bien no cabe hablar, al menos de manera genérica, que unas sean mejores que otras ni viceversa, aunque a nadie se le oculta que el abordar una construcción o edificación saludable desde cero parece una mejor y más segura apuesta que afrontar aquella desde una edificación existente que no lo es y que hay que rehabilitar para que termine siéndolo.

2.2. *Concepto de construcción saludable y de construcción sostenible*

Lo primero de todo que debo señalar, ya que existe cierta confusión en relación con uno y otro tipo de construcción, es que la construcción sostenible y la construcción saludable no son exactamente lo mismo. Lo normal, no constituyendo, lo subrayo, una regla general inalterable, ni muchísimo menos, es que la construcción saludable sea una especie de la construcción sostenible, en concreto, un tipo cualificado de esta última que prioriza la calidad de vida de sus habitantes, aunque la construcción sostenible, sin hacer tanto hincapié como la construcción saludable en la calidad de vida de cuantos habitan en ellas, también tiende a procurar una buena calidad de vida para todos sus moradores, como más adelante tendré oportunidad de exponer.

Pese a todo lo dicho con anterioridad, es perfectamente posible que una construcción sostenible no sea saludable, en el sentido de la definición de esta última a que con posterioridad me referiré, y viceversa, es decir que una construcción saludable no sea sostenible, aunque esta última posibilidad es ciertamente más difícil de darse, pues, quiérase o no, toda construcción saludable siempre tiene algo de sostenible. Es cierto, como ya he tenido oportunidad de apuntar con anterioridad, que el hábitat normal en que se dan las construcciones saludables es dentro del urbanismo sostenible, es decir, del actual modelo de desarrollo urbano, y por tanto, muy vinculadas con las construcciones sostenibles que postula este último, si bien, nada empece, que las construcciones saludables se den, habiendo ejemplos de ello, dentro del pasado modelo de desarrollo urbano, caracterizado

---

oportunidad para conseguir edificios inteligentes, los cuales, atendiendo a las características que en relación con los mismos destaca dicho autor, se encuentran muy próximos a poder ser considerados también como saludables.

por la expansión y desarrollismo de las ciudades, si bien, ello no es la tónica general.

Por si todo lo dicho no fuera ya de por sí suficientemente complejo y en cierta medida, confuso, quiero introducir un nuevo tipo o clase de construcciones que tienen muy directamente que ver tanto con las construcciones sostenibles como con las construcciones saludables, no siendo aquellas otras que las construcciones inteligentes[10]. En relación con estas últimas, debo precisar que lo normal es que las construcciones inteligentes, sobre todo las de nueva creación, sean sostenibles y saludables[11], siendo un hecho realmente extraño y anómalo, aunque teóricamente pudiera darse, que aquellas no integren estas dos características, máxime, cuando las mismas son perfectamente compatibles y complementarias, al centrarse la sostenibilidad, fundamentalmente, en las condiciones y circunstancias externas de la construcción o edificación, mientras que lo saludable alude principalmente a las condiciones y circunstancias internas de la misma. Téngase en cuenta, por otro lado, no siendo tal argumento nada despreciable, que el hecho de que las construcciones inteligentes sean sostenibles y saludables dota a aquellas de mayor valor y en cierta medida justifica el alto precio que suelen tener. Dicho esto, he de apostillar, no siendo contradictorio con lo sostenido anteriormente, que no todas las construcciones sostenibles y saludables tienen por qué ser construcciones inteligentes[12].

---

[10] Resulta de obligada lectura por lo sugerente y novedoso del trabajo, así como por la relación que tiene con las construcciones y edificaciones sostenibles y saludables objeto de la presente investigación, el artículo de GUTIÉRREZ DAVID, M. E., "Aproximación iuspublicista y normalizada a los edificios inteligentes en el marco del nuevo urbanismo datificado y algoritmizado", *Revista de Derecho Urbanístico y Medio Ambiente*, núm. 343, 2021, págs. 155 y ss.

[11] Véase sobre el particular "Edificios saludables, la prioridad para el 90% de responsables de Smart Buildings", *El Instalador*, núm. 592, 2021, págs. 68 y 69.

[12] La tecnología suele traer aparejada la aparición de construcciones y edificaciones sostenibles y también saludables, aunque no existe una correlación directa entre la primera y estas últimas, cosa que si ocurre entre aquella, la tecnología, y las construcciones y edificaciones inteligentes, tal y como sostiene en su trabajo ARCINIEGAS PEÑA, L. M., "Criterios tecnológicos para el diseño de edificios inteligentes", *Telématique: Revista Electrónica de Estudios Telemáticos*, vol. 4, núm. 2, 2005, págs. 27 y ss.

Tras dichas disquisiciones y reflexiones previas sobre la relación existente entre construcciones saludables, construcciones sostenibles y construcciones inteligentes, considero llegado el momento de definir los dos primeros tipos o clases de construcciones para poder apreciar con mayor profundidad la diferencia existente entre unas y otras, por lo que sin más preámbulos paso a definir en primer lugar qué son, en qué consisten o qué debe entenderse por construcciones y edificaciones saludables. Pues bien, este tipo o clase de construcciones son aquellas que están pensadas, básica y fundamentalmente, para contribuir a la salud de sus habitantes, así como a su bienestar. Por ello, en la consecución de tal propósito, se presta especial atención, desde un principio, a cada detalle de la construcción, que va desde el diseño de sus instalaciones hasta la elección de los materiales que la van a conformar. Una de las señas de identidad característica e irrenunciable de toda construcción y edificación saludable y que precisamente por ello la identifica, es su elevado nivel o grado de calidad ambiental interior, en cuya consecución se emplean, incluso, barreras para proteger el espacio que integra aquellas de todo tipo de agresiones externas, como el ruido, el aire contaminado, las ondas electromagnéticas o los olores indeseables, entre otros factores que sin lugar a dudas de ningún género perturban y hacen más incómoda y desagradable la vida de cuantas personas puedan vivir en ellas. En definitiva, las construcciones y edificaciones saludables tratan de procurar a cuantos residen en las mismas los más altos estándares de calidad de vida que los actuales medios y la tecnología existente permiten[13].

Todo lo anteriormente expuesto en relación con las construcciones y edificaciones saludables, si se piensa bien, es a lo que deberían tender todo tipo y clase de construcciones, cualesquiera que fuesen las mismas, dado que, atendiendo a las características propias de nuestro ritmo de vida, la mayor parte del tiempo lo pasamos en espacios cerrados, por lo que prestar especial atención a su nivel de salubridad, parece, no solo fundamental, sino lo más inteligente.

---

[13] Véase en este sentido el trabajo de LÓPEZ FERNÁNDEZ, L., "Merecemos que los edificios protejan la salud y la calidad de vida", *CIC: publicación mensual sobre arquitectura y construcción*, núm. 554, 2019, págs. 12 y 13.

Antes me he referido a la característica definitoria de las construcciones y edificaciones saludables, que no es otra que la búsqueda incesante, hasta conseguirlo, de unos elevados estándares de calidad ambiental en el interior de las mismas que contribuyan a aumentar y mejorar la calidad de vida a cuantos habitan en ellas, si bien procede que especifique algo más cuáles son, exactamente, los diversos factores, o al menos, los fundamentales, que coadyuvan a la consecución final de una mejor salud y bienestar de los habitantes de aquellas, en definitiva, a lograr que una construcción o edificación sea merecedora del calificativo de "saludable". Pues bien, sobre el particular debo señalar que, según el departamento de salud pública de Harvard, para que un inmueble pueda considerarse saludable, tiene que cumplir una serie de características sumatorias y por tanto, no alternas, que concreta en las nueve siguientes, que de inmediato paso a describir[14].

En primer lugar, la calidad del aire, considerándose un aspecto o factor fundamental de toda construcción o edificación saludable. Se considera, no sin razón, que toda construcción o edificación saludable, para poder considerarse como tal, debe garantizar la calidad del aire, para lo cual resulta determinante la elección tanto de materiales de construcción como de mobiliario de baja emisión de compuestos orgánicos volátiles y semivolátiles[15]. Resulta, asimismo, imprescindible, verificar la ausencia de materiales contaminantes, como plomo, PCB y asbestos, y del mismo modo, garantizar unos niveles de humedad relativa entre el 30% y el 60% para mitigar los problemas de olores. Parece claro que sin lograr la debida calidad del aire en las construcciones y edificaciones no cabe ni es posible hablar de las mismas como "saludables", máxime, si te tiene en cuenta que es un elemento del que no se puede prescindir y que nos rodea en todo momento, por lo que la diferencia entre lograr o no su calidad, es conseguir o no un lugar saludable que garantice el bienestar de sus

---

[14]   Lo que es un edificio saludable para la Universidad de Harvard y las características que son propias del mismo, puede encontrarse en el siguiente Link: https://ecoesmas.com/que-es-un-edificio-saludable-para-harvard/ [Recuperado por última vez el 30 de junio de 2021]

[15]   Resulta de sumo interés el trabajo, titulado: "La calidad del aire en los ambientes cerrados: síndrome de «los edificios enfermos»", *Política científica*, núm. 22, 1990, págs. 57, 58 y 59.

habitantes[16]. Otra característica, la segunda, con la que deben contar todas las construcciones y edificaciones saludables, por cierto, muy relacionada con la precedente, es contar con una correcta ventilación. Efectivamente, toda construcción y edificación saludable que se precie debe establecer una ventilación adecuada para de este modo controlar las fuentes de olores, productos químicos, emisiones de compuestos orgánicos volátiles (COV) y dióxido de carbono, y así conseguir una adecuada calidad del aire interior en aquellas[17].

Una tercera característica, también determinante en toda construcción y edificación saludable, es la calidad del agua, debiendo instalar, si resulta necesario, un sistema de depuración de agua que favorezca su óptimo estado. No se entiende, ni comprende, que pueda considerarse una construcción o edificación como saludable si un elemento tan fundamental y necesario para la vida de todo ser humano, como es el agua, no cuenta con unos niveles, al menos, mínimos, de calidad. Una cuarta característica con la que debe contar, asimismo, toda construcción o edificación saludable, es con un adecuado confort térmico que asegure a todos cuantos residen o habitan en la misma un nivel de temperatura y humedad constante durante todo el año, o bien, aquel que consideren adecuado debido a sus especiales necesidades de calor o frío.

Una quinta característica, sumamente importante para lograr la debida calidad de vida que persiguen las construcciones y edificaciones saludables, consiste en evitar, en la medida de lo posible, la contaminación lumínica en sus diversas variantes. Resulta por ello determinante que dicho tipo o clase de construcciones y edificaciones aprovechen al máximo la luz natural en todos los espacios del inmueble, evitando deslumbramientos. En su virtud, deben procurar tener todas las construcciones y edificaciones saludables el número suficiente de ventanas que permita la adecuada y necesaria entrada de luz al

---

[16]   La importancia de respirar aire saludable en el interior de todo tipo o clase de construcciones y edificaciones es destacada y se encuentra perfectamente recogida en el trabajo de SÁEZ, P., "Respirar aire saludable, también en el interior de los edificios", *El Instalador*, núm. 581, 2020, págs. 61, 62 y 63.

[17]   Véase sobre el particular el trabajo de HERNÁNDEZ MORENO, S., "Emisiones contaminantes de materiales de construcción en el interior de los edificios: Caso de los tableros de yeso", *CIENCIA ergo-sum*, núm. 3, 2007, págs. 333 y ss.

igual que soleamiento de la vivienda y para cuando esta escasee o no exista al llegar la noche, bombillas de bajo consumo. Una sexta característica, muy relacionada con la anterior, con la que deben contar todas las construcciones y edificaciones saludables es con protección tanto activa como pasiva frente a la tan nociva y perniciosa contaminación acústica. A tal efecto, deben aislar las distintas estancias interiores para erradicar, o cuanto menos, paliar la contaminación acústica, reconduciéndola, como mínimo, a unos niveles tolerables.

Teniendo en cuenta que las construcciones y edificaciones saludables deben garantizar la salud y bienestar de sus habitantes en todo momento resulta imprescindible que en situaciones de emergencia también puedan hacerlo, por lo que una séptima característica que las determina es la debida y necesaria seguridad del inmueble de que en cada caso se trate. A tal efecto las construcciones y edificaciones saludables deben contar con planes de actuación plenamente contrastados y efectivos ante situaciones de emergencia del más variado tipo o clase, como incendios, inundaciones, temblores sísmicos (terremotos) o cualquier otra contingencia peligrosa para la seguridad y pervivencia de sus moradores, ya sea la misma de procedencia natural, como he apuntado con anterioridad, o artificial (emisiones químicas, radiaciones, etc...).

La octava característica que debe alcanzar toda construcción o edificación saludable, es evitar su contaminación, así como el polvo y las plagas, por lo que sus habitantes en la limpieza regular del respectivo inmueble deberán desechar la utilización de pesticidas y productos químicos, o cuanto menos, limitar al máximo los mismos, tratando en todo momento de evitar acumulación de polvo y suciedad que pueden terminar siendo vectores de infecciones y plagas. Con la actual pandemia del COVID-19 que aun a día de hoy seguimos padeciendo, ha quedado patente la importancia de contar con construcciones y edificaciones que nos protejan lo máximo posible de agentes patógenos externos[18]. Si bien, de nada servirá, si partiendo de construcciones

---

[18] Véase en este sentido el interesante trabajo de GIFREU I FONT, J., "La vivienda en tiempos del COVID-19: ¿Nuevas vulnerabilidades sociales? Del impacto inicial a los restos del futuro", *Revista de Derecho Urbanístico y Medio Ambiente*, núm. 337-338, 2020, pág. 247 y ss, en el que con acierto alude a las muchas debilidades que aun a día de hoy tienen muchas de las construcciones y edificaciones

y edificaciones saludables y estancas frente a factores externos, no prestamos el debido cuidado al mantenimiento, limpieza y cuidado de las mismas, por cuanto que de no hacerlo y pese a que se puedan considerar las mismas como saludables, realmente no lo serán[19].

La novena y última característica que según el departamento de salud pública de la Universidad de Harvard debe cumplir toda construcción o edificación saludable para ser merecedora de tal calificativo, es ser lo más estanca y resiliente posible a las humedades y ello tanto en el proceso de construcción como después del mismo, dado que las humedades no solo pueden ocasionar el surgimiento de bacterias, gérmenes o microorganismos dañinos para la salud del ser humano, sino daños a la propia construcción y estructura de la edificación, que de no corregirlos a tiempo, pueden deteriorar seriamente la misma hasta poder echar a perder algunas de las restantes características que las dotan de tal condición o cualidad de "saludables".

Una vez hecha una puntual, pero considero, que más que suficiente referencia a las diversas características que otorgan a toda construcción y edificación el calificativo o la consideración de "saludable", debo señalar, aunque lo he apuntado tangencialmente con anterioridad, que tales construcciones o edificaciones engloban no sólo viviendas, frente a lo que generalmente se tiende a creer, hasta por personas vinculadas o cercanas al mundo del urbanismo, sino además de estas, locales y espacios que albergan las más variadas actividades, incluso, infraestructuras, dotaciones y equipamientos tanto públicos como

---

que integran el actual parque de viviendas y que el COVID-19, de una manera directa o indirecta, mediata o inmediata, ha puesto de manifiesto.

[19]   Resulta, por tanto, imprescindible, prestar mucha atención al mantenimiento de las diversas partes y componentes que integran las construcciones y edificaciones, ya que, si no se presta tal atención o cuidado pueden terminar enfermando, como si de personas se tratase. Un buen ejemplo de ello puede encontrarse en el trabajo de PULÍN, C., "Edificios enfermos: Salud", *Cambio 16*, núm. 1274, 1996, págs. 86 y 87. Véase, asimismo, con idéntica finalidad el trabajo de ESPALIAT CANU, M., "Mantenimiento y gestión ambiental e higiénico-sanitaria de edificios e instalaciones", *Mantenimiento: ingeniería industrial y de edificios*, núm. 186, 2005, págs. 4 y ss. En este mismo sentido me remito por último a DE LA ROSA, R., *El lugar y la vida: cómo crear una casa saludable y mejorar los edificios enfermos*, Oasis, Barcelona, 1998.

privados[20]. En definitiva, las construcciones y edificaciones saludables pueden ser tanto residenciales como industriales, comerciales o institucionales u oficiales y ello con independencia de que las mismas sean públicas o privadas.

Descritas, más que definidas, lo que son las construcciones y edificaciones saludables me corresponde hacer referencia, siquiera a vuelapluma, ya que no son realmente el objeto de estudio del presente trabajo, a las construcciones y edificaciones sostenibles, siquiera sea para distinguirlas de las primeras. Pues bien, la diferencia fundamental que distingue a estas últimas de las primeras es que las mismas se centran a diferencia de las construcciones y edificaciones saludables, en el exterior de las construcciones y edificaciones. Efectivamente, así como las construcciones y edificaciones saludables inciden más en el bienestar de sus habitantes y aspectos o factores internos de la vivienda, local o espacio de que en cada caso se trate, como por ejemplo y sin ánimo de exhaustividad, en la temperatura, aislamiento acústico y odorífico o la ventilación, las construcciones y edificaciones sostenibles, además de aspectos comunes que comparten con aquellas, como el aislamiento término o acústico, entre otros, se focalizan más en el respeto, adecuación y cumplimiento de los parámetros medioambientales que se determinan tanto desde instancias internacionales como desde instancias nacionales. Es por todo ello, por lo que insisto, que si bien lo normal sería que las construcciones sostenibles fuesen a estas alturas en que nos encontramos, también saludables[21], no siempre es así, pudiendo ser una construcción o edificación sostenible, pero no saludable y viceversa, es decir, saludable y no sostenible, siendo lo deseable, en cualquier caso, al resultar complementarias y sumatorias uno y otro tipo de construcciones y edificaciones, que ambas fuesen indisolublemente unidas, de modo y manera que no se pudiese hablar

---

[20]   Un buen ejemplo de que las construcciones y edificaciones saludables no solamente se refieren o son viviendas, lo encontramos en el trabajo de REY MARTÍNEZ, F. J. y CEÑA CALLEJO, R., *Edificios saludables para trabajadores sanos: calidad de ambientes interiores*, Consejería de Economía y Hacienda, Valladolid, 2006, en donde analiza edificios saludables que albergan trabajadores y, que, por tanto, no están destinados a ser, ni de hecho son, residenciales.

[21]   Véase en este sentido "Edificios sostenibles, pero también saludables", *Arte y cemento: revista de construcción y su entorno*, núm. 2030, 2006, pág. 91.

de una u otra si realmente no contasen con ambas propiedades, a saber, ser saludables y sostenibles.

2.3. El modelo de edificios de energía (casi) nula y (práctica-mente) cero contaminación acústica, lumínica y olfativa

Como ya he apuntado en el subapartado anterior, las construcciones y edificaciones saludables coinciden en algunos aspectos o
factores que son característicos de las mismas y las definen, con las
construcciones y edificaciones sostenibles. Uno de ellos es contar con
un adecuado confort térmico que asegure a todos cuantos residen o
habitan en las mismas un nivel de temperatura y humedad constante
durante todo el año, o bien, aquel que consideren adecuado debido a
sus especiales necesidades de calor o frío, ya que este aspecto o factor
propio de las construcciones y edificaciones saludables es consecuencia del aislamiento térmico que persiguen las construcciones y edificaciones sostenibles, en este caso y a diferencia de aquellas, no para
hacer la vida más grata y placentera a todos cuantos habiten en ellas,
sino para reducir sustancialmente el consumo de energía y con ello
contribuir a mejorar el medio ambiente. Como puede comprobarse,
un mismo aspecto o factor, propio y característico de ambos tipos o
clases de construcciones, que ambas tratan de lograr desde perspectivas y con finalidades diferentes.

El reto que supone lograr construcciones y edificaciones de energía
casi nula, resulta más imperioso aún, si se tiene en cuenta que la suma
de ambas son responsables de alrededor del 40% del total de la energía que se consume y, por ende, de la consiguiente contaminación que
tal hecho genera. Debe tenerse en cuenta que además de causar tan
elevado consumo de energía y consiguiente contaminación que produce, un efecto sumamente negativo en el medio ambiente, el afrontar
el pago o coste que ello supone, comporta para una gran parte de
la población y por ello, para muchas familias, por lo general todas
aquellas con escasos recursos económicos, una notable dificultad económica, llevando a un número considerable de las mismas, obligadas
por sus circunstancias, a una situación que se denomina de "pobre-

za energética"[22] y que se caracteriza por reducir todo lo posible el consumo energético, originando en todas ellas, inevitablemente, una sustancial reducción del confort y una más que evidente pérdida de calidad de vida y salud. Como puede observarse, se entrecruzan, conectan y relacionan por diversos motivos el interés común tanto de las construcciones y edificaciones sostenibles como de las construcciones y edificaciones saludables, por reducir sustancialmente el consumo de energía de estas.

El lograr el modelo de edificios de energía casi nula, es especialmente relevante, no solo ya, como he mencionado con anterioridad, por ser una finalidad propia y característica tanto de las construcciones y edificaciones saludables como de las construcciones y edificaciones sostenibles, sino porque en el caso de Europa a partir del 1 de enero de 2018 todos los edificios de carácter público que sean de nueva construcción deberán cumplir con la normativa nZEB, acrónimo, que se corresponde con la denominación en ingles de nearly Zero Energy Buildings, cuya traducción al español es Edificios de Energía Casi Nula. Pero no sólo eso, ya que se determina que, a partir del 1 de enero de 2020, fecha ya superada, cualquier tipo de construcción tendrá que adaptarse también, lo que, como era previsible y ya avanzo, no se está cumpliendo, pues partiendo de una innegable buena voluntad y loable propósito, se suele ser, por lo general, mucho más optimista que realista en las previsiones de cumplimiento que se establecen.

Las fechas a que me he referido en el párrafo precedente, son definidas en la Directiva 2010/31/UE del Parlamento Europeo y del Consejo, de 19 de mayo de 2010, relativa a la eficiencia energética de los edificios[23], no dejando lugar a dudas las mismas, ya que establecen como fecha límite para implementar los edificios de energía casi nula (EECN) el 31 de diciembre de 2018 para los edificios nuevos de carác-

---

22   Véase sobre el particular el trabajo de CABELLOS VELASCO, M. y URQUI-ZA AMBRINOS, F., "La eficiencia energética como instrumento para reducir la pobreza energética", *Cuadernos de energía*, núm. 48, 2016, págs. 30 y ss., en el que, amén de definir lo que es y comporta la pobreza energética, apuesta como mejor remedio para erradicarla la eficiencia energética, criterio que no puedo por menos que compartir.

23   La Directiva 2010/31/UE del Parlamento Europeo y del Consejo, de 19 de mayo de 2010, relativa a la eficiencia energética de los edificios se publicó en el Diario Oficial de la Unión Europea el 18.6.2010, I 153/13.

ter público y el 31 de diciembre de 2020 para cualquier tipo de edificio, ya sea edificio rehabilitado o de nueva construcción. Pues bien, así como diversos países de la Unión Europea cuentan ya con normativa específica aprobada y aplicable que desarrolla dicha Directiva, otros, por el contrario, cuentan con normativa definida pero pendiente de aprobación, en el caso de España y otros países, no siendo por tanto el único, ni mucho menos, el caso español, se encuentra la normativa en fase de desarrollo, no estando concretada del todo[24]. En definitiva, todo ello hace que a día de hoy tal exigencia que se postula tanto desde las construcciones y edificaciones sostenibles como desde las construcciones y edificaciones saludables no sea una realidad, si bien, la misma, más pronto que tarde, está llamada a cumplirse, ya no sólo en dicho tipo o clase de construcciones y edificaciones, sino en todas, sean cuales fueran las mismas, aunque no vengan acompañadas del calificativo "sostenibles" o "saludables".

Por lo que al modelo de edificios de prácticamente cero contaminación acústica, lumínica y olfativa, he de señalar que los mismos, a diferencia del modelo de edificios de energía casi nula (EECN), se circunscriben más dentro de las denominadas construcciones y edificaciones saludables que de las construcciones y edificaciones sostenibles, ya que aquellas buscan, básica y fundamentalmente, mejorar el confort y calidad de vida de quienes los habitan, despreocupándose un poco de los condicionamientos externos de los inmuebles con respecto a su entorno, algo como es sabido, más propio y característico de las construcciones y edificaciones sostenibles. Con ello, no quiero, ni pretendo decir, que la estanqueidad o casi estanqueidad acústica, lumínica y olfativa que persiguen las construcciones y edificaciones saludables sea del todo ajena a las construcciones y edificaciones sos-

---

[24] No obstante, debo llamar la atención sobre el hecho de que hace menos de un mes se ha aprobado en España el Real Decreto 390/2021 de 1 de junio por el que se aprueba el procedimiento básico para la certificación de la eficiencia energética de los edificios, siendo el objetivo del mismo favorecer la eficiencia de los edificios y que la energía que estos utilicen provenga mayoritariamente de fuentes renovables, con lo que en gran medida se colmata el vacío existente a que me refería en el texto superior, si bien sigue habiendo otros países europeos con una más profunda y prolija regulación que el nuestro, lo que posibilita en ellos una mejor y más óptima implantación de la tan necesaria eficiencia energética de los edificios.

tenibles, ya que tales contaminaciones, tanto acústica, como lumínica, como olfativa, no vienen a ser sino tipos o clases de contaminación ambiental, en relación con la cual y teniendo en cuenta su cometido y funciones, corresponde preocuparse a las construcciones y edificaciones sostenibles, sino únicamente, que a día de hoy, por desgracia, no son el foco principal de su atención, siéndolo, sin embargo, como he tenido oportunidad de mostrar con anterioridad, el reducir el consumo de energía, para con ello reducir también la contaminación y así contribuir a una mejora del medio ambiente.

En virtud de todo lo dicho, queda patente que en la búsqueda de construcciones y edificaciones saludables se ha venido poniendo el acento y se sigue poniendo en conseguir edificios de energía casi nula (EECN), en gran medida porque en tal propósito convergen también las construcciones y edificaciones sostenibles, lo que siendo sumamente importante, pues garantizar la calidad de vida de quienes habitan en ellos implica en gran medida poder contar con una temperatura adecuada y barata según se necesite en las diversas estaciones a lo largo del año, no es suficiente, pues de nada servirá tal logro por lo que a las construcciones y edificaciones saludables se refiere, si además del mismo no se logra aislar a estas últimas de todo tipo de contaminación acústica, lumínica u odorífica indeseable, dado que cada una de dichas contaminaciones, de ser reiterada, perturba de tal modo a quienes habitan en tales construcciones y edificaciones que impiden que puedan tener el confort y calidad de vida que aspiran a dar a sus habitantes, pudiendo, incluso, con el tiempo y de ser constantes, terminar produciendo a sus ocupantes severos trastornos, incluso, enfermedades graves, como se imaginará, algo radicalmente contrario a lo que buscan y persiguen aquellas.

Quiero terminar el presente subapartado, haciendo dos breves apuntes. Uno primero, para llamar la atención sobre el hecho de que el buscar un modelo de edificios de energía casi nula (EECN) es propio y se encuentra indisolublemente unido a las construcciones y edificaciones sostenibles, pero no necesariamente a las construcciones y edificaciones saludables, ya que el alcanzar tal meta comporta, sin lugar a dudas de ningún género, un importante avance en la protección medioambiental con la que se encuentran comprometidas las construcciones y edificaciones sostenibles, sin embargo, no tiene ello, en puridad, por qué mejorar el confort y calidad de vida de los habitantes de tales edificios si tal logro no va aparejado de una regulación térmica eficiente y asumible que evite la pobreza energética de cuantos habitan en ellos.

El segundo apunte que quiero hacer es para denunciar la poca importancia que se otorga a las muchas contaminaciones acústicas, lumínicas y odoríficas indeseables, de todo tipo y clase, que se producen en el presente en una ingente cantidad de construcciones y edificaciones, unido al hecho de una regulación desfasada, pacata y sobre todo, claramente ineficiente, que parece más pensada para proteger a quien es el foco y causante de unas y otras contaminaciones ambientales, que para detectarlo en plena producción de las mismas y consiguientemente, sancionarlo como se merece. El conseguir este último objetivo, es decir, lograr construcciones y edificaciones estancas o aisladas de toda contaminación acústica, lumínica y odorífica, resulta determinante para poder hablar en propiedad de aquellas como verdaderas y reales construcciones y edificaciones saludables, ya que de no alcanzar tal objetivo y por mucho que dichas construcciones y edificaciones cuenten con una buena calidad del aire y del agua, una adecuada ventilación, un correcto confort térmico, medidas de seguridad ante situaciones de emergencia, y se encuentren exentas de polvo, plagas y humedad, no podrán denominarse ni considerarse como tal, pues los diversos tipos de contaminación a que me vengo refiriendo son en muchas ocasiones de tal calado y envergadura que no sólo disminuyen considerablemente la calidad de vida de cuantos habitan en las mismas, sino que llegan a provocar problemas de salud, a veces graves, a sus moradores, algo, como se comprenderá, incompatible con el hecho de poder denominar a tales construcciones y edificaciones como saludables.

3. ESTÁNDARES ENERGÉTICOS Y MEDIOAMBIENTALES QUE CONTRIBUYEN A CONSEGUIR EDIFICIOS Y CONSTRUCCIONES SALUDABLES

Lo primero de todo que debe quedar claro es que el concepto de sostenibilidad aplicado a escala urbana con la finalidad última de lograr ciudades sostenibles implica, inexorablemente, tres importantes acciones que deben darse conjunta y sumatoriamente, a saber: En primer lugar, tratar de reducir al máximo la utilización de los recursos externos (suelo, energía, agua y materiales). En segundo lugar, tratar de reducir al máximo la producción de residuos (contaminación del agua, aire y residuos sólidos), a la par que lograr el total reciclaje, aprovechamiento, reutilización y valorización de los recursos consumidos o utilizados. Y en tercer y último lugar, mejorar las condiciones de vida de sus habitantes presentes y futuros en dimensiones claves de la vida cotidiana (salud, ingresos, vivienda, acceso, tiempo libre, espacios públicos y sentido de pertenencia)[25], siendo dentro de esta última finalidad que deben perseguir las ciudades sostenibles para alcanzar tal condición, donde entran o encajan, como fácilmente se comprenderá, tanto las construcciones y edificaciones sostenibles como las construcciones y edificaciones saludables.

Resulta preciso que apunte en relación con tales acciones o finalidades generales que debe perseguir toda ciudad sostenible en aras a lograr tan codiciado y esquivo objetivo, que, si bien las mismas parecen claras y resulta fácil estar de acuerdo con ellas, tal hecho no es suficiente, ya que resulta imperativo pasar del plano teórico al práctico, siendo precisamente en la consecución de tal propósito, en donde radica la dificultad de todas y cada una de aquellas. Para poder lograr tan complejo paso del papel a la realidad, es necesario contar, indefectiblemente, con instrumentos de trabajo capaces de evaluar las ciudades existentes (con sus problemas, carencias y debilidades, pero también, con sus virtudes, fortalezas y aciertos) y diseñar, a resultas de la correspondiente evaluación, las soluciones desde un punto de vista sostenible, lo que implica, entre otros factores, el tener que pronunciarse sobre las construcciones y edificaciones con la finalidad o propósito de hacerlas cada vez más sostenibles y saludables.

---

[25]   Para profundizar más en cómo mejorar las condiciones de vida de los habitantes de las ciudades resulta de obligada consulta el trabajo de SUBIRATS, J., QUINTANA, I., VIDAL, M. y RUEDA PALENZUELA, S., "El Libro Verde de la sostenibilidad urbana y local en el ámbito de la sostenibilidad social: Hábitat urbano e inclusión social", en *El Libro Verde de Sostenibilidad Urbana y Local en la Era de la Información*, Ministerio de Agricultura, Alimentación y Medio Ambiente, Madrid, 2012, pág. 491.

No obstante, las ciudades constituyen un sistema extremadamente complejo[26], por lo que resulta enormemente difícil, cuando no, casi imposible, realizar una valoración en términos absolutos de sostenibilidad urbana y por ende, de las construcciones y edificaciones sostenibles y saludables existentes en aquella. Ante ello, la pregunta que cabe hacerse y a su vez, es necesario responder, es la siguiente: ¿De qué manera se puede medir la sostenibilidad urbana y en la parte que más directamente afecta al contenido del presente trabajo, de las construcciones y edificaciones saludables?, pues, con mayor o menor precisión, con mayor o menor acierto, lo que resulta indudable es que tanto aquella (sostenibilidad urbana) como estas últimas (construcciones y edificaciones saludables) deben poderse medir de algún modo o manera. Pues bien, dejando a un lado la dificultad intrínseca que comporta definir el propio concepto de sostenibilidad[27], he de señalar que recientemente se han desarrollado diferentes sistemas de evaluación de la sostenibilidad y certificación urbana que tratan de medir y verificar la sostenibilidad urbana de las ciudades, dividiendo para ello esta última en diferentes campos que puedan ser más fácilmente observados y por ello medidos de manera más objetiva, siendo uno de aquellos el alusivo o relativo a las construcciones y edificaciones existentes en las mismas[28].

---

[26]   Tal y como apunto en el texto *ut supra*, las ciudades constituyen un sistema extremadamente complejo, que, además, se desarrolla en un mundo globalizado e interconectado en el cual el arte de planificar para lograr un desarrollo sostenible es el arte de planificar las interacciones que se producirán con cada actuación, como subraya con acierto RAVETZ, J., *Ct-region 2020: integrated planning for a sustainable environment (with forward by Secretary of State for the Environment)*, Earthscan Publications, London, 2000.

[27]   La complejidad de definir la sostenibilidad es puesta de manifiesto por PEZZEY, J., *Sustainable Development Concept. An Economic Analysis*, International Bank for Reconstruction and Development / The World Bank, Washington DC, 1992.

[28]   Las diversas herramientas de certificación para tratar de medir y cuantificar la siempre esquiva sostenibilidad son el objeto principal de estudio del trabajo de CARO GALLEGO, C. y FERNÁNDEZ HERRERO, J., "La sostenibilidad a examen: herramientas de certificación", *en Actas del I Congreso Internacional de Construcción Sostenible y Soluciones Eco-eficientes*, Universidad de Sevilla, Sevilla, 2013, págs. 438 y ss. Véase con idéntica finalidad el trabajo de RIVELA CARBALLAL, B., BEDOYA FRUTOS, C. y GARCÍA SANTOS, A., "El reto de la sostenibilidad en construcción: procesos normativos en desarrollo y herramien-

En relación con los referidos sistemas de evaluación de la sostenibilidad y certificación urbana, debo señalar que los más conocidos, reputados y extendidos a día de hoy a nivel global, mundial, no siendo, ni mucho menos, todos los existentes, como tendré ocasión de exponer más adelante (subapartado III.3), son el sistema LEED for Neighborhood for Development (Norteamericano), el sistema BREEAM Communities (Británico) y el sistema CASBEE for Urban development (Japonés), si bien, de los mismos, me referiré a continuación, únicamente, a los dos primeros, por ser los que en mayor medida se aplican y son referentes tanto a nivel europeo como nacional. Antes de analizar cada uno de ellos, voy a hacer alusión, pese a no ser un sistema de evaluación de la sostenibilidad y certificación urbana, lo cual quiero subrayar y dejar del todo sentado, a la certificación PASSIVHAUS, dado que la misma ha contribuido notablemente a lo largo de estos últimos años a conseguir que muchas construcciones y edificaciones no solamente sean sostenibles, sino también saludables, atendiendo a las altas cotas de calidad de vida que procura a quienes habitan o residen en ellas.

3.1. *Certificación PASSIVHAUS*

La certificación PASSIVHAUS, tal y como acabo de comentar en el párrafo inmediatamente precedente a este que ahora me ocupa, no es un sistema de evaluación de la sostenibilidad y certificación urbana, sino un tipo de construcción o edificación en que se utilizan los recursos de la arquitectura bioclimática, combinados con una eficiencia energética muy superior a la media de las construcciones tradicionales[29]. Tal hecho, no dota, *per se*, a dichas construcciones

---

tas disponibles", *Revista de Derecho Urbanístico y Medio Ambiente*, núm. 279, 2013, págs. 155 y ss.

[29] La eficiencia energética es algo que hoy en día persiguen todos los constructores al exigirse no sólo ya desde las más variadas instancias nacionales e internacionales, sino por demandarlo también, cada vez en mayor medida, los propios ciudadanos, bien por razones medioambientales, bien por motivos económicos, de ahorro, motivo por el cual no debe extrañar la gran importancia que lograr tal objetivo ha adquirido en el presente, como lo apunta en su trabajo GUTIÉRREZ CUEVAS, B., "Por una construcción de edificios y viviendas energéticamente eficientes", *Cemento Hormigón*, núm. 999, 2020, pág. 2.

y edificaciones de la consideración de construcciones y edificaciones saludables, aunque muchas de ellas, casi todas, terminan mereciendo tal calificativo, ya que dicha certificación combina, cada vez más, el ahorro energético que la caracteriza con unos exigentes niveles de confort y calidad de vida para quienes viven o residen en ellas.

El sistema PASSIVHAUS surgió en 1988, viniendo a significar dicho nombre —de origen alemán— en español: "casa pasiva", aunque realmente tiene poco de pasiva, por cuanto que para mantener la temperatura ideal en el interior de la construcción o edificación de que en cada caso se trate utiliza múltiples sistemas de manera activa, como entre otros, un complejo y sofisticado sistema de ventilación mecánica. Lo cierto es que el sistema PASSIVHAUS logra en las construcciones y edificaciones en que se implanta un ahorro energético de entre un 70% y un 90% con respecto a las construcciones convencionales.

De lo que no hay duda alguna es de que el sistema PASSIVHAUS genera construcciones y edificaciones sostenibles, ya que no solo optimiza el empleo de recursos naturales, sino que minimiza el impacto ambiental de los mismos sobre el medio ambiente y sus habitantes. Más dudas plantea, o al menos, no de manera tan automática, la equiparación entre construcciones y edificaciones PASSIVHAUS y construcciones y edificaciones saludables, aunque tal y como he señalado con anterioridad, cada vez, tiende a corresponderse más dicha certificación con este último tipo o clase de construcciones y edificaciones.

Entrando a analizar con algo más de profundidad la certificación PASSIVHAUS, en cuanto que construcciones o edificaciones pasivas que se realizan bajo los criterios de aquella y que como tal se certifican, debo destacar que una de sus señas de identidad que la caracterizan, atendiendo a las finalidades que le son propias, es el aislamiento térmico, en virtud del cual se procede a optimizar la envolvente térmica de la construcción o edificación de que en cada caso se trate: paredes exteriores, cubierta y losa, de modo y manera que dependiendo del clima aumenta o disminuye el espesor del aislamiento térmico en función de la mejor eficiencia energética de aquellas[30]. En la consecu-

---

[30] La mayor o menor envolvente térmica de la construcción o edificación se lleva a cabo siempre con el objetivo de lograr, de acuerdo con el clima circundante y garantizando siempre la debida eficiencia energética, el ambiente más óptimo

ción de tal propósito resulta determinante que dichas construcciones y edificaciones cuenten con ventanas y puertas de altas prestaciones, pero aún más, que carezcan de puentes térmicos, con la finalidad de no interrumpir la capa de aislamiento de la respectiva construcción o edificación.

Con la ausencia de puentes térmicos, la utilización de material con una resistencia térmica mayor si se interrumpe la capa de aislamiento y primoroso cuidado de las juntas entre elementos constructivos, se consigue no sólo evitar a la construcción o edificación de que en cada caso se trate, posibles patologías debidas a la condensación, como hongos, humedades, etc… sino una hermeticidad del aire, lo que permite lograr una eficiencia elevada del sistema de ventilación mecánica con recuperación de calor de doble flujo, lo que sin lugar a dudas de ningún género, garantiza una gran calidad del aire interior, un gran confort térmico y un considerable ahorro de energía, limitando ostensiblemente la demanda tanto de calefacción como de refrigeración[31]. Ni que decir tiene, vuelvo a insistir, que tal hecho, no otorga por sí mismo la consideración de "saludables" a las construcciones y edificaciones donde tiene lugar, pero sí resulta una pieza importante, incluso, determinante, para que las mismas puedan ser merecedoras de tal calificativo, máxime, como igualmente he apuntado, si va acompañado de importantes niveles de confort interior y aumento de la calidad de vida de quienes habitan o residen en aquellas, lo cual cada vez es más frecuente. Con todo, no puede establecerse a día de hoy una correspondencia o correlación automática entre el sistema PASSIVHAUS y las construcciones y edificaciones saludables, y menos aún, por supuesto, de estas últimas con respecto a aquel.

---

y saludable para quienes van a trabajar o residir en los mismos, tal y como en este sentido manifiesta en su trabajo POYATO LUQUE, R., "Garantizando la eficiencia energética y el ambiente saludable de los edificios ¿Qué debería comprobar?", *Energía de hoy.com*, núm. 2, 2013, págs. 48 y ss.

[31]   Nótese, que la calidad del aire interior de las construcciones y edificaciones constituye uno de los aspectos determinantes para poder calificar las mismas como saludables, lo que puede apreciarse en el siguiente trabajo, titulado: Investigación: Proyecto europeo Osirys, hacia una mejor calidad del aire interior. Ecomateriales innovadores para la construcción de edificios más saludables, *CIC: publicación mensual sobre arquitectura y construcción*, núm. 520, 2015, págs. 10, 11 y 12.

3.2. Certificación LEED y certificación BREEAM

Una vez analizado, siquiera a vuelapluma, el Certificado PASSIVHAUS, me corresponde abordar, siguiendo el esquema anteriormente apuntado, los sistemas de Certificación LEED y BREEAM, los cuales, a diferencia del primero, sí son y se circunscriben dentro de los denominados sistemas de evaluación de la sostenibilidad y certificación urbana[32]. A continuación, me referiré a cada uno de ellos, tratando de destacar aquellos aspectos que más directamente tienen que ver, o por lo menos, más inciden en las construcciones y edificaciones saludables, dado que tanto uno como otro tratan de verificar si la ciudad objeto de estudio puede considerarse o no como sostenible, analizando para ello las diversas partes que conforman, integran o comprende tal término, siendo una de ellas, como ya he tenido oportunidad de apuntar con anterioridad, la referente a la calidad de vida de sus habitantes, dentro de la cual tiene cabida las construcciones y edificaciones saludables.

3.2.1. Certificación LEED

El sistema LEED fue creado como sistema de certificación para edificaciones en Estados Unidos por las organizaciones: Congress for the New Urbanism (CNU); U.S. Green Building Council (USGBC); y Natural Resources Defense Council (NRDC). Dicho sistema y más concretamente dentro de él, la certificación que le es propia, nació —al igual que en los restantes sistemas (coetáneos o no al mismo)—, por la necesidad de dotar de un marco técnico a la por entonces muy marginal industria de construcción sostenible existente en Estados Unidos. Con la finalidad de dar cumplida respuesta a dicha necesidad,

---

[32] Para profundizar más en los sistemas de evaluación de la sostenibilidad y certificación urbana me remito por entero al trabajo de GARCÍA-MORENO RODRÍGUEZ, F. y GARABITO LÓPEZ, J. C., "La necesaria objetivación en nuestras ciudades y pueblos: los sistemas de evaluación de la sostenibilidad y certificación urbana", *Revista de Derecho Urbanístico y Medio Ambiente*, núm. 310, 2016, págs. 119 y ss, en donde se analizan con detalle los tres más importantes y con mayor implantación a nivel mundial (LEED, BREEAM Y CASBEE), a la par que se hace referencia a otros muchos que persiguen idénticos o parecidos objetivos que estos últimos.

en el año 1993 la organización U.S. Green Building Council (USGBC) comenzó a investigar en materia de sostenibilidad en la industria de la construcción, creando a tal efecto, un comité multidisciplinar de expertos, que incluía: Arquitectos, Agentes de la Propiedad Inmobiliaria, promotores, juristas y especialistas en medio ambiente. Tal estrategia, fue plenamente acertada, como lo corrobora el hecho de que el equipo multidisciplinar generado, ayudó a enfocar el problema de la sostenibilidad de una manera integrada y compatible con todos los actores intervinientes en el proceso de construcción. La consecución de tan complejo objetivo por el referido equipo multidisciplinar, constituyó el verdadero acta de nacimiento del sistema LEED. Desde entonces, este último, no ha dejado de actualizarse con la experiencia que aportan las certificaciones realizadas y la adaptación a nuevos materiales, tecnologías y requisitos[33].

No obstante, lo que en un principio parecía un gran logro y, de hecho, así era, con el pasar de los años, se manifestó insuficiente. Así, ante la gravedad de los problemas generados por los nuevos desarrollos, surgió la necesidad de hacer extensible la certificación de las edificaciones a las tramas urbanas existentes, por ello, U.S. Green Building Council (USGBC), en unión con las organizaciones Congress for the New Urbanism (CNU) y Natural Resources Defense Council (NRDC), que agrupan a profesionales que lideran el sector de la construcción, reputados constructores y destacados miembros de la comunidad medioambiental, redactaron en el año 2009 una primera versión de la certificación LEED for Neighbourhood Development, que no es sino una certificación especialmente pensada y concebida para aplicarse, más allá de lo que son exclusivamente edificios, en determinadas partes de la malla, entramado o urdimbre urbana de las ciudades, lo que, se mire por donde se mire, supone un paso, cualitativa y cuantitativamente hablando, trascendental, respecto de la situación existente hasta el momento. La certificación LEED for Neighbourhood Development, se estructura en tres categorías principales: 1. Smart location and linkage (Emplazamiento inteligente y conectividad). 2.– Neighbourhood pattern and design (Modelo

---

[33] *LEED 2009 for Neighbourhood Development Rating System*, Created by the Congress for the New Urbanism, Natural Resources and the U.S. Green Building Council, Washington DC, 2009.

de barrio y diseño urbano). 3.– Green infrastructure and buildings (Infraestructuras y edificios verdes)[34].

Junto a las referidas tres categorías principales que integran o conforman la certificación LEED for Neighbourhood Development, existen, además, otras dos categorías, menos extensas y quizá por ello, menos destacadas, no llegando al calificativo de *"principales"*, pero también de gran importancia. Éstas, son las siguientes: 1.– Innovation and Desing Process (Innovación y proceso de diseño). 2.– Regional bonus credits (Créditos de carácter regional).

Las mismas, permiten establecer espacios para apartados que no se pueden regular estrictamente en las tres categorías anteriores, dando margen, así, la primera de ellas, para introducir créditos evaluables basados en las nuevas tecnologías y soluciones novedosas. Por su parte la segunda y última de las categorías referidas, trata de colmar la necesidad de introducir factores locales, los cuales, como fácilmente se comprenderá, pueden ser, y de hecho son, muy dispares, entre emplazamientos situados en diferentes países o regiones.

Entrando a analizar con algo más de detalle la Certificación LEED y dentro de ella, en particular, todo lo concerniente o alusivo a construcciones y edificaciones, debo señalar que la misma presta especial atención a la ubicación de unas y otras, así como al transporte, evitando el desarrollo de aquellas en sitios no apropiados o convenientes, tratando siempre de reducir la distancia de desplazamiento de vehículos, a la par que promueve la habitabilidad y la mejora de la salud humana mediante el fomento de la actividad física diaria. Como puede observarse, en dichos parámetros se encuentran ya algunas de las características de las construcciones y edificaciones saludables o que tienen que ver con estas últimas, como es la promoción de la habitabilidad o tratar de dotar a tales construcciones y edificaciones de un adecuado emplazamiento que sin lugar a dudas de ningún género termina produciendo efectos beneficiosos y positivos a quienes viven en ellas.

---

[34]   Es dentro de esta última categoría y en particular dentro de los denominados "edificios verdes", donde tendrían más cabida, pero, quiero subrayar, no sólo en la misma, las construcciones y edificaciones saludables.

A mayor abundamiento de lo apuntado en el párrafo precedente cabe señalar que la Certificación LEED trata de lograr en la ubicación de las construcciones y edificaciones que promueve, que las mismas se lleven a cabo en emplazamientos sostenibles, valorando especialmente aquellas materializadas sobre terrenos o zonas subutilizadas o abandonadas, potenciando, asimismo, en aras de la predicada sostenibilidad, una adecuada conexión de tales emplazamientos y cercanía con el transporte público, en cuanto que este último es colectivo y por lo general mucho más ecológico que el transporte privado e individual, pese a que los vehículos han dado importantes pasos para tratar de ser lo más respetuosos posibles con el medio ambiente.

Especial atención dedica el sistema de Certificación LEED al agua, una de las características, como ya he indicado en el presente trabajo, propia, no sólo de los construcciones y edificaciones sostenibles, sino también de las construcciones y edificaciones saludables. Pues bien, el sistema de Certificación LEED aprecia sobremanera, postulándolo, el adecuado manejo y control de aguas en el terreno seleccionado para ubicarse tales construcciones o edificaciones. Resulta determinante, en definitiva, para el sistema de Certificación LEED, el ahorro de agua, en cuanto que recurso limitado imprescindible para todo tipo o clase de vida, por lo que tiene en cuenta y en virtud de ello valora sobremanera las construcciones y edificaciones que lo utilizan en su justa medida y de manera eficiente.

Otro aspecto especialmente relevante para la Certificación LEED, que también es propio de las construcciones y edificaciones sostenibles, así como de las construcciones y edificaciones saludables, es el relativo a la eficiencia energética y a las emisiones a la atmósfera, ya que una gran parte de estas últimas se debe no tanto al transporte como a las calefacciones de las construcciones y edificaciones. Se determina así que estas últimas deben cumplir con los requerimientos mínimos del Standard ASHRAE 90.1-2007, para lo cual, deben demostrar un porcentaje de ahorro energético (que va desde el 12% mínimo al 48% o más) en comparación a un caso base (edificio de referencia equivalente) que cumple con el estándar. Nótese, que la eficiencia energética de las construcciones y edificaciones no sólo contribuye a reducir sustancialmente las emisiones atmosféricas y con ello a mejorar el medio ambiente urbano y global, sino también y de paso que se consigue tan importante y necesario hito, a procurar un mayor confort y calidad de vida a cuantos habitan en tales construcciones y edificaciones, a la par que, por lo general, reduce el precio que deben pagar por tal servicio o prestación, siendo esta última una característica innegable de las construcciones y edificaciones saludables, aunque por sí sola no otorga a las mismas tal calificativo.

Pero no acaban ahí, ni mucho menos, los puntos o nexos de unión entre el sistema de Certificación LEED y las construcciones y edificaciones sostenibles y saludables, ya que el mismo describe los parámetros que un edificio sostenible debe reunir en los materiales que lo integran, premiándose, respecto de los que no lo tienen, aquellos materiales utilizados que sean regionales, reciclados, rápidamente renovables y/o certificados con algún sello verde (por ejemplo madera certificada), lo que es propio tanto de las construcciones y edificaciones sostenibles como de las construcciones y edificaciones saludables. Más conexión entre el sistema de Certificación LEED y este último tipo o clase de construcciones y edificaciones se aprecia aún, si se tiene en cuenta que aquel valora también la calidad ambiental de los interiores de unas y otras, dado que el mismo considera que todas ellas deben proporcionar, o al menos, deben tender a proporcionar, un adecuado ambiente interior en los edificios, una ventilación apropiada, un correcto confort térmico y acústico, así como un eficaz control frente a los potenciales contaminantes del ambiente, a la par que satisfactorios niveles de iluminación para los usuarios[35]. Como puede comprobarse, muchas de las características, que según el departamento de salud pública de Harvard, son propias de las construcciones y edificaciones saludables.

---

[35] El ambiente interior de las construcciones y edificaciones resulta sumamente importante para garantizar un adecuado confort y calidad de vida a cuantos trabajan o habitan en las mismas, pese a que muchas veces no se repare en ello, pudiendo ocasionar tal olvido o dejadez importantes secuelas a sus moradores, como en este sentido demuestran en su trabajo NARVÁEZ PEÑA, M., VILLA COLLAR, C. y RODRÍGUEZ MARTÍN, J. L., "Los ambientes interiores (iluminación, temperatura y humedad) en edificios de oficinas y su repercusión en la superficie ocular", *Gaceta de optometría y óptica oftalmológica*, núm. 503, pág. 2015, págs. 32 y ss.

3.2.2. Certificación BREEAM

El sistema de certificación BREEAM fue creado en el Reino Unido por el Building Research Establishment (BRE). La entidad que gestiona el Sistema de certificación BREEAM, es decir, el Building Research Establishment (BRE), fue fundada en el año 1921 con el objetivo de promover la investigación en el sector de la edificación, siendo la primera empresa a nivel mundial constituida con tal fin. Actualmente realiza labores de investigación y asesoramiento en el mundo de la construcción, participando en labores de redacción de normas nacionales e internacionales, así como en códigos de construcción.

A raíz de la necesidad de mejorar las prestaciones de los edificios en materia ambiental se diseñó en el año 2008 el esquema de certificación BREEAM Internacional. El sistema se creó con el objetivo de poder ser aplicable a las circunstancias de diferentes localizaciones y normativas, facilitando su expansión internacional. Dentro de esta tendencia de internacionalización el sistema BREEAM ha dado un paso más al contar con la colaboración de operadores nacionales en cada país (fundamentalmente europeos) para adaptar los requisitos establecidos con carácter global a las muy variadas y dispares especificaciones locales. Así, en el presente, el esquema de certificación BREEAM Internacional, tiene presencia y cuenta con operadores nacionales, entre otros países, en: Alemania, Holanda, Suecia, Noruega y España, siendo, por todo ello, líder destacado en dicho sector en Europa.

La certificación BREEAM ES Urbanismo, que no es sino la concreta y específica adaptación del esquema de certificación BREEAM Internacional, al sistema urbanístico español, evalúa la sostenibilidad de los desarrollos urbanos y en general, de cuantas actuaciones de reforma interior se llevan a cabo en nuestras ciudades, dividiéndola en siete categorías diferentes: 1.– Clima y Energía. 2.– Comunidad. 3.– Diseño del lugar. 4.– Ecología. 5.–Transporte. 6.– Recursos. 7.– Economía.

Cada categoría consta de un número de requisitos, representado, cada uno de ellos, por un indicador de sostenibilidad para poder ser evaluado. Merece ser destacado dentro de este sistema de certificación, por su relevancia y singularidad, la gran importancia que concede el mismo, a diferencia de otros sistemas de evaluación de la sostenibilidad y certificación urbana, al proceso de participación ciudadana, teniendo un área destinada, exclusivamente, a mejorar la interrelación entre los ciudadanos y el proceso de creación y gestión de la ciudad, apostando por un estilo de vida sostenible.

Cabe señalar, asimismo, que al igual que la certificación LEED for Neighbourhood Development, el esquema de certificación BREEAM Internacional, muestra una profunda preocupación por los aspectos de localización del proyecto a evaluar y el diseño de las tramas urbanas englobadas dentro de la respectiva área de actuación. Entrando de manera algo más pormenorizada a analizar el sistema de Certificación BREEAM, debo señalar que hay muchos indicadores dentro del mismo que de una manera directa o indirecta, mediata o inmediata, tienen relación o inciden en lo que se entiende por construcciones y edificaciones saludables, y ello desde su mismo origen, ya que por ejemplo, y sin ir más lejos, analiza y evalúa las prácticas de construcción responsable durante la obra del edificio, procurando que los impactos que genere la construcción sean los mínimos posibles, lo que por otro lado y junto con dicha indudable ventaja permite diseñar, planificar y entregar edificios accesibles, funcionales y participativos, características todas ellas que deben concurrir en las construcciones y edificaciones saludables.

Por otro lado, para el sistema de Certificación BREEAM tiene una gran importancia y consecuentemente, valora de manera muy positiva, la salud y el bienestar de los usuarios de las construcciones y edificaciones de que en cada caso se trate, algo, como se comprenderá, igualmente propio y característico de toda construcción o edificación saludable que se precie. A tal efecto, dicho sistema considera vital el garantizar el confort de los usuarios desde diferentes puntos de vista, como puede ser la iluminación natural y artificial, el confort térmico y acústico, la calidad del aire interior o el acceso seguro al edificio, características todas ellas, como es sabido, propias de las construcciones y edificaciones saludables.

Junto con el confort de los usuarios de construcciones y edificaciones, el sistema de Certificación BREEAM, concede una enorme importancia también a otras cuestiones especialmente relevantes y definitorias de toda construcción y edificación saludable, como son la energía, el consumo de agua y los materiales empleados en la respectiva construcción o edificación. Así y por lo que a la energía se refiere, la Certificación BREEAM busca que las construcciones y edificaciones minimicen el consumo de energía operativa a través de un diseño adecuado, reduciendo las emisiones de CO_2. Por lo que al consumo de agua se refiere y en términos muy parecidos a los anteriormente apuntados, el sistema de Certificación BREEAM trata de que las construcciones y edificaciones reduzcan al máximo posible el consumo de agua potable en todos los usos del edificio, impulsando la reutilización del líquido elemento. En relación con los materiales de construcción de la edificación de que en cada caso se trate y en parecido sentido a lo que persigue con la energía y el agua, el sistema de Certificación BREEAM trata de que los mismos sean de bajo impacto ambiental a lo largo del ciclo de vida del edificio.

Además de tales objetivos, el sistema de Certificación BREEAM tiene muy en cuenta la movilidad, tratando de optimizar la movilidad de las personas, proporcionando para ello alternativas distintas al vehículo privado y fomentando los trayectos a pie o en bicicleta en base a estilos de vida más saludables. Del mismo modo pone el acento en los residuos, tratando de que se lleve a cabo una gestión eficaz de los mismos tanto en la propia obra de construcción del edificio de que en cada caso se trate como en el funcionamiento de este último, reduciendo de este modo sustancialmente la cantidad de residuos destinados al vertedero. Todo ello contribuye, ni que decir tiene, a mantener, e incluso, mejorar, el valor ecológico de la parcela donde se asienta la respectiva construcción o edificación antes y después de la realización de las obras de construcción.

Todas estas actuaciones que valora y persigue la Certificación BREEAM, así como otras a las que podría referirme, contribuyen, si no a evitar la contaminación propia y consustancial de toda construcción y edificación, sí, al menos, a reducirla sustancialmente, lo que tiene un efecto directo sobre las emisiones de gases de efecto invernadero, así como sobre los cursos de agua, contribuyendo, asimismo, a reducir las potenciales contaminaciones lumínicas, acústicas y odoríficas. Como puede observarse, sin decirlo expresamente la Certificación BREEAM, y muy posiblemente, sin quererlo ni pretenderlo voluntariamente, contribuye la misma al surgimiento y potenciación de las construcciones y edificaciones saludables, pues muchos de los parámetros e indicadores que tiene en cuenta para evaluar la sostenibilidad y certificación urbana de la ciudad de que en cada caso se trate, coadyuvan a la implementación de las mismas.

3.3. Breve referencia a otros tipos o clases de certificaciones, sistemas o iniciativas que contribuyen a conseguir edificios y construcciones saludables

En el presente subapartado, únicamente pretendo llamar la atención sobre otros tipos o clases de certificaciones, sistemas o iniciativas, además de las mencionadas certificaciones PASSIVHAUS, LEED y BREEAM, que contribuyen a conseguir construcciones y edificios saludables, aún muchas veces sin ser plenamente conscientes de ello. De entre las muchas certificaciones existentes, sólo voy a hacer referencia a cuatro de ellas, a las cuales aludiré de manera sumaria, siendo estas las siguientes: El sistema de evaluación de la sostenibilidad y certificación urbana CASBEE (al cual he aludido de pasada al comienzo del apartado III), la iniciativa IISBE, el certificado DGNB y la asociación HQE.

El sistema CASBEE es un sistema de certificación para edificaciones y planeamiento urbano creado en Japón a raíz de las certificaciones realizadas en Estados Unidos (sistema LEED) y Reino Unido (sistema BREEAM), con el apoyo del Housing Bureau y diversos Ministerios implicados en la materia, con el objetivo, básico y fundamental, de intentar reconducir el urbanismo en Japón hacia un desarrollo medioambientalmente eficiente, a raíz de detectarse por diversas organizaciones e instituciones, tanto públicas como privadas, que el mismo no sólo no lo era, sino que estaba muy lejos de serlo. De este modo, en abril del año 2001 se creó el Research for the Comprehensive Assessment System for Built Environment Efficiency (CASBEE)[36]. El mismo considera que las certificaciones anteriores, como la certificación LEED o la certificación BREEAM, no distinguen claramente entre la calidad ambiental del edificio y los efectos que la construcción del edificio genera en el medio ambiente en el que se integra, por lo que incide en dicho concepto estudiando las edificaciones

---

[36]   Cuya traducción al español es: "Investigación para el sistema de evaluación integral de la eficiencia del entorno construido".

y su entorno inmediato, lo que termina favoreciendo el surgimiento e implementación de construcciones y edificaciones no solamente sostenibles, sino también, saludables.

La iniciativa IISBE, acrónimo de la locución inglesa: International Initiative for a Sustainable Built Environment[37], tiene como objetivo mejorar sustancialmente la incidencia negativa que la edificación tiene sobre el medio ambiente. Constituye un movimiento a nivel mundial, con una importante implantación en ciertos países, entre los que destaca Canadá (donde se encuentra su oficina central), Estados Unidos o Italia. Este sistema ha promovido la certificación SB TOOL que cuenta con características que la diferencian claramente del resto de sistemas de evaluación ambiental de edificios. De ellas, la principal, es su ánimo de constituirse en global y gratuita. De este modo, todo el procedimiento y metodología de evaluación es público y accesible a través de su web donde se facilita poder descargar la herramienta GBTool con la que se efectúa la evaluación. Esta iniciativa persigue lograr construcciones y edificaciones más sostenibles y saludables para todos cuantos habitan, trabajan o viven en las mismas.

El Certificado DGNB, que no viene sino a corresponderse con las siglas o iniciales de la frase alemana: Deutsche Gesellschaft für nachhaltiges Bauen[38], es un certificado de la Asociación Alemana para la construcción sostenible en el que además de las características medioambientales, se tienen en cuenta las cualidades económicas y socioculturales de los propios edificios, lo que contribuye a hacer de los mismos edificios saludables, o por lo menos, favorece tal posibilidad. Este certificado propone una serie de medidas, concretamente, cincuenta y una, cuyo cumplimiento, ya sea de manera total o parcial, implica la obtención de puntos en cada categoría de impacto, lo que permite otorgar una calificación final al respectivo edificio que se concreta en alguna de estas tres categorías: Oro: para proyectos con puntuación superior al 80%. Plata: para los proyectos cuya puntuación está entre el 65% y el 79%. Y Bronce: para proyectos con puntuaciones entre el 50% y el 64%.

---

[37]   Cuya traducción al español es: "Iniciativa para un entorno construido sostenible".
[38]   Cuya traducción al español es: "Sociedad alemana para la construcción sostenible".

Por último, debo hacer referencia, también sumaria, al sistema HQE, acrónimo del enunciado en francés: Haute Qualité Environnementale[39]. Tal denominación se corresponde con una asociación francesa que desde una perspectiva de desarrollo sostenible busca crear un conjunto de normas relacionadas con el sector de la construcción y el medio ambiente. A tal efecto ha desarrollado catorce sub-impactos del proyecto que se pueden jerarquizar en las particularidades del mismo, según tres niveles de comportamiento posible: básico (que implica el mero cumplimiento de la legislación vigente), bueno y muy bueno. Ni que decir tiene, que su objetivo final es lograr la mayor calidad posible en las construcciones y edificaciones, desde el máximo respeto al medio ambiente, lo que, sin lugar a dudas de ningún género, coadyuva no solamente a lograr construcciones y edificaciones más sostenibles, sino también, más saludables.

4. LA CONCRETA Y PARTICULAR SITUACIÓN DE ESPAÑA POR LO QUE A LAS CONSTRUCCIONES Y EDIFICACIONES SALUDABLES SE REFIERE

Si bien es cierto que las construcciones y edificaciones sostenibles y más concretamente, las construcciones saludables, son una novedad relativamente reciente a nivel mundial, dado que las mismas sólo han podido constituirse como una realidad incuestionable cuando el estado de la técnica ha sido tal que las ha hecho posible, pues como reza el título del presente capítulo de libro, no dejan de ser sino el resultado final de la sinergia de salud y tecnología en las edificaciones, no es menos cierto que España anda un poco atrasada respecto de otros países europeos, que la llevan cierta ventaja tanto en la regulación normativa de las mismas, como en su implementación y número total de ellas, como entre otros es el caso de Alemania, Francia u Holanda, lo que no responde, en última instancia, sino a una mayor concienciación y apuesta de tales países por las construcciones y edificaciones saludables que la existente en España, en donde todavía no ha calado lo suficiente, ya no sólo la importancia y necesidad de contar con construcciones y edificaciones saludables, sino ni tan siquiera

---

[39] Cuya traducción al español es: "Alta Calidad Medioambiental".

con construcciones y edificaciones sostenibles y todo ello a pesar de predicar la necesidad de lograr ciudades sostenibles. De hecho, bien se puede decir que España se caracteriza en tal cuestión por un querer que no termina de materializarse, ya que cuenta con instrumentos de sobra que perfectamente pueden posibilitar la implantación de construcciones y edificaciones saludables como, entre otros, a los que a continuación me referiré, diversos sistemas de certificación a nivel estatal y autonómico, la Guía Metodológica para los Sistemas de Auditoría, Certificación o Acreditación de la Calidad y Sostenibilidad en el Medio Urbano o el Código Técnico de la Edificación.

4.1. Referencia sumaria a algunos sistemas españoles de certificación que potencialmente contribuyen a implementar, o cuanto menos, favorecen el surgimiento de construcciones y edificaciones saludables

España cuenta con diversos sistemas de certificación tanto a nivel estatal como autonómico, no propiamente de evaluación de la sostenibilidad y certificación urbana, como los aludidos LEED, BREEAM o CASBEEE, que posibilitan, de ser bien empleados y correctamente enfocados, la implementación de construcciones y edificaciones saludables. Me referiré a continuación, de manera sumaria, y a modo únicamente de ejemplo, a tres que operan a nivel estatal y a dos que operan en el ámbito autonómico.

El primero de los sistemas de certificación que opera a nivel nacional es el denominado sistema VERDE. Se trata de un sistema de certificación desarrollado por el Comité Técnico del Green Building Council Espana (GBC España)[40], con la colaboración del Grupo de Investigación ABIO-UPM, e instituciones y empresas asociadas a GBC España. Esta es una Organización sin ánimo de lucro, creada a finales del año 2007, y constituida por diferentes entidades públicas y privadas, cuyo objetivo prioritario es cuantificar el impacto ambiental, social y económico de los edificios, basándose para ello tanto en el Código Técnico de la Edificación como en las Directivas Comunitarias que regulan tal materia, lo que teóricamente debe pro-

---

[40]   Cuya traducción al español es: "Consejo de construcción ecológica España".

piciar el surgimiento tanto de construcciones y edificaciones sostenibles como saludables.

El segundo de los sistemas de certificación que opera a nivel nacional es la denominada certificación GVE (Gestión del Valor de Edificios), Se trata de una iniciativa de AENOR (Agencia Española de Normalización y Certificación), cuyo objetivo es distinguir los edificios que son gestionados con criterios de valor, destacando en dicho valor los comportamientos ambientales y sostenibles. Esta certificación no atiende a las condiciones de diseño del edificio, sino que se orienta tanto al uso como a las condiciones de explotación y mantenimiento de los inmuebles. Ni que decir tiene que dicha certificación también puede contribuir y de hecho contribuye al surgimiento de construcciones y edificaciones saludables.

El tercero de los sistemas de certificación que opera a nivel nacional es CENER. Este sello se centra en la calidad medioambiental en la edificación. Data del año 2007, cuando lo pone en marcha en mayo de dicho año el Centro Nacional de Energías Renovables con el respaldo del Consejo Superior de los Colegios de Arquitectos de España (CSCAE). Como es propio, en general, de los sistemas de certificación a los que me vengo refiriendo, el objetivo principal del mismo consiste en promover la construcción sostenible a nivel estatal, con el fin de reducir las emisiones de gases de efecto invernadero que son las que se considera principales causantes del cambio climático. En virtud de ello y como medida incentivadora en la consecución de tal logro, el sello a que ahora me vengo refiriendo entrega un distintivo a los edificios que tienen mejores y más adecuadas prestaciones energéticas y ambientales, sobre los que meramente cumplen la normativa vigente, motivo por el cual, también contribuye el mismo a la existencia de construcciones y edificaciones no sólo sostenibles, sino también saludables, aunque tiene un claro e innegable sesgo que se centra principalmente en el ámbito energético.

Junto a los sistemas de certificación estatales o de ámbito nacional, coexisten, tal y como he apuntado al comienzo del presente subapartado, certificaciones que operan a nivel autonómico y que como aquellos contribuyen a la existencia de construcciones y edificaciones saludables. La primera de ellas, es la denominada QSOSTENIBLE. Se trata de una certificación voluntaria emitida por la Agencia de

Acreditación Sostenible, que es una entidad de investigación científica y base tecnológica vinculada a diferentes Universidades y Fundaciones Universitarias de la Comunidad Autónoma de Andalucía. El origen tanto de la referida agencia como de la certificación QSOSTENIBLE se encuentra en un proyecto de investigación desarrollado en cooperación entre el sector de la construcción y diferentes departamentos universitarios vinculados a la construcción. Su fin es ordenar y certificar como sostenibles las edificaciones que garanticen que han minimizado el impacto en el medio ambiente y que se han regido por criterios de sostenibilidad, evitando auto-denominaciones de sostenibilidad y la confusión que ello provoca en los usuarios y la sociedad.

El segundo sistema mediante el cual se favorece la implementación de construcciones y edificaciones no sólo sostenibles, sino también saludables, a nivel autonómico, es a través del denominado Perfil de Calidad de la Edificación. El mismo es un distintivo de calidad promovido por la Generalidad Valenciana a través del Instituto Valenciano de la Edificación. Dicho perfil es de carácter voluntario y su objetivo es trasladar al posible o futuro comprador información objetiva sobre la calidad de la vivienda a adquirir, incluyendo ciertos aspectos ambientales, si bien no se trata exclusivamente de un sello ambiental, dado que incluye mejoras en ahorro energético, protección medioambiental, confort acústico, accesibilidad o calidad espacial. Las mejoras superan la normativa existente en materia de edificación y dan respuesta al incremento de calidad demandado por los consumidores, motivo por el cual contribuye, sustancialmente, a la implementación de construcciones y edificaciones no sólo sostenibles sino también saludables.

No puedo terminar el presente subapartado sin apuntar que pese a existir en España diversos sistemas de certificación de las construcciones y edificaciones tanto a nivel nacional como a nivel autonómico que tienden en última instancia a procurar construcciones y edificaciones no solo sostenibles sino también saludables, las mismas no se encuentran a día de hoy ni suficientemente difundidas, ni, sobre todo, son aplicadas de manera generalizada, en gran medida debido a que, por un lado, son voluntarias, y por otro lado, es más teórica que real tanto en la población como en los dirigentes políticos la necesidad de su existencia.

4.2. La Guía Metodológica para los sistemas de Auditoría, Certificación o Acreditación de la calidad y sostenibilidad en el medio urbano

Lo primero de todo que debo precisar, al igual que he hecho con los sistemas de certificación nacionales y autonómicos a que me he referido en el subapartado precedente, es que la Guía Metodológica para los Sistemas de Auditoría, Certificación o Acreditación de la Calidad y Sostenibilidad en el Medio Urbano, no es un verdadero y auténtico sistema de evaluación de la sostenibilidad y certificación urbana, sino, más bien, un estudio previo para, partiendo del mismo, poder crear un sistema español de auditoría y certificación en sentido estricto[41]. Pese a ello, considero pertinente incluir la misma dentro del presente trabajo, por dos motivos fundamentales: En primer lugar, porque la tan aludida Guía, trata de manera muy exhaustiva los principales requisitos que debe de cumplir un sistema de auditoría urbana, ya que propone un listado muy amplio de indicadores de sostenibilidad, separando los referentes a tejidos urbanos nuevos, de los existentes, respecto de todos los cuales propone un sistema de evaluación. En segundo lugar, porque aun no siendo un sistema de evaluación de la sostenibilidad y certificación urbana en sentido estricto, es lo más parecido y cercano que tenemos al mismo en España.

Tal y como he apuntado en el párrafo precedente, la Guía Metodológica para los Sistemas de Auditoría, Certificación o Acreditación de la Calidad y Sostenibilidad en el Medio Urbano, centra gran parte del estudio que le da soporte, en la sostenibilidad urbana y consiguiente auditoría, para así poder verificar, acreditar o comprobar que la respectiva actuación que se quiera llevar a cabo cumple con las exigencias y parámetros establecidos. No obstante, la consecución de tal objetivo y antes de él, su misma concepción, requiere, exige, un determinado ambiente, contexto o entorno que lo posibilite, que lo favorezca, o en el peor de los casos, que no lo impida, en definitiva, un caldo de cultivo propicio desde el punto de vis-

---

[41] Véase sobre el particular el trabajo de LABARGA GIL, T. O., "Sistemas de evaluación de sostenibilidad y certificación urbana versus guía metodológica para los sistemas de auditoría, certificación o acreditación de la calidad y sostenibilidad en el medio urbano", *Práctica Urbanística*, núm. 157, 2019, págs. 1 y ss.

ta económico, social, y por supuesto, jurídico. Pues bien, todas estas circunstancias confluyeron, y de manera destacadísima esta última, con la aprobación de la Ley 2/2011, de 4 de marzo, de Economía Sostenible, al establecer dentro de su articulado, de manera categórica e imperativa, que los poderes públicos deben desarrollar políticas al servicio de un medio urbano sostenible[42].

Por lo que a la Guía Metodológica para los Sistemas de Auditoría, Certificación o Acreditación de la Calidad y Sostenibilidad en el Medio Urbano se refiere, debo señalar que ésta propone agrupar los diferentes criterios posibilitadores de la ulterior auditoría urbana, según diferentes ámbitos temáticos, los cuales, cuentan con una serie de indicadores para poder evaluar el grado de cumplimiento de cada área. Las áreas propuestas para agrupar los indicadores son las siguientes[43]: A) Compacidad y funcionalidad: 01.– Ocupación del suelo. 02.– Espacio público y habitabilidad. 03.– Movilidad y servicios. B) Complejidad: 04.– Complejidad. 05.–Espacios verdes y biodiversidad. C) Eficiencia: 06.–Metabolismo urbano. D) Cohesión: 07.– Cohesión social. 08.– Gestión y gobernanza.

Resulta destacable y de ahí que lo traiga a colación, que a diferencia del sistema de certificación PASSIVHAUS y de los sistemas de evaluación de la sostenibilidad y certificación urbana LEED y BREEAM, la Guía Metodológica para los sistemas de Auditoría, Certificación o Acreditación de la calidad y sostenibilidad en el medio urbano, no se centra mucho en los edificios que integran la ciudad, y menos aún, se preocupa de las condiciones interiores de los mismos, al menos, como lo hacen los sistemas de certificación a que me he referido con anterioridad, lo que es uno de los motivos a los que se debe achacar que las construcciones y edificaciones sostenibles y más concretamente, saludables, no hayan tenido ni tengan en España el mismo desarrollo

---

[42]   Véase sobre el particular, GARCÍA-MORENO RODRÍGUEZ, F., "La rehabilitación y la renovación urbana: actuaciones estratégicas sobre las que se articula y construye el medio urbano sostenible", en *Comentarios a la Ley de Economía Sostenible*, La Ley, Madrid, 2011, págs. 533 y ss.

[43]   Guía Metodológica para los sistemas de Auditoría, Certificación o Acreditación de la Calidad y Sostenibilidad en el Medio Urbano, Ministerio de Fomento, Madrid, 2012.

que han tenido en otros países de nuestra órbita, como son el caso, ya indicado, de Francia, Alemania u Holanda.

4.3. El Código Técnico de la Edificación

El Código Técnico de la Edificación no responde sino a la concreción apuntada ya en la Ley 38/1999, de 5 de noviembre, de ordenación de la Edificación. Ésta, supuso en su momento un importante paso por lo que a las construcciones y edificaciones sostenibles y sobre todo saludables y seguras se refiere, dado que, hasta el momento, tales características, por otro lado, fundamentales, estaban prácticamente excluidas de toda regulación[44]. Todo se centraba en el urbanismo y en cómo hacer ciudad, pero poco en las construcciones y edificaciones que conforman esta última, lo que, en gran medida, vino a suplir dicha norma[45].

El hecho evidente de la incidencia de la referida Ley en las construcciones y edificaciones saludables se aprecia desde el mismo momento en que en su artículo 3, titulado: *"Requisitos básicos de la edificación"*, regula el legislador los edificios en relación con la funcionalidad[46], seguridad[47] y

---

[44] El importante paso a que aludo en el texto *ut supra* en relación con lo que supuso la aprobación de la Ley 38/1999, de 5 de noviembre, de Ordenación de la Edificación, respecto de las construcciones y edificaciones sostenibles y más concretamente, saludables, se constata ya en la propia Exposición de Motivos de aquella, cuando el legislador reconoce que: *"...la sociedad demanda cada vez más la calidad de los edificios (...) como en otros aspectos vinculados al bienestar de las personas, como la protección contra el ruido, el aislamiento térmico o la accesibilidad para personas con movilidad reducida"*.

[45] En la propia Exposición de Motivos de la Ley 38/1999, de 5 de noviembre, de Ordenación de la Edificación, tras señalar el legislador que: *"El sector de la edificación es uno de los principales sectores económicos con evidentes repercusiones en el conjunto de la sociedad"*, reconoce aquel que: *"...sin embargo, carece de una regulación acorde con esta importancia"*, para más adelante apostillar que: *"...la tradicional regulación del suelo contrasta con la falta de una configuración legal de la construcción de los edificios..."*.

[46] Artículo 3.1 a) de la Ley 38/1999, de 5 de noviembre, de Ordenación de la Edificación.

[47] Artículo 3.1 b) de la Ley 38/1999, de 5 de noviembre, de Ordenación de la Edificación.

habitabilidad[48], en cada uno de cuyos apartados hay múltiples aspectos que tienen que ver y contribuyen a lograr construcciones y edificaciones saludables, como por ejemplo y sin ánimo de exhaustividad, la higiene, salud y protección del medio ambiente, la protección contra el ruido, el ahorro de energía o el aislamiento térmico entre otros aspectos a que me podría referir.

La aludida Ley, resulta igualmente relevante en relación con las construcciones y edificaciones saludables no sólo ya porque contempla la regulación que posibilita las mismas, sino también porque impulsa decidida e incuestionablemente el Código Técnico de la Edificación[49], señalando en relación con este último, asimismo, en el artículo 3 de la Ley, y más concretamente en el artículo 3.2, que: *"El Código Técnico de la Edificación es el marco normativo que establece las exigencias básicas de calidad de los edificios de nueva construcción y de sus instalaciones, así como de las intervenciones que se realicen en los edificios existentes...".*

En virtud de lo establecido en la Disposición final segunda de la Ley 38/1999, de 5 de noviembre, de Ordenación de la Edificación, titulada: *"Autorización al Gobierno para la aprobación de un Código Técnico de la Edificación"*, aprobó este último, a través del Real Decreto 314/2006, de 17 de marzo, el Código Técnico de la Edificación, el cual, como indica en su propio preámbulo o Exposición de Motivos, trata de dotar de mayor calidad a las construcciones y edificaciones, en una clara línea que, sin manifestarlo expresamente, pretende lograr construcciones y edificaciones más sostenibles y saludables. Así, determina el mismo que: *"...unos procesos de urbanización y edificación acelerados han configurado la realidad actual de una gran parte del patrimonio edificado de nuestro país..."*, lo que ha generado, sigue diciendo el legislador: *"...unos entornos edificados que dan satisfacción razonable a las necesidades básicas de la mayoría de la población española..."*, si bien y pese a ello, reconoce aquel que: *"...la gran cantidad de nueva edificación construida en los últimos años y en dé-*

---

[48]   Artículo 3.1 c) de la Ley 38/1999, de 5 de noviembre, de Ordenación de la Edificación.

[49]   Disposición final segunda de la Ley 38/1999, de 5 de noviembre, de Ordenación de la Edificación, titulada, ya muy significativamente: *"Autorización al Gobierno para la aprobación de un Código Técnico de la Edificación"*.

cadas anteriores no siempre ha alcanzado unos parámetros de calidad adaptados a las nuevas demandas de los ciudadanos", los cuales *"... como ocurre en otros países de nuestro entorno, demandan cada vez más calidad en los edificios..."*, para apostillar finalmente, que: *"Esta demanda de una mayor calidad de la edificación responde a una concepción más exigente de lo que implica la calidad de vida para todos los ciudadanos en lo referente al uso del medio construido"*.

En definitiva, el Código Técnico de la Edificación es un instrumento normativo que determina las exigencias básicas de calidad de las construcciones y edificaciones, prestando una especial atención no sólo a la exigencia de sostenibilidad de los procesos edificatorios y urbanizadores en su triple dimensión ambiental, social y económica (construcciones y edificaciones sostenibles), sino también a la exigencia de seguridad y bienestar de las personas que viven o habitan en ellos (construcciones y edificaciones saludables). Con ello, el Código Técnico de la Edificación crea un marco normativo homologable al existente en los países más avanzados y armoniza la reglamentación nacional existente en la edificación[50] con las disposiciones de la Unión Europea vigentes en esta materia.

Pues bien, pese a ser cierto que muchas de las condiciones y exigencias que se establecen en el Código Técnico de la Edificación deberían coadyuvar no sólo a la construcción de edificaciones sostenibles sino también saludables[51], la verdad es que el mismo apenas ha logrado satisfacer los estándares de calidad y eficiencia energética exigidos, al igual que otros parámetros especialmente importantes para lograr la adecuada calidad de vida en las construcciones y edificaciones de que en cada caso se trate, como el ruido, etc... Tal hecho es debido, a mi modo de ver, a dos cuestiones, una coyuntural y otra más permanente y profunda a la par que preocupante. La primera, coyuntural, se ha

---

[50]   La cual venía constituida, básica y fundamentalmente, por el Real Decreto 1650/1977, de 10 de junio, sobre normativa de la edificación, en el que se establecieron las normas básicas de la edificación, como disposiciones de obligado cumplimiento en la proyección y ejecución de los edificios.

[51]   Como por ejemplo y entre otras, la protección frente a la humedad, la recogida y evacuación de residuos, la calidad del aire interior, el debido y eficiente suministro y evacuación de agua potable, protección frente al ruido, ahorro de energía, y otras más a que podría hacer alusión.

debido a la especial incidencia que en el sector de la construcción tuvo la grave y pertinaz crisis económica que se desencadenó en el año 2008 como consecuencia del estallido de la denominada "Burbuja inmobiliaria", agravada por la convergencia de la crisis financiera y crediticia que a nivel mundial aconteció en dichos años. La segunda, como ya he apuntado, más permanente, profunda y, sobre todo, preocupante, se ha debido, y en gran medida se debe, a la escasa conciencia social existente por contar con construcciones y edificaciones sostenibles y saludables.

5. CONCLUSIONES

PRIMERA.– Las construcciones y edificaciones sostenibles, junto con las construcciones y edificaciones saludables, son un producto representativo, o cuanto menos, más propio —que no, exclusivo— del vigente modelo urbano, caracterizado, como es sabido, por el urbanismo sostenible y la rehabilitación urbana, que del modelo tradicional urbano en el que al primar casi exclusivamente el desarrollismo y expansión de las ciudades, en definitiva, el ensanche de las mismas, se prestaba poca atención tanto al parque de viviendas y construcciones en general existente, como a las nuevas construidas o por hacer, al anteponer la cantidad sobre la calidad.

SEGUNDA.– Si bien lo deseable sería que las construcciones y edificaciones sostenibles fuesen saludables y viceversa, no puede establecerse a día de hoy una correlación, al menos, automática, entre unas y otras, y ello pese a ser plenamente complementarias en los fines y metas que persiguen cada uno de tales tipos o clases de construcciones y edificaciones, ya que las primeras se centran en una serie de aspectos externos de la construcción o edificación con la finalidad de que sea lo más respetuosa posible con el medio ambiente circundante, mientras que las segundas se focalizan en el interior de las construcciones y edificaciones tratando de alcanzar niveles óptimos de confort y calidad de vida para quienes trabajan o residen en las mismas.

TERCERA.– Las construcciones y edificaciones saludables deben tener una serie de características, todas ellas, encaminadas a conseguir el mayor confort y calidad de vida de quienes van a trabajar o residir en ellas, las cuales se considera que son, sin ser todas, básica y fundamentalmente, las siguientes: La calidad del aire, una ventilación adecuada, un aceptable confort térmico; el aprovechamiento correcto de la luz natural para iluminación y soleamiento; una satisfactoria insonorización que proteja de todo tipo de ruidos indeseables; garantizar la seguridad del inmueble tanto en situaciones normales como ante cualquier contingencia natural o artificial, así como preservar los mismos de polvo, plagas y humedades. La suma de todas y cada una de estas características hace que las construcciones y edificaciones que cuenten con ellas sean merecedoras de ser calificadas como saludables.

CUARTA.– Los diversos sistemas de evaluación de la sostenibilidad y certificación urbana que han ido surgiendo a nivel internacional, tienen como finalidad fundamental evaluar la sostenibilidad que muchas ciudades predican de sí mismas, para lo cual y debido a lo complejo que resulta medir o cuantificar aquella, descomponen la sostenibilidad en diversos campos o ámbitos, teniendo cabida en uno de ellos, las construcciones y edificaciones con que cuenta la ciudad o se encuentran pendientes de ser ejecutadas, valorando mucho en dicho apartado el que las mismas no sólo sean sostenibles sino también saludables, si bien sin referirse expresamente a tal calificativo, por lo que contribuyen notablemente a la existencia y surgimiento de estas últimas.

QUINTA.– Las construcciones y edificaciones saludables no han tenido en España ni la presencia ni la proyección que se esperaba de las mismas, máxime, si se compara su número y tendencia de crecimiento con la de otros países de nuestra órbita más cercana, como, entre otros, es el caso de Francia, Alemania u Holanda, lo que ha sido debido, básica y fundamentalmente, a dos motivos, uno, puramente coyuntural, cual es, la grave y pertinaz crisis inmobiliaria padecida durante no pocos años, debida al estallido de la denominada "Burbuja inmobiliaria", y otro, más permanente, profundo y sobre todo, preocupante, debido a la escasa concienciación que aun a día de hoy tiene la sociedad española con respecto a la necesidad e importancia de contar con construcciones y edificaciones sostenibles y saludables.

BIBLIOGRAFÍA

ALAVEDRA RIBOT, P., DOMÍNGUEZ, J., GONZALO, E. y SERRA, J., "La construcción sostenible: el estado de la cuestión", *Informes de la construcción*, vol. 49, núm. 451, 1997.

ARCINIEGAS PEÑA, L. M., "Criterios tecnológicos para el diseño de edificios inteligentes", *Telématique: Revista Electrónica de Estudios Telemáticos*, vol. 4, núm. 2, 2005.

AZMECUA ORMEÑO, E., "La renovación urbana como manifestación del paradigma del urbanismo sostenible", *Revista de Derecho Urbanístico y Medio Ambiente*, núm. 285, 2013.

CABELLOS VELASCO, M. y URQUIZA AMBRINOS, F., "La eficiencia energética como instrumento para reducir la pobreza energética", *Cuadernos de energía*, núm. 48, 2016.

CARO GALLEGO, C. y FERNÁNDEZ HERRERO, J., "La sostenibilidad a examen: herramientas de certificación", *en Actas del I Congreso Internacional de Construcción Sostenible y Soluciones Eco-eficientes*, Universidad de Sevilla, Sevilla, 2013.

DE LA ROSA, R., *El lugar y la vida: cómo crear una casa saludable y mejorar los edificios enfermos*, Oasis, Barcelona, 1998.

ESPALIAT CANU, M., "Mantenimiento y gestión ambiental e higiénico-sanitaria de edificios e instalaciones", *Mantenimiento: ingeniería industrial y de edificios*, núm. 186, 2005.

GARCÍA-MORENO RODRÍGUEZ, F., "La rehabilitación y la renovación urbana: actuaciones estratégicas sobre las que se articula y construye el medio urbano sostenible", en *Comentarios a la Ley de Economía Sostenible*, La Ley, Madrid, 2011.

GARCÍA-MORENO RODRÍGUEZ, F., "Una visión panorámica del paulatino, pero, irreversible cambio, de la expansión de nuestras ciudades a su reforma interior: situación presente y perspectivas de futuro", *Práctica Urbanística*, núm. 138, 2016.

GARCÍA-MORENO RODRÍGUEZ, F. y GARABITO LÓPEZ, J. C., "La necesaria objetivación en nuestras ciudades y pueblos: los sistemas de evaluación de la sostenibilidad y certificación urbana", *Revista de Derecho Urbanístico y Medio Ambiente*, núm. 310, 2016.

GIFREU I FONT, J., "La vivienda en tiempos del COVID-19: ¿Nuevas vulnerabilidades sociales? Del impacto inicial a los restos del futuro", *Revista de Derecho Urbanístico y Medio Ambiente*, núm. 337-338, 2020.

GÓMEZ JIMÉNEZ, M. L., "Vivienda domótica adaptada a la emergencia sanitaria: ideas preliminares, retos y propuestas normativas para la sociedad post COVID-19", *Revista de Derecho Urbanístico y Medio Ambiente*, núm. 337-338, 2020.

GUTIÉRREZ CUEVAS, B., "Por una construcción de edificios y viviendas energéticamente eficientes", *Cemento Hormigón*, núm. 999, 2020.

GUTIÉRREZ DAVID, M. E., "Aproximación iuspublicista y normalizada a los edificios inteligentes en el marco del nuevo urbanismo datificado y algoritmizado", *Revista de Derecho Urbanístico y Medio Ambiente*, núm. 343, 2021.

GRAU TERÉS, A., "La rehabilitación, una oportunidad para conseguir edificios Smart. Las claves: eficiencia, confort, seguridad y salud", *El Instalador*, núm. 551, 2017.

HERNÁNDEZ MORENO, S., "Emisiones contaminantes de materiales de construcción en el interior de los edificios: Caso de los tableros de yeso", *CIENCIA ergo-sum*, núm. 3, 2007.

LÓPEZ FERNÁNDEZ, L., "Merecemos que los edificios protejan la salud y la calidad de vida", *CIC: publicación mensual sobre arquitectura y construcción*, núm. 554, 2019.

MANGADA SAMAÍN, E., "Ciudad compacta, dispersa o difusa", *Temas para el debate*, núm. 252, 2015.

NARVÁEZ PEÑA, M., VILLA COLLAR, C. y RODRÍGUEZ MARTÍN, J. L., "Los ambientes interiores (iluminación, temperatura y humedad) en edificios de oficinas y su repercusión en la superficie ocular", *Gaceta de optometría y óptica oftalmológica*, núm. 503, pág. 2015.

PEZZEY, J., *Sustainable Development Concept. An Economic Analysis*, International Bank for Reconstruction and Development / The World Bank, Washington DC, 1992.

POYATO LUQUE, R., "Garantizando la eficiencia energética y el ambiente saludable de los edificios ¿Qué debería comprobar?", *Energía de hoy. com*, núm. 2, 2013.

PULÍN, C., "Edificios enfermos: Salud", *Cambio 16*, núm. 1274, 1996.

RAVETZ, J., *Ct-region 2020: integrated planning for a sustainable environment (with forward by Secretary of State for the Environment)*, Earthscan Publications, London, 2000.

REY MARTÍNEZ, F. J. y CEÑA CALLEJO, R., *Edificios saludables para trabajadores sanos: calidad de ambientes interiores*, Consejería de Economía y Hacienda, Valladolid, 2006.

RIVELA CARBALLAL, B., BEDOYA FRUTOS, C. y GARCÍA SANTOS, A., "El reto de la sostenibilidad en construcción: procesos normativos en desarrollo y herramientas disponibles", *Revista de Derecho Urbanístico y Medio Ambiente*, núm. 279, 2013.

RUEDA I PALENZUELA, S., "Modelos urbanos más sostenibles. Modelos urbanos de ocupación del territorio: la ciudad compacta y la ciudad difusa", en *Experiencias de desarrollo local: Territorio y tecnología*, Aconcaua Libros, Sevilla, 2007.

SÁEZ, P., "Respirar aire saludable, también en el interior de los edificios", *El Instalador*, núm. 581, 2020.

SÁNCHEZ GOYANES, E., "El tránsito al urbanismo sostenible", *Práctica Urbanística*, núm. 52, 2006.

SUBIRATS, J., QUINTANA, I., VIDAL, M. y RUEDA PALENZUELA, S., "El Libro Verde de la sostenibilidad urbana y local en el ámbito de la sostenibilidad social: Hábitat urbano e inclusión social", en *El Libro Verde de Sostenibilidad Urbana y Local en la Era de la Información*, Ministerio de Agricultura, Alimentación y Medio Ambiente, Madrid, 2012.

Algoritmos predictivos, robótica médica, bio-impresión, edición genética CRISPRS, y otros desafíos de la integración tecnológica en la asistencia sanitaria: propuestas normativas desde la definición de los neuro-derechos[1]

MARÍA LUISA GÓMEZ JIMÉNEZ
Profesora Titular de Derecho Administrativo de la Universidad de Málaga
Directora Red de Inteligencia Artificial aplicada a la SALUD (REDIAS
Subdirectora del Instituto Andaluz de Biotecnología y Desarrollo Azul

SUMARIO: 1. ATENCIÓN A LA ASISTENCIA SANITARIA, Y AUTOMATIZACIÓN. 2. ALGORITMOS PREDICTIVOS Y ATENCIÓN A LA ASISTENCIA SANITARIA EN PLENA PANDEMIA. 2.1. Detectando riesgos: del algoritmo predictivo al algoritmo prospectivo y prescriptivo. 3. LOS NUEVOS RETOS JURÍDICOS QUE SE AVECINAN: INNOVACIONES Y APLICACIONES FRONTERA. 3.1. Robótica Médica un campo en expansión que debe ser atendido. 3.2. Edición Genética y CRISPR-Cas9, desde el derecho administrativo español: innovaciones y cuestiones bioéticas vinculadas. 3.3. M-salud, "wearables" e integración domótica en la atención sanitaria. 3.4. Bio-impresión: de la innovación a la atención legal. 4. LOS NEURO-DERECHOS: CONCEPTO Y RÉGIMEN JURÍDICO. 4.1. Carta de Derechos Digitales: elementos de regulación desde el soft-law administrativo. 5. ALGUNAS REFLEXIONES SOBRE LOS NUEVOS DESAFÍOS PARA EL DERECHO ADMINISTRATIVO. 5.1. Seguridad como desiderátum: la importancia de la Ciberseguridad. 5.2. Tratamiento de datos personales en materia sanitaria y herramientas de automatización de asistencia y tratamiento médico.

---

[1] El presente capítulo es fruto de las investigaciones desarrolladas en el seno de la Red Temática de Investigación financiada con cargo al plan propio de la Universidad de Málaga, D-6, REDIAS, Red de inteligencia artificial aplicada a la Salud. El Trabajo se desarrolla además en sinergia con las actividades desarrolladas en el marco del proyecto UMA18 FEDERJA-261.IP. Dra. María Luisa GÓMEZ JIMÉNEZ.

1. ATENCIÓN A LA ASISTENCIA
SANITARIA, Y AUTOMATIZACIÓN

Independiente de la escasa, sino nula atención de nuestra legislación sanitaria[2] hasta la fecha a la innovación tecnológica imbricada en la forma de la Salud Digital o e-salud, lo cierto es que esta ha venido a desarrollarse a pasos agigantados de la mano de la necesidad por contar con herramientas que permitieran no sólo llegar a los mayores, favoreciendo la comunicación con su entorno, sino con el fin de proporcionar un diagnóstico certero —o una primera atención diagnóstica— cuando éste no podía desplazarse físicamente a la consulta, por razones médicas físicas, o inclusive económicas.

Diversas son las denominaciones que han venido a ocuparse de la idea de incorporar la tecnología a la prestación de la asistencia sanitaria. Algunos de los términos precedentes al actual nos situaban en la idea de la telemedicina. Sería la Organización Mundial de Salud la que, en enero de 1997, vino a introducir la expresión telemedicina para referirla a los avances de la entonces denominada "Telemática", en el ámbito de la salud[3]. Expresión que si bien incorporaba un avance tecnológico no había más que iniciar la proyección de la tecnología no sólo en la actividad de diagnóstico, sino de prestación de la asistencia sanitaria.

---

[2]   La Ley de Cohesión y calidad de la sanidad, y las disposiciones que en materia sanitaria han abordado diferentes aspectos vinculados a la asistencia sanitaria, no incorporan regulación específica sobre la salud digital o e-health.

[3]   El informe de la OMS a que hacemos referencia, que puede verse en: extension://ieepebpjnkhaiioojkepfniodjmjjihl/data/pdf.js/web/viewer. html?file=http%3A%2F%2Fapps.who.int%2Firis%2Fbitstream%2F10665%2 F194008%2F1%2FEB99_30_spa.pdf, incorpora atención a las siguientes áreas en la que debía aplicarse la tecnología:
      – Información de la gestión de las actividades desarrolladas en una institución sanitaria (planificación, programación, gestión, vigilancia y evaluación.
      – Información Clínica: en aspectos tales como el diagnóstico, y el tratamiento a través del uso de la imagen.
      – Información de Vigilancia y análisis epidemiológico: sobre las pautas de enfermedades y medidas asistenciales.
      – Publicaciones Oficiales.
      – Información técnica de otro tipo para técnicas como el diagnóstico de problemas médicos.

La telemedicina se definía entonces como: "la práctica de la atención médica con la ayuda de comunicaciones interactivas de sonido, imágenes y datos; ello incluye la prestación de asistencia médica, la consulta, el diagnóstico y el tratamiento, así como la enseñanza y la transferencia de datos médicos".

La rápida integración de dispositivos móviles conectados a internet y el uso cada vez más frecuente de internet en el ámbito privado[4], motivó que pronto la Organización Mundial de la Salud viniera a declarar el año 2005, como año del "Global Observatorio for E-health[5].

Tras la incorporación de está formulación que hoy queda lejana en el tiempo y ha caído en desuso, a la par que se incorporaban a nuestro ordenamiento jurídico disposiciones que auspiciaban el desarrollo de una administración electrónica. Téngase en cuenta que no sería sino hasta 2007, esto es 10 años más tarde, cuando se aprueba la Ley 11/2007 de acceso electrónico de los ciudadanos a los servicios públicos[6]. Pues bien, la atención a la integración de servicios electrónicos supuso un paso adelante en la mejora de la calidad asistencial, si bien su implementación fue jalonada por claro-oscuros derivados no sólo del despliegue de medios tecnológicos y competenciales sino de la propia proyección en el ámbito de las competencias y habilidades de los usuarios en el manejo de la tecnología, con fines de asistencia sanitaria o en la generación de cierta "confianza", en las nuevas vías de comunicación prevención y diagnóstico.

---

[4]   Sobre esta cuestión hemos hecho referencia en.

[5]   Sobre esta previsión y el origen de término e-salud, así como su evolución hasta fechas recientes merece la pena la lectura reposada de la tesis doctoral de la Doctora Carrión Robles, en particular págs. 82-93, que nos transita desde el origen de la expresión e-salud, de la mano de los trabajos de Gunter Eysenbach a principios de los años 2000, hasta.

[6]   Amén de la extensa literatura jurídica sobre el particular alguna de la cual hemos tenido la ocasión de integrar en el libro, *Automatización Procedimental y sesgo Electrónico. El procedimiento Administrativo frente a la Inteligencia Artificial*, Thomson Reuters-Aranzadi, 2021, puede verse alguna reflexión breve sobre el tema en GÓMEZ JIMÉNEZ, M. L. "Administración Electrónica y Servicios de Asistencia Sanitaria: Una breve reflexión sobre la Ley 11/2007, de acceso electrónico de los ciudadanos a los servicios públicos," en *Revista E-Salud.com* Vol. 5, núm. 17, 2009.

La E-salud[7], en el derecho administrativo tardó pues en llegar, y ha sido la pandemia la que ha dado un impulso definitivo en la dirección de hacer de la digitalización, y las herramientas telemáticas elementos precisos en la praxis diaria médica[8].

La intensidad en el uso de la tecnología y sus múltiples usos permitió la evolución de la noción de e-salud, y ha permitido diferenciar la m-salud[9], derivada del uso de dispositivos móviles para el cuidado de la salud[10]. Los avances tecnológicos que han permitido la puesta en funcionamiento de aplicaciones móviles que monitorean el cuidado de la salud[11], de t-salud, que se define como la incorporación de

---

[7]　Algunas ideas previas sobre la idea pudimos plantar años ha en el seno de la revista Esaldu.com, que en su día pusiera en marcha el instituto para el bienestar Ciudadano I2BC de la Junta de Andalucía y en cuyas líneas puede leerse breves contribuciones como: "La Expresión E-salud en el Derecho Administrativo Español (Parte I)", RevistaeSalud.com, Volumen 6 (2010), y "La Expresión E-salud en el Derecho Administrativo Español (II PARTE)", RevistaeSalud.com, Volumen 6 (2010)

[8]　El 81 por ciento de los profesionales sanitarios según señala el informe "Crisis sanitaria COVID-19: ¿Se ha acelerado la digitalización de tu práctica médica?", realizado por la Asociación de innovadores en e-Salud (AIES), reconocen que ya no pueden prescindir de las herramientas digitales en la práctica diaria. El informe puede verse en: https://laesalud.com/2021/esalud/profesionales-sanitarios-herramientas-digitales/

[9]　Según la Organización Mundial de la Salud, la m-salud se define como: "la práctica médica y de salud pública que se realiza con el apoyo de dispositivos móviles, como los teléfonos y aplicaciones móviles, dispositivos de monitorización de pacientes, asistentes digitales personales (PDA), y otros dispositivos inalámbricos".

[10]　Este punto ha sufrido una eclosión sin precedente con la puesta en marcha de dispositivos que se encargan de controlar las constantes vitales de lo usuarios desde wearables o dispositivos integrados en la ropa, el calzado o simplemente que pueden acomodarse en forma de gafas, reloj o de cualquier otro pequeño dispositivo capaz de medir las pulsaciones, el ritmo cardíaco, calcular la presión sanguínea e incluso conectar con servicios de emergencia sanitaria o con contactos pre-configurados en caso de un accidente caída o situación calificada de como de extrema gravedad o peligro.

[11]　Los distintos proyectos que vienen a desarrollarse en el ámbito de la m-salud, atiende a la aplicación de la tecnología derivada del uso de los dispositivos móviles, en distintas esferas de la salud. Así, el proyecto M-resist, que auspiciado por la Unión Europea pude verse en: https://www.mresist.eu/. El proyecto M-resist, es el primer proyecto europeo de salud móvil (mHealth) dirigido a desarrollar un programa terapéutico para las personas con esquizofrenia resistente al trata-

medios de televisión para prestar asistencia sanitaria. Bien es sabido que si bien la T-health[12] ha sido una propuesta innovadora, ha pasado en poco tiempo a ser superada por la proyección de los dispositivos móviles muchos más versátiles y a veces mejor conectados con los aparatos de televisión.

En este contexto, el escenario que viene a representar la cuarta revolución industrial[13], animado por una adelanto sin precedente en el reconocimiento de dispositivos de inteligencia artificial, está poniendo sobre la mesa que la evolución tecnológica permite cuando va de la mano de la investigación científico-sanitaria, una auténtica revolución en el forma de intervención no sólo en el diagnóstico, sino en la atención sanitaria, así como en medidas de prevención de la enfermedad, o de la mejora de las condiciones de salud pública de la población, monitorizando y atendiendo a situaciones de emergencia que han permitido ya salvar vidas.

Dejando al margen otras cuestiones vinculadas a la existencia de las mejoras regulatorias y su proyección en el ámbito de las ciencias del comportamiento para incidir y motivar la forma en la que nos comportamos —por ejemplo incentivar que la población acuda a un centro de vacunación para recibir la correspondiente dosis prevista en la pauta terapeuta— lo cierto es que los avances que se vislumbran vinculados a las tecnologías habilitadoras digitales o "key-enabling tecnolologies"[14] son de tal magnitud que en esta breves líneas sólo

---

miento, implicando a pacientes y cuidadores en la gestión de la enfermedad. Israel, Hungría y Cataluña son los lugares donde se llevarán a cabo los pilotos del estudio en pacientes con diagnóstico de esquizofrenia. Este proyecto está coordinado por la Fundació TIC Salut Social y lo encabeza clínicamente el Hospital Sant Pau de Barcelona y tecnológicamente el instituto de investigación iMinds de Bélgica. Asimismo, participan 12 entidades de 7 países diferentes.

[12]   Sobre esta cuestión puede verse: SÁINZ DE ABAJO, B. RODRÍGUEZ, J. P. *et al.*: "M-health y T-health. La evolución natural de la E-healh", en *Revista-esalud. com*, Vol. 7, núm. 25, 2011.

[13]   Sobre esta noción hemos podido reflexionar en GÓMEZ JIMÉNEZ *Automatización Procedimental y sesgo electrónico, El procedimiento Administrativo ante la Inteligencia Artificial*, Aranzadi 2021.

[14]   La definición de las tecnologías habilitadoras en el contexto europeo implica la inversión y los instrumentos que permiten ciclos de innovación rápida, empleos altamente cualificados orientados a la innovación a través de la economía y que suponen una relevancia sistemática. Las KETs son interdisciplinares, e implican

pueden ser brevemente esbozados atendiendo a la perspectiva de los derechos humanos, la dignidad humana y la atención al establecimiento de líneas rojas[15].

2. ALGORITMOS PREDICTIVOS Y ATENCIÓN A LA ASISTENCIA SANITARIA EN PLENA PANDEMIA

El término algoritmo, no es nuevo[16]. Pero su uso y su predicamento en el ámbito de las políticas públicas está cobrando una vigencia inusitada, al punto iniciar los debates jurídicos, siendo que el derecho siempre suele llegar tarde[17] a regular cuando las actividades productivas o los conflictos de intereses han tenido lugar. Así, las cosas parece preciso recordar que esta continúa carrera hacia la certidumbre jurídica y ajuste a la necesidad social, encuentra un reto especial en el ámbito de la medicina, en el escenario de cambios tecnológicos continuos acrecentados por la pandemia que atravesamos, cuando estas líneas se redactan. Al halo de certezas e incertezas o incertidumbres motivadas por la pandemia hay que sumar el que añade el debate ético presente[18]

---

15   avanzar en innovaciones fronteras, que integran a los lideres tecnológicos en diversos campos de actuación con el fin de generar un uso eficiente de los esfuerzos de https://ec.europa.eu/programmes/horizon2020/en/area/key-enabling-technologies investigación. Se puede ver sobre las KET a nivel europeo abundantes referencias entre ellas por todas: https://ec.europa.eu/programmes/horizon2020/en/area/key-enabling-technologies.

15   Es labor siempre del operador jurídico poner de manifiesto la necesidad de acudir al principio de precaución al principio de reserva de humanidad en la salvaguarda de la dignidad humana, aunque como tuvimos ocasión de exponer en otro lugar ésta se dibuje siempre con un contorno difuso y a veces se defina partiendo de su vulneración más que de su caracterización positiva. Así, en GÓMEZ JIMÉNEZ, M. L.: "Luces y sombras en torno a la integración tecnológica de las ciudades", en ALONSO IBÁÑEZ, R; *Retos de Desarrollo Urbano Sostenible e integrado*, Madrid 2018, pág. 91-106. Madrid.

16   Según el Diccionario de la real Académica de la lengua española, por Algoritmos se enciente "Conjunto ordenado y finito de operaciones que permite hallar la solución de un problema", Edición 2021. https://dle.rae.es/algoritmo.

17   Modulando un efecto reina roja que hemos analizado en otro lugar: GÓMEZ JIMÉNEZ, M. L. Urbanismo Participativo y Gobernanza Urbana en las Ciudades Inteligentes, Aranzadi, Madrid, 2019.

18   De MIGUEL BEIRAIN: "Medicina Personalizada, algoritmos predictivos y utilización de sistemas de decisión automatizados en asistencia sanitaria. Problemas

en el trasfondo del uso de la tecnología, especialmente cuando datos tan sensibles y relevantes como sean aquellos que afectan al estado de la salud de las personas están presentes.

Como puede apreciarse, pensar en asistencia automatizada sanitaria, y en la aplicación indiscriminada de algoritmos prometedores para avanzar en el tratamiento médico empieza despertando no pocos interrogantes que nos obligan a reflexionar sobre aspectos tales como:

– La protección de datos que afectan a la salud de las personas.

– El balance entre las ventajas derivadas del uso de las tecnologías y los riesgos que puedan llevar aparejados

– La importancia de la medicina personalizada versus la masiva producción de información derivada del big data.

– La implicación de una toma de decisiones automatizadas en materia de salud, y afección de los derechos subjetivos de los pacientes y de la autonomía del paciente a disponer sobre su asistencia sanitaria.

La relación de cuestiones que pueden ser descritas, adquieren en plena pandemia una especial significación, pues la necesidad de conocer la incidencia acumulada, la velocidad de propagación del virus SARS-COV2, o la importancia de gestionar los protocolos de vacunación amén otras cuestiones relativas a la delimitación de colectivos, vulnerables, protocolos de actuación … lo que acaba haciendo preciso el manejo de información precisa tanto para el diagnóstico como para la implementación de protocolos y activación de restricciones o medidas de corte administrativo, aplicadas a la gestión del servicio de asistencia sanitaria o destinada a la limitación de actividad que conlleva las medidas de carácter profiláctico, que no impliquen asistencia médica.

Todo lo anterior ha llevado a la gestión lo que LASALLE denominó un "Data tsuanmi"[19], que ha cambiado la manera en la que las decisiones de gestión de políticas públicas se adoptan[20]. Y es que con

---

éticos", *Dilmatae*, Revista Internacional de éticas aplicadas, núm. 30, 93-109.

[19] LASALLE, J. M.: Ciber-Leviathan, Arpa Alfil Editores, 2019.

[20] Algunos ejemplos de lo que queremos decir nos la trae con acierto PONCE SOLE en: "Inteligencia artificial, derecho administrativo y reserva de humanidad:

el volumen de información manejada es posible establecer no sólo diagnósticos, sino determinar el tratamiento que deba implementarse al paciente, independientemente de que éste haya mostrado su voluntad o no de someterse a él.

Y es precisamente la expresión de la voluntad del paciente la que determina no sólo la aplicación de la normativa de protección de datos —en expresión del consentimiento— sino la conciencia de que la información puede fluir sin que el paciente sepa que sus datos están siendo recopilados o que dicha recopilación puede ser utilizada para su tratamiento asistencial. Bástenos recordar en este punto la Sentencia del Caso Syri en Holanda[21] en cuanto que integra el conflicto de intereses que se proyecta en la defensa de derecho a la protección de la intimidad y los datos personales y la necesidad de contar con información para poder llevar a cabo el diseño de políticas de atención sanitaria.

En este contexto es importante diferenciar la introducción de medios vinculados a la e-salud o salud digital, que permite por ejemplo no sólo la digitalización de la documentación sanitaria (historial clínico de los pacientes, receta electrónico o el uso de la tecnología para la realización de cribados masivos, o control y seguimiento de personas) de la interacción que la tecnología producen respecto de la adopción de medidas de política sanitaria que se proyecten en la adopción de decisiones automatizadas. Por poner un ejemplo de lo que se quiere decir, en el concepto de e-salud se puede integrar la atención telefónica a los pacientes cuando se previene que éstos puedan desplazarse al centro de salud, situación que ha sido generalizada durante los días más críticos en la presente pandemia por COVID-19, sin embargo, la intervención en este caso es humana. No hay automatización del proceso más allá de la ubicación espacio tiempo de cuándo debe producirse dicha llamada por parte del profesional sanitario. Diferente

---

algoritmos y procedimiento administrativo debido tecnológico", *Revista General de Derecho Administrativo*, núm. 50, 2019.

[21] Como ha sido expuesto en el examen de los riegos derivados del uso de algoritmos por OURIÑA BARROLLA, S: "Límites a la utilización de los algoritmos en el sector público: reflexiones a propósito del caso Syri", en Barona Vilar, *Justicia Algorítmica y Neuro Derecho, una mirada multidisciplinar*, Tirant Lo blanc, 2021.

es esta situación de la que acontece cuando es un algoritmo el que decide[22] en un cribado qué paciente es susceptible de ocupar una cama UCI y cual no, en caso en que las camas UCIS sean escasas con relación al número potencial de enfermos que pueden necesitar asistencia de ese nivel. La tecnología permite a poco que lo pensemos prever o extrapolar respuestas anticipando las posibles consecuencias de la toma de determinadas acciones.

En este contexto, como veíamos, la utilización de dispositivos móviles y aplicaciones han supuesto un revulsivo en el uso de la tecnología para coadyuvar en la salvaguarda de la Salud. Un ejemplo de lo que apuntamos se encuentra en el examen de las aplicaciones de rastreo, que usan la geolocalización incorporada en los dispositivos móviles, y que coadyuvan en la monitorización de los casos de contagio por COVID. Aunque su proyección y éxito para el seguimiento y contención de contagios no ha sido el esperado[23]. El conjunto de dispositivos y aplicaciones desarrolladas con el fin de diagnóstica, y seguir la enfermedad, basados en IA se ha incrementado exponencialmente desde el inicio de la pandemia en 2020[24].

Sin perjuicio de la necesidad de incorporar en nuestro ordenamiento jurídico una regulación específica sobre los algoritmos[25], que pueda

---

[22]   C. M. GARCÍA, J. D. POSADA y J. VILLANUEVA, "Development of an algorithm to establish the death risk for patients on an Intensive Care Unit using Non-Linear Multiple Regression", *Prospect,* Vol. 12, Nº 2, 49-56, 2014.

[23]   Así, entre otras informaciones al respecto puede verse: https://www.lavanguardia.com/tecnologia/aplicaciones/20210815/7646738/radar-covid-coronavirus-rastreo-fracaso.html consultado el 28 de agosto de 2021.

[24]   Otro ejemplo lo vemos en la puesta en marcha de modelos que detectan si una persona asintomática está en realidad contagiada con COVID, basándose en la forma en la que tose. Así lo revela la aplicación ResNet50, mecanismo de "machine learning" que si bien desarrollada inicialmente para detectar Alzheimer basándose en el sonido derivado de las cuerdas vocales. Pues bien, cuando se declaró la emergencia derivada de la pandemia, un grupo de especialistas comenzaron a grabar el sonido de la tos de enfermos COVID y han podido concluir que la forma en la que esta se produce aún en personas asintomáticas cuando se les pide que intenten toser difiere de como lo haría una persona sana. El resultado permite identificar a asintomático contagiados inclusive antes de que puedan manifestar algún síntoma o sean efectivamente diagnosticados (puede verse al respecto: https://news.mit.edu/2020/covid-19-cough-cellphone-detection-1029).

[25]   Sobre esta cuestión nos hemos expresado en GÓMEZ JIMÉNEZ, M. L.: Automatización Procedimental y sesgo electrónico… Aranzadi, 2021.

derivar en aspectos de algoritmos vinculados al ámbito sanitario, la constatación de un uso creciente de los mismos está reparando no pocos retos para el derecho. A muestra de lo que queremos decir, abordaremos a continuación, de forma sucinta la descripción a algunos de los casos y retos que el uso de la inteligencia artificial está deparando. En el bien entendido de que éste es un ámbito dinámico en el que se están sucediendo constantes innovaciones y que por consiguiente requiere que el operador jurídico está atento a las mismas para sino anticipar al menos prever cuales son los principales riesgos derivados para los usuarios de estas[26]. Además, la volatilidad con la que se producen avances tecnológicos, con versátil adaptación a la demanda social, conlleva su progresiva implantación en el ámbito administrativo sin que hasta la fecha sea posible encontrar el ansiado repositorio[27] que recoja no sólo los casos de uso por las Administraciones Públicas, que actuara como foto fija o radiografía del grado de implantación de las mismas, sino que permitiera entender que demanda real existe en el sector público respecto de la provisión de herramientas de "m-health".

---

[26] En sentido estricto los sujetos que pueden verse afectados en el uso de las aplicaciones y dispositivos que utilicen algoritmos predictivos tendrán tres perfiles diferenciados, a saber: a) Pacientes o e-pacientes, por tanto personal con necesidad de asistencia sanitaria, y atención médica; b) Profesionales sanitarios que bien desde el ámbito de la medicina o la enfermería así como otras áreas vinculadas al cuidado de la salud prestan asistencia a los usuarios del sistema y c) los programadores, gestores de aplicaciones, tecnológicos e innovadores que implementan soluciones tecnológicamente adaptadas para el cuidado de la salud. Hay un cuarto grupo de usuarios que podríamos entender se acercan al manejo de esta tecnología sin ser e-pacientes, y sin ser profesionales del sector y lo hacen con distintas motivaciones, ya sea en calidad de profesionales (investigadores-académicos, inversores, economistas, y gestores de la cosa pública); personal con carácter de prosumidor, que consume contenidos on line para autodiagnóstico, o generación de una información personalizada que actúa y modifica sus hábitos y comportamientos en relación al cuidado de la salud.

[27] En este mismo sentido se ha pronunciado CERRILLO I MARTÍNEZ, A: "Robots, Asistentes virtuales y automatización de las Administraciones Públicas", *Revista Galega de Administración Pública*, núm. 61, enero-junio 2021. Pág. 309.

2.1. Detectando riesgos: del algoritmo predictivo al algoritmo prospectivo y prescriptivo

El análisis derivado del uso de los algoritmos puede ser:
- Descriptivo: para que explicar lo que ha sucedido
- Diagnóstico: para explicar por qué ha ocurrido
- Predictivo: para prever que ocurrirá
- Prescriptivo: para plantear como podemos hacer que ocurra[28].

Una de las novedades que la tecnología está integrando es la posibilidad de que las máquinas no sólo puedan anticipar lo que va a suceder mediante los cálculos sofisticados que permitan prever si en atención a los patrones anteriores se pueden producir o no nuevos contagios, o se va a dar un supuesto de vacunación masiva de un colectivo.

Pero lo que los algoritmos pueden hacer cuando se les programa adecuadamente y se implementan técnicas de "machine learning" es dar un paso más hacia delante y hacer prescripciones que afecten a la forma de actuación de las personas, orientando la actuación pública, este tipo de algoritmo es el que hemos venido a denominar como algoritmos prescriptivos, la prescripción técnica basada en una previa prospección y análisis predictivo implica no sólo anticipar lo que va a suceder sino sugerir cual debe ser la medida a adoptar para que se obtenga el resultado deseado. La imbricación de estas ideas con las ciencias del comportamiento y la influencia en el proceso de toma de decisiones en este caso resulta patente, el examen que al respecto viene realizándose desde la Universidad de Barcelona de la mano de las actividades desarrolladas por el Prof. PONCE SOLÉ, dan muestra de ello.

---

[28] En este último elemento será interesante pensar en la incidencia que puede tener el "Nudging", Introducir la expresión "Nudging", conecta con la idea de esos pequeños empujoncitos o acicates que se introducen en la actividad pública para motivar el comportamiento de los ciudadanos en una u otra dirección en función del interés general. La formulación de la idea, en la inicial aproximación del Prof. Cass R. SUSTEIN, ha tenido continuación en otras obras de referencia, como *Conformity*, New York, 2019.

3. LOS NUEVOS RETOS JURÍDICOS QUE SE AVECINAN: INNOVACIONES Y APLICACIONES FRONTERA

3.1. *Robótica Médica un campo en expansión que debe ser atendido*

Con motivo de la pandemia, algunas deficiencias fueron mostradas en nuestro sistema sanitario público, deficiencias que se trasladaron a los aspectos organizativos, de gestión y de la propia prestación de la actividad asistencial sanitaria. Sin que sea este el lugar para examinar la misma, con detalle, merece la pena reconocer el avance significativo que ha tenido la robótica médica, o la atención utilizando medios robóticos. No nos referimos únicamente a los "chatbots" o dispositivos de respuesta automática que en cierta forma ya venían operando en el acceso a páginas webs que ofrecen servicios sino a la puesta en marcha de máquinas robóticas que actúen de forma autónoma y ofrezcan apoyo tanto en la asistencia sanitaria como en la prevención de la enfermedad y la protección de colectivos vulnerables.

Los casos de distintos dispositivos que por ejemplo se están implementando en el ámbito de la tercera edad son un ejemplo de lo que se quiere indicar, son las iniciativas e las que un robot proporciona asistencia a la persona mayor, le ofrece compañía o le facilita el desarrollo de actividades de la vida diaria[29]. Según señalara la investigadora del MIT Anastasia K. Ostrowski, los robots serán aquellos compañeros que representarán los cuidadores del futuro[30]. Así empiezan a incorporarse una clasificación de los robots en función de la finalidad para la que han sido diseñados: ya sea para asistirlas y proporcionarles información y compañía (Pepper[31]); robots para el tratamiento de determinados trastornos y como herramientas terapéuticas (Paro[32]),

---

[29] Algunos casos pueden verse en: https://www.elperiodico.com/es/barcelona/20200125/robot-ayuda-personas-mayores-barcelona-7821082.
[30] Puede verse referencia de la investigación de la prof Anastasia K. Ostrowski en: https://digitalfuturesociety.com/es/qanda/los-robots-seran-nuestros-cuidadores-en-el-futuro-por-la-investigadora-del-mit-media-lab-anastasia-ostrowski/.
[31] Sobre el Robot Pepper puede verse: https://us.softbankrobotics.com/pepper.
[32] Sobre este tipo de robot terapéutico http://www.parorobots.com/.

o la creación de robots enfermeros como el reciente robot Grace[33], que es capaz de imitar gestos, y es capaz de tomar la temperatura de los pacientes e incluso llega a realizar un diagnóstico de un paciente. Ejemplos todos ellos de una tendencia cada vez más creciente en el uso de los robots, no sólo en la realización de operaciones, o la implantación de prótesis robóticas sino en la asistencia y atención a los pacientes en labores que hasta hace muy poco tiempo se reservaban a los humanos.

La gobernanza algorítmica que está detrás de la implementación de dispositivos autónomos o con capacidad de emular o desarrollar actividades antes desempeñadas por empleados públicos o personal privado del sector de la asistencia social, y la atención domiciliaria revelan que existe un importante camino por recorrer en la materia. En otro lugar nos hemos referido a esta cuestión, con expresión de las iniciativas que en el ámbito internacional se vienen desarrollando[34].

Una de las importantes consecuencias derivadas del uso de la robótica para el ordenamiento jurídico amén de la necesaria regulación de su calificación jurídica, es la derivada de la determinación de la correspondiente responsabilidad derivada en el caso de perjuicios ocasionados por su uso. En este contexto no es extraño imaginar que el uso de la robótica permita plantear interrogantes vinculados a la denominada, e-personalidad jurídica, o personalidad atribuida a los robots para operar en el tráfico jurídico, lo que ha venido en la expresión que el Parlamento Europeo en la Resolución de 16 de febrero de 2017, venía a denominar la personalidad electrónica[35].

La utilización de robots para atención a personas vulnerables ha sido además objeto de atención por la propia Administración que está empezando a implementar medidas en forma de iniciativas piloto con el fin de proporcionar soluciones asistencia robótica a personas que

---

[33] https://www.lavanguardia.com/tecnologia/actualidad/20210610/7517984/grace-enfermera-robot-humanoide-covid-hanson-sophia.html (revisado el 26 de agosto de 2021).

[34] Así, el Gobierno de Nueva Zelanda presentó presenta la "Algorithm charter for Aotearoa New Zealand".

[35] La resolución del parlamento Europeo puede consultarse en; https://www.europarl.europa.eu/doceo/document/TA-8-2017-0051_ES.html.

viven solas, caso del Ayuntamiento de Barcelona[36], que ha empezado una prueba piloto, en la que se evalúa no sólo como cambia la vida de la persona al interactuar con un robot sino en que forma se opera una mejora de la calidad de vida de las personas mayores. En este mismo sentido, como el prof. CERRILLO I MARTÍNEZ, señalara es preciso contar con un catálogo o repositorio en el que visibilizar los casos de éxitos y aplicaciones que las Administraciones Públicas van haciendo de la tecnología. En el ámbito sanitario, además y teniendo en cuenta la especial atención al tratamiento de la información y la calificación de los datos sanitarios como datos sensibles[37], se opera un necesario tratamiento de la información que cuando adquiere la dimensión de BIG DATA plantea importantes retos para los operadores jurídicos. Así no es extraño que alguna administración Autonómica haya dado un paso al frente al tratar de gestionar la información derivada del Sistema Sanitario Público por medio del uso de algoritmos, se trata en el caso examinado de la aplicación de la analítica avanzada[38] para

---

[36]   https://www.lavanguardia.com/vida/20200125/473113084117/barcelona-hace-prueba-piloto-con-robots-para-personas-mayores-que-viven-solas.html.

[37]   Sobre la confidencialidad de los datos sanitarios puede verse: RODRÍGUEZ MERINO, M.: *Ética y Derechos Humanos en la era Biotecnológica*, Dykinson, 2015.

[38]   "Los casos de uso inicialmente identificados y que se desplegarán durante la prestación del servicio son:
• Definición de factores que inciden en la morbilidad y predicción de futuros riesgos de salud asociados.
• Diseño de trayectorias óptimas y personalización en la prestación de los servicios sanitarios.
• Optimizar la distribución de cupos en Atención Primaria.
• Segmentación de pacientes crónicos, sobre el conjunto de la población andaluza, en base a niveles de cuidados.
• Comparativa de resultados de tratamientos farmacológicos.
• Modelos predictivos sobre la evolución de grupos poblacionales respecto al consumo de recursos.
• Motor de recomendación para la optimización de la lista de espera quirúrgica.
• Identificación y prevención de interacciones entre fármacos, que pueden generar riesgos de salud en pacientes polimedicados.
• Análisis de imagen radiológica para asistir en el cribado de cáncer de mama.
• Identificación de pacientes objetivo de nuevos tratamientos farmacológicos.
• Procesamiento de textos clínicos con tecnologías de Procesamiento del Lenguaje Natural para desarrollar un codificador CIE10 y SNOMED.

le mejora de la atención de la prestación de la Asistencia sanitaria en Andalucía.

3.2. *Edición Genética y CRISPR-Cas9, desde el derecho administrativo español: innovaciones y cuestiones bioéticas vinculadas*

La posibilidad de la edición genética no es nueva, por más impactante que los resultados y las consecuencias puedan resultar. Tampoco como nos ha recordado recientemente el Prof. Bellver V la CRISPR[39] no se trata de la primera tecnología que permite la edición Genética. Así, la técnica que supone la edición genética implica la posibilidad de modificar el material genético. Como tecnología biológica, supone uno de los avances más sólidos de la biología[40], y permite aplicaciones que habían sido impensable hace unos años. Así, el efecto de la modificación genética no afecta únicamente a la célula sobre la que se opera, sino que puede heredarse y modificar poblaciones y cohortes, lo que arroja luz sobre el potencial de esta técnica. Ante esta importante innovación tecnológica aplicada a la biología la respuesta regulatoria tarda en llegar. A nivel europeo, la idea de regular el uso de esta técnica ha sido objeto de atención en la distinción entre la edición genómica y la producción de alimentos transgénicos u OMG. Aunque la reciente jurisprudencia del Tribunal de Justicia de la UE ha dado señales de querer equiparar las plantas obtenidas con el CRISPR-Cas9 como transgénicos. Lo que ha hecho saltar todas las alarmas desde el Instituto Nacional de Investigaciones Agrarias, ya que como viene

---

• Detección de situaciones problemáticas, relativas a salud pública, en base al análisis de las redes sociales.
• Optimización de planes de choque hospitalarios". La información completa puede verse en: Red.es adjudica la implantación de una solución de analítica avanzada para el Sistema Sanitario Público de Andalucía por valor de 4,6 millones de euros | Red.es.

[39]   CRISPR deriva de la expresión: Clustered Regularly Intespaced Short Palindromic Repeats o Repeticiones Palindrómicas cortas agrupadas y regularmente espaciadas.

[40]   Según señaló MONTOLIU, Lluis en https://www.agenciasinc.es/Reportajes/El-editor-genetico-CRISPR-explicado-para-principiantes.

sucediendo en el caso de los transgénicos estos entran en el mercado europeo a través de las importaciones,

Desde el conocimiento de la técnica CRISPR-Cas9, en 2015, hasta la actualidad no son pocas las posibles aplicaciones que se han dado a la técnica. La investigadora premio Nobel Jenifer Doubna[41], que siguió la estela del español Francis Mojica, puso de manifiesto la importancia de la edición genética y lo que suponía la innovación que integraba para la biología y la necesidad de considerar los aspectos bioéticos vinculados a esta. Debe recordarse, en este punto que unos años antes el 26 de noviembre de 2018, el científico chino He Jiankui, había anunciado la manipulación genética de dos bebes, con el fin de que pudieran ser inmunes al virus del SIDA. El científico chino, fu condenado un año más tarde por haber realizado una manipulación genética ilegal, y éticamente reprobable[42]. El caso del Prof. Jiankui, no hizo más que desvelar la importancia de las implicaciones éticas, o de bioéticas que conllevan los avances científicos en el ámbito de la biología. Se trata de una ponderación, que debe estar presente en toda intervención que suponga alteración genómica. En este contexto la Declaración sobre edición genómica del grupo europeo de ética de la ciencia y las nuevas tecnologías, vino a señalar:

"El Grupo de Edición Genómica considera que deliberar sobre la aceptabilidad y la conveniencia de la edición de genes va a requerir un debate inclusivo que se extienda a la sociedad civil y en el que diversas perspectivas y diferentes valores y expertos sean oídos. Este debate no puede dejarse sólo en manos de determinados países, grupos sociales o disciplinas de forma aislada. Asimismo, el GEE alerta sobre el peligro de reducir el debate a las cuestiones de seguridad y los potenciales riesgos para la salud que puedan ocasionar las tecnologías de edición genómica. Están en juego otros principios éticos como la dignidad humana, la justicia, la igualdad, la proporcionalidad y la autonomía y deben formar parte de la tan necesaria reflexión sobre la gobernanza internacional en materia de edición genómica. Además, los aspectos éticos deben valorarse en todas las aplicaciones de la edición genómi-

---

[41]   Sobre ella puede verse el último trabajo de WALTER ISSACSON, El Código de la Vida: Jenifer Doubna la edición genética y el futuro de la especie humana, Editorial Debate.

[42]   https://www.nature.com/articles/d41586-020-00001-y.

ca, incluidas las aplicaciones en no humanos. Por ejemplo, es probable que muchas de las aplicaciones prácticas de la edición genómica se den en el ámbito medioambiental y puedan tener un impacto significativo en la Biosfera.

Para algunos miembros del GEE, la modificación genética en la línea germinal humana con fines reproductivos no se puede justificar éticamente; y por ello piden la aplicación del Art. 3 de la Carta de los Derechos Fundamentales de la Unión Europea, entre otros, debido a la difusa línea entre la investigación básica y la aplicada. Otros miembros del GEE también exigen una moratoria en cualquier investigación básica que suponga la modificación genética de la línea germinal humana hasta que el marco normativo se ajuste a estas nuevas posibilidades. Para otros miembros del GEE, pueden existir criterios a tener en cuenta que podrían justificar estas investigaciones. Como ocurre en la comunidad científica, diversos puntos de vista están representados en el Grupo. Solicitamos que se lleve a cabo un amplio debate públicos obre estas cuestiones, convencidos de que el GEE realizará una contribución provechosa en este proceso deliberativo".

La posibilidad de manipular genéticamente a un organismo vivo es por tanto una realidad que supone una importante responsabilidad, pues la técnica CRISPR-Cas9 lo permite, fue en el año 2017 cuando se llevaron a cabo los primeros experimentos de manipulación del ADN[43]. En estos años los avances derivados de la biotecnología han puesto en liza la aplicación del Convenio del Consejo de Europa para la protección de los derechos humanos y la dignidad del ser humano respecto de las aplicaciones de la biología y la medicina (denominado Convenio de Oviedo), suscrito el 4 de abril de 1997[44]. Así, son crecientes los dilemas éticos que se vinculan a la evolución tecnológica y el derecho administrativo debe dar una respuesta que converja no

---

[43] La manipulación del ADN a que hacemos referencia fue la llevada a cabo por el científico Seth Shipman, y publicada en la revista Nature en julio de 2017. En el trabajo publicado se explicaba la posibilidad de introducir un video en el ADN de una bacteria viva. La posibilidad de utilizar esta información almacenada en el ADN, y la consiguiente manipulación plantean relevantes retos para el derecho.

[44] El convenio de Oviedo fue objeto de ratificación por 29 Estados de los cuales pero no todo los países lo han firmado o ratificado. En España la aplicación efectiva tiene lugar desde el 23 de julio de 1999.

sólo con las propuestas derivadas de los comités éticos, y escasos aún pronunciamientos jurisprudenciales, sino con el tenor de los tratados y documentos programáticos que se elaboran para preservar la dignidad de la vida humana en el proceso, y el derecho a la salvaguarda e integridad de esta.

3.3. M-salud, "wearables" e integración domótica en la atención sanitaria

La existencia de un cada vez mayor número de dispositivos móviles que tienen como finalidad medir constantes vitales y monitorizar el estado de salud de su usuario, recopilando información que se orienta —según el contrato derivado de la misma aplicación a mejorar la salud de su usuario, ha tenido una eclosión significativa en los últimos años. Desde que las aplicaciones móviles proporcionaron herramientas para acceder a bienes y servicios de forma ágil y en muchos casos sin coste para el usuario— al menos específico o identificado en la adquisición de la aplicación, el uso de estas se ha incrementado exponencialmente. Así, según revela el estudio "Celside Insurance", un 61 por ciento de la población consulta información sobre su salud al menos una vez al día[45]. La forma en la que se accede a la información no es en la mayoría de los casos un ordenador sino un teléfono inteligente o un smartwatch. Esto es, preferimos llevar con nosotros de forma portátil la información sobre la salud para permitir casi un monitoreo continuo de la misma.

No se olvide que como tuvimos ocasión de exponer en otro lugar[46] las primeras aplicaciones móviles se introdujeron en nuestro país en el año 2008, lo cual implica que su introducción y afección en nuestra vida no es tan antigua como pudiera pensarse, aunque los efectos derivados de las mismas hayan trascendido el ámbito privado para suponer una forma de intervención en la protección y atención a la salud. Un ejemplo de lo que exponemos ha sido recientemente

---

[45]   Información sobre los datos más relevantes del estudio pueden verse en: https://www.clubinfluencers.com/incremento-del-uso-de-aplicaciones-de-salud/

[46]   GÓMEZ JIMÉNEZ, M. L. Smart-cities, una aproximación desde la gobernanza pública y la innovación social, en GALERA RODRÍGUEZ; S, *Políticas Locales de Clima y energía: Teoría y Práctica*, Madrid, 2018.

puesto de manifiesto tanto con la introducción de aplicaciones móviles destinadas al monitoreo y rastreo del COVID-19[47], como la incorporación de mecanismos que permitan rastrear y controlar los accesos cuando debían producirse un control de aforos tanto en espacios públicos como en privados.

Estadísticas de Códigos solicitados por las Comunidades Autónomas en el Uso de la aplicación RADARCOVID

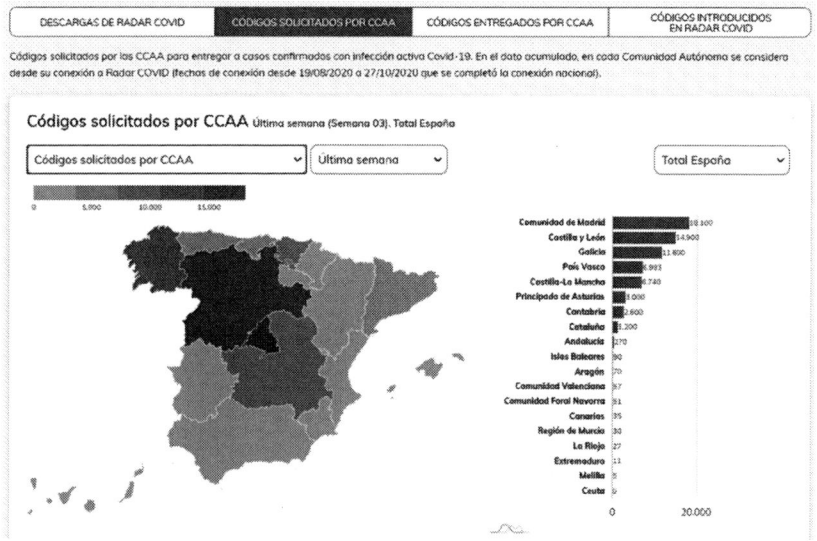

Así, la escasa utilización de la aplicación, a pesar de las descargas supone que los contagios positivos no se estaban notificando por medio de la APP, la descentralización aplicada en el ámbito de los dispositivos de rastreo y la descoordinación con el sistema nacional de salud tampoco ha permitido que la app haya cumplido de forma satisfactoria con las expectativas generadas, y ello a pesar de la apues-

---

47 Aplicaciones para detección del COVID-19 y rastreo de esta fueron implementados en todos los países a escala global con desigual proyección social. En el caso español, la aplicación RADAR-COVID, está lejos de haber conseguidos sus objetivos.

ta desde instituciones comunitarias por esta forma de monitoreo y control de la enfermedad[48].

Así, la tecnología se integra en nuestra actividad diaria tanto dentro como fuera de la vivienda, dentro de la vivienda a través de la incorporación de la domótica, y fuera en el uso de los dispositivos de m-health y dispositivos portátiles. En el caso de la integración domótica, ésta se orienta no sólo a la integración de infraestructuras comunes de comunicación, (ICT), o mejoras en la accesibilidad y confort lumínico, térmico o acústico, sino en la personalización de la vivienda, incorporando mecanismos remotos de atención y cuidado al mayor[49].

En este contexto, la reforma de la Ley General de Telecomunicaciones, que cuando estas líneas se redactan se encuentra en ciernes, incorpora no solamente la transposición de las directivas que atienden a la calificación del código europeo de comunicaciones electrónicas[50], sino que integra atención a los derechos vinculados al uso de la tecnología, y anticipa la integración que el 5G proporcionará en el ámbito de las comunicaciones móviles. Se esperan cambios significativos pues que encontrarán en las experiencias previas importantes elementos para su desarrollo y la necesaria adecuación normativa.

3.4. Bio-impresión: de la innovación a la atención legal

Señala la consultora "Markets and Markets", el mercado de la bio-impresión alcanzará un valor de los 1647 millones de dólares en 2024. ¿Pero qué es exactamente la bio-impresión y porque puede su-

---

[48]   Así,   en   https://ec.europa.eu/info/live-work-travel-eu/coronavirus-response/travel-during-coronavirus-pandemic/how-tracing-and-warning-apps-can-help-during-pandemic_es.

[49]   Un ejemplo de esto lo encontramos en la puesta en valor de nuevas técnicas que permitan monitorizar y cuidar a las personas mayores de forma remota, dando un paso más del que en su día ofrecieran los servicios de tele asistencia. Este es el caso del proyecto piloto previsto en el Ayuntamiento de Luciana —a pocos kilómetros de Ciudad Real—, para atender a las personas mayores que vivan solas. Información sobre el proyecto puede verse en: Telefónica y Aerial prueban innovador sistema para cuidar remotamente a las personas mayores | Jentel.

[50]   Directiva (UE) 2018/1972 del Parlamento Europeo y del Consejo, de 11 de diciembre de 2018, por la que se establece el Código Europeo de las Comunicaciones Electrónicas.

poner un avance significativo en el ámbito de la atención sanitaria? Veamos, es bien conocido el avance que supone la existencia de las impresoras 3D, impresoras que pueden reproducir y replicar en un proceso de capas a capas con la finalidad de crear objetos a partir de un modelo 3D digital. Una diferencia fundamental entre la impresión 3D y la impresión biológica o bio impresión es que la materia utilizada en la segunda es de carácter orgánico. El resultado de una técnica de bio-impresión[51] es la impresión de un órgano que pudiera replicar el que existe en el organismo y que ha requerido para su producción de células como materia prima. La transcendencia de esta técnica que pudiera parecer de ciencia ficción pero que ya es una realidad y está empezando a tener aplicaciones abre todo un nuevo escenario de atención para el legislador. Especialmente porque si el órgano bio-impreso lo es a partir de células de un paciente y se destina al correspondiente trasplante, ofrece ventajas médicas a la par que plantea no pocos dilemas jurídicos. En este contexto, la impresión de vasos sanguíneos y de órganos, se complementa con otras aplicaciones de la bio-impresión que puede suponer un revulsivo en la personalización de la medicina. La necesidad de enfrentar esta nueva tecnología[52], y sus posibles efec-

---

[51]   Según señala la asociación de Fabricantes y distribuidores, se pueden incorporar las siguientes técnicas de bio-impresión_
"– Por extrusión: Se produce mediante la extrusión de biomateriales para la creación de patrones 3D y construcción de células. Esta técnica presenta ventajas como el control de la temperatura.
Asistida por láser: Se basa en la utilización de un láser para colocar biomateriales sobre un material específico. Alguna de las ventajas que tiene esta impresión es la precisión y la falta de contacto, lo que resulta de vital importancia para no contaminar el resultado.
– Por ondas acústicas: Esta técnica puede ser utilizada para el manejo celular, con ventajas como la precisión no intrusiva.
– SWIFT: Permite la posibilidad de imprimir vasos sanguíneos para el soporte de órganos que han sido construidos con células OBB, o en su defecto con alto porcentaje de estas. Algunas de las ventajas de esta técnica es la ampliación del tiempo de vida celular" (que puede verse en: https://www.aecoc.es/innovation-hub-noticias/que-es-la-bioimpresion-y-que-utilidad-tiene/).

[52]   Sobre las primeras actividades en 2016, así como las técnicas LIFT de impresión, puede leerse en http://www.nature.com/nbt/journal/vaop/ncurrent/full/nbt.3413.html o verse alguna de las primeras informaciones: http://imprimalia3d.com/noticias/2016/02/15/005766/ee-uu-primer-caso-viabilidad-tejidos-vivos-impresos-3d (consultado en septiembre de 2021).

tos no sólo en el ámbito de los trasplantes, sino en la producción de medicamentos con la bio-impresión, así como elementos vinculados al tratamiento, conservación manipulación de los tejidos generados en bio-impresión, su calificación jurídica, previsión en cuanto a su uso y el establecimiento de un debate ético que no debe ser ignorado en la medida en la que se están dando pasos de gigante hacia una nueva forma de entender la medicina y la atención a la salud.

4. LOS NEURO-DERECHOS: CONCEPTO Y RÉGIMEN JURÍDICO

Redescubrir una nueva categoría de derechos resulta cuanto menos apasionante. Pareciera apenas un breve lapso transcurrido desde que se hicieran "virales", los principios sobre los que se cimentara la revolución francesa y la carta de derechos del hombre y del ciudadano y posteriormente sus plasmaciones a nivel internacional, en la carta de derecho fundamentales de la Unión Europea, o la Declaración Universal de los Derechos humanos, la segunda tras la segunda guerra mundial.

La historia —que siempre está condenada a repetirse[53]—, anticipa que la cuarta revolución industrial en la que nos encontramos vislumbrará la puesta de largo de los neuro-derechos. Con carácter anticipatorio y hasta cierto punto novedoso el Prof. Erick Valdés, en su tratado: *Bioderecho, Epistemologías y aplicaciones en tiempos de pandemia y riesgo existencial*[54] puso de manifiesto la necesidad de deslindar la disciplina del bio-derecho, de la bioética— tanto desde la percepción epistemológica como metodológica. La noción actual de una disciplina hasta la fecha poco revisada por el derecho administrativo implica tomar en consideración aspectos tales como la dignidad humana, la necesidad de proyectar un respeto a los derechos humanos en el ámbito administrativo o la atención al derecho de la vulnerabilidad social y jurídica. Coincidimos con el autor que los Bio-derechos han adquirido la naturaleza de una disciplina diferenciada de la ética,

---

[53]   Oráculo de Delphos.
[54]   Tirant lo Blanch 2021.

o la bioética y alcanzan la naturaleza de una transdisciplina en la medida en la que puede proyectarse en otras afines.

En este contexto, y ante la previsión de un desarrollo de las herramientas de inteligencia artificial, que están dando lugar a nuevas disciplinas, e impactan en otras recientes e las que la atención a las neurociencias resulta relevante[55], resulta relevante la apuesta del Gobierno Chileno por reconocer jurídicamente los neuro-derechos. La razón de esta propuesta normativa, pionera a escala mundial, que entendemos que si bien de momento es la primera iniciativa de estas características creemos que no será la única, implica de un lado plantearse la posibilidad de que los avances técnicos acaben por interferir con la formulación de los pensamientos, y la adopción de decisiones. Esto es, no se descarta la posibilidad de que la tecnología en un desarrollo no muy lejano permita insertar o cambiar pensamientos o conductas. Si hace algunos años nos hubieran explicado esta idea —hubiera resultado no sólo inverosímil sino más propia de la ciencia ficción que de la realidad, pero al igual que los drones, o la progresiva robotización, la integración de herramientas telemáticas que consideraríamos impensables en épocas pasadas, la calificación de los neuro-derechos, se configura como una necesidad— que permita anticipar una realidad en ciernes.

¿Pero que se quiere decir con neuro derechos y que regulación se ha previsto en España? Pues bien, fue en el año 2013, cuando en Estados Unidos, en el seno del proyecto BRAIN, financiado con 110 millones de euros, se marcó el objetivo de mapear el cerebro humano. Desde entonces, se ha venido desarrollando una apuesta tecnológica por conocer mejor el cerebro humano y tener la posibilidad de entender enfermedades como el Alzheimer, la demencia, y buscar mejorar o sanar cerebros enfermos con el uso de la tecnología. En este contexto,

---

[55]   Como es el caso de la neuromarketing, que se define como: "la aplicación de técnicas pertenecientes a las neurociencias, en el ámbito de la mercadotecnia y que analiza los niveles de emoción, atención y memoria evocados por estímulos en contexto de marketing o publicidad, como son anuncios, productos o experiencias, con el objetivo de tener datos más precisos acerca de la reacción de los consumidores y mejorar la gestión de recursos destinados a mercadotecnia y ventas de las empresas; así como a la mejora de los propios productos, sus características, manipulación, aceptación, reacción del consumidor, etc.", Sic, en: https://es.wikipedia.org/wiki/Neuromarketing.

los experimentos desarrollados han permitido un avance significativo en la materia[56], dando lugar a la "neuro-tecnología"[57]. La neuro-tecnología puede definirse "como aquella rama de la ciencia que se ocupa del examen del sistema nervioso humano y en particular el que afecta al cerebro, tratando de entenderlo y de generar con el uso de la inteligencia artificial herramientas que permitan mejorar la condición de salud de las personas"[58].

En el caso de la reforma de la Constitución Chilena[59], la idea subyacente es introducir en el misma es la preservación de la indemnidad de la mente, frente a la posible actividad de una tecnología invasiva que pudiera afectar a la formulación de pensamientos y la toma de decisiones, así como a la protección de datos "cerebrales". Esto es proteger el cerebro frente al uso de dispositivos de inteligencia artificial que pudiera afectar su funcionamiento influyendo en la forma en la que se percibe la realidad, se actúa o se condiciona la misma percepción de la persona.

La necesidad de introducir mecanismos de protección que permitan hacer valer no sólo los derechos conectados a la dignidad humana de la persona sino los elementos básicos de su personalidad, que se integran en su esencia en cuanto permiten la identidad de las personas,

---

[56] Se ha conseguido por ejemplo implantar en el cerebro de ratas imágenes de objetos que no habían visto con anterioridad. Además, existen compañías que están invirtiendo en la aplicación de una tecnología invasiva de implantes cerebrales, como es el caso de "neuralink" que nace para combatir los casos de parálisis cerebral, o las últimas presentaciones realizadas en el seno del MIT. Lab que muestran dispositivos capaces de interactuar de forma silenciosa con los ordenadores personales sin necesidad de que se produzca uso alguno de interfaz humano, entre otros muchos casos.

[57] El termino no ha sido aceptado aún en la RAE, ya que su uso no se ha generalizado al extremo de que sea necesario integrarlo en el mismo, no obstante.

[58] Esta definición es elaboración propia a partir del examen de los trabajos sobre el particular de: Frishcmann Brett and Selinger, Evan, "Re-engineering humanity", Cambridge, University Press, 2018; y entre nosotros Yuste, Rafael. *Las nuevas neurotecnologías y su impacto en la ciencia, medicina y sociedad*, Lecciones Cajal, Zaragoza. 2019.

[59] La idea se proyecta en dos iniciativas, a saber: La que modifica el artículo 19, número 1º, de la Carta Fundamental, para proteger la integridad y la indemnidad mental con relación al avance de las neuro-tecnologías (Boletín Nº 13827-19), y Sobre protección de los neuro-derechos y la integridad mental, y el desarrollo de la investigación y las neuro-tecnologías (Boletín Nº 13828-19)

resulta cada vez más precisa a la luz de los inquietantes dispositivos que posibilitan no sólo controlar los impulsos nerviosos sino cambiar condiciones preexistentes[60]. La neuro-tecnología proporciona, en el momento en que estas líneas se redactan dos formas de interacción: herramientas invasivas, (que requieren cirugía o algún tipo de intervención para su implantación o implementación), y herramientas no invasivas que incorporan la posibilidad de controles remotos, intuitivos y con posibilidad de interacción a distancia con dispositivos[61].

Así, calificada la necesidad de abordar desde el derecho la implicación que la tecnología tiene respecto del funcionamiento de nuestro cerebro, no resulta difícil transitar las "neuro-ciencias". Quizás resulte sugerente en este punto recordar las palabras de LÓPEZ HERNÁNDEZ, al evocar el trinomio neuro-derecho, neuro-abogado y neuro-justicia. Trilogía que en palabras del profesor chileno nos llevan a la gran meta de la "transdisciplinariedad". No es extraño que sea así, pues al converger distintos saberes y aportar los elementos para avanzar en una nueva disciplina a caballo entre el conocimiento jurídico clásico y las bio-ingenierías, resulta preciso delimitar su objeto, aunque en éste se puedan incluir un examen transversal y multidisciplinar de la realidad.

---

[60] Tal es el caso de los experimentos desarrollados por el Prof. Warwick K: profesor de cibernética de la Universidad de Reading, galardonado con el premio "The Future of Health Technology" del MIT, es miembro honorario de la academia de ciencias y fue el precursor de un "estimulador cerebral para contrarrestar los efectos de la enfermedad de Parkinson que puede pronosticar los temblores y aplicar corriente para detenerlos antes de que comiencen. Otro de sus proyectos conlleva el uso de neuronas biológicas para dirigir robots" https://www.bbvaopenmind.com/autores/kevin-warwick/ Entre sus logros cabe contar con la puesta en marcha de la primera comunicación telepática puramente electrónica entre los sistemas nerviosos de dos individuos. https://www.agenciasinc.es/Noticias/Demostrada-la-comunicacion-directa-entre-cerebros-humanos-a-7.800-kilometros-de-distancia.

[61] Este es el caso por ejemplo de la silla de ruedas que puede manejarse de forma robótica a través de las ondas cerebrales y que ha sido desarrollada por el equipo de la Universidad de Zaragoza, dirigido por Javier MÍNGUEZ, *Brain Computer interfaces* equipo de investigación de la Universidad de Zaragoza.

A esta transdisciplinariedad hemos abogado en anteriores ocasiones[62], y lo ha hecho también el Prof. PONCE SOLÉ[63], al reflexionar sobre el derecho conductual y la integración del Nudging y llega a afirmar: "El camino para la transdisciplinariedad aparece, pues, despejado y abierto en este campo, donde existe la posibilidad de generar una agenda investigadora que nos acerque al nivel internacional". Esta necesidad de interacción entre las disciplinas revela además la búsqueda de un lenguaje común y del entendimiento de líneas rojas que avalan la salvaguarda de las garantías en la protección de los derechos de los ciudadanos.

En materia sanitaria esta salvaguarda de derechos llega a ser aún más acusada si se toma en consideración la necesaria vertebración de la salud como ese bien preciado sin el cual todo los demás se quiebran. Ha bastado una pandemia en este siglo XXI, para que hayamos asistido a una tremenda transformación de estructuras que si bien apuntaban maneras (hacia la digitalización o la interacción on line), han adquirido nuevas dimensiones, de la mano de las posibilidades que las bio-tecnologías en general y las neuro tecnologías en particular pueden aportar. El debate, ético —sobre si sea o no el momento de pensar en la mejora de la condición humana (human enhacement), dando lugar a lo que se ha venido a denominar seres humanos mejorados, no sólo nos vuelve a conectar con episodios de ciencia ficción— y no tan ficción[64], sino que nos devuelve a una significativa realidad

---

[62]   Sobre el examen de la Transdisciplinariedad hemos tenido oportunidad de pensar y generar espacios de reflexión desde la RED de Innovación Sostenible, RISPINES, que viene funcionando en la Universidad de Málaga desde el año 2004, y que nace en el marco de un grupo transdisciplinar que aborda cuestiones ambientales, como paradigma de la transdisciplinariedad. En este contexto, pueden citarse algunos trabajos elaborados, y uno en ciernes: *Estrategias Transdisciplinares*, Colex, 2022 (e.p.).

[63]   Así, en la nota publicada en 2017, "Neurociencia, derecho y toma de decisiones relativas a políticas públicas: nudging", Nota 3/2017.

[64]   El debate científico al que el jurista se asoma con cierto asombro revela la conveniencia de pensar en la posibilidad de prolongar la existencia humana aunque no sea en el uso del cuerpo físico en el que intrínsecamente hemos aprendido a desarrollarla desde los inicios de la humanidad. Este debate que conecta no sólo con la ingeniería genética, sino con las posibilidades derivadas de la computación cuántica y el uso de interfaces capaces de conectarse al cerebro humano,

en la que la noción de dignidad humana[65] puede desdibujarse sino adoptamos las debidas cautelas.

Es en este sentido de interés el examen de las previsiones normativas al respecto que abundan tanto en el reconocimiento de las aplicaciones de la biomedicina de un lado, en relación con la utilización de los productos sanitario, a la luz del convenio de Oviedo relativo a los derechos humanos y a la biomedicina[66] deben complementarse con los primeros intentos regulatorios desde el soft-law administrativo de la mano de la Carta de Derechos Digitales de los ciudadanos.

4.1. Carta de Derechos Digitales: elementos de regulación desde el soft-law administrativo

Aprobada a finales del año 2020, la Carta de Derechos Digitales de los ciudadanos aspira a convertirse en un documento que oriente la actuación de las políticas públicas en materia de derecho digital. La idea emanó del Gobierno de España, que encomendó su elaboración a un nutrido grupo de expertos, para que abordaran el desarrollo de la previsión normativa de la Ley Orgánica de Protección de datos que señala en su título que debe elaborarse una carta de derechos digitales con idea de dotar de un instrumento que permita garantizar el enunciado constitucional[67] del respeto a la dignidad humana en el ámbito de la actuación digital, o el derecho administrativo digital.

---

monitorizarlo y reconocer el flujo de pensamientos ideas y un sinfín de opciones que están siendo seriamente exploradas por la comunidad científica.

[65] Sobre la misma noción de dignidad humana aplicada en sentido positivo, esto es como valor a proteger y preservar, ha sido objeto del análisis que realizamos en: GÓMEZ JIMÉNEZ M. L.: "Dignidad y Políticas Públicas: el Derecho Administrativo en la encrucijada" (Dignity and Public Policies: Administrative Law in the Crossroads, en Seminar on Life and Human Dignity. Tirant on Line, (20 págs.), 2017, pages 40-57.

[66] MONASTERIO ASTOBIZA, A. et al.: Traducir el pensamiento en acción: Interfaces cerebro-máquina y el problema ético de la agencia, en Revista de Bioética y Derecho. Núm. 46, mayo de 2019.

[67] Así señala el artículo 10 de la Constitución que: "La dignidad de la persona, los derechos inviolables que le son inherentes, el libre desarrollo de la personalidad, el respeto a la ley y a los derechos de los demás son fundamento del orden político y de la paz social".

La atención en la carta de derechos digitales a la integridad y respeto de los derechos contenidos en la Ley de protección de datos, implican en primer lugar reconocer la aplicación de éstos desde el diseño de estos, y prevé en el capítulo XXIII una especial atención a la protección de la salud en el entorno digital. Derecho que integra en sus contenidos una limitación de "reserva de humanidad" de carácter sanitario que viene a apuntar que los sistemas que impliquen el uso de inteligencia artificial no van a sustituir a la intervención humana en las tareas que supongan el ejercicio de su criterio clínico[68].

5. ALGUNAS REFLEXIONES SOBRE LOS NUEVOS DESAFÍOS PARA EL DERECHO ADMINISTRATIVO

El vértigo que provoca al lector avezado la incorporación en distintos campos de la atención sanitaria de dispositivos singulares, y de nuevas técnicas médicas, se compadece mal con el ritmo en el que las innovaciones son recogidas por el ordenamiento jurídico. No ya en el ámbito de nuestra cada vez más desfasada normativa de atención sanitaria sino en el marco de una medicina que opta por la personalización de tal suerte que no sea el usuario el que deba acomodarse a la cartera de servicios del sistema de salud, sino que sean las innovaciones las que puedan adaptarse a la necesidad de atención sanitaria y proveer el tratamiento más efectivo para la cura de su enfermedad o padecimiento. La personalización en la medicina no sólo llega de la mano de la integración de perfiles fácilmente recognoscibles con el volumen de información ligado al BIG-DATA médico, sino que se postula como una de las líneas por las que la futura previsión y atención sanitaria parece discurrir[69]. Cada vez resulta más entendible que las herramientas que requieren inteligencia artificial aplicada al ámbito de la salud, y la innovación que se están produciendo en el ámbito de

---

[68] Así la norma señala que: "El empleo de sistemas digitales de asistencia al diagnóstico, y en particular de procesos basados en inteligencia artificial no limitará el derecho al libre criterio clínico del personal sanitario".

[69] Algunas reflexiones sobre la personalización de la medicina puede verse en: RUIZ GARCÍA, J. A.: "Aspectos jurídicos de la medicina personalizada", en IN-DRET, mayo 2005.

la biotecnología, sea o no con el uso de algoritmos predictivos van a plantear desafíos nuevos para el derecho administrativo.

5.1. Seguridad como desiderátum: la importancia de la Ciberseguridad

El Consejo de ministros de 25 de mayo de 2021, ha venido a aprobar un plan de choque de medidas urgentes en materia de ciberseguridad.

Así se aprobó el Plan de Choque de ciberseguridad, la actualización del Esquema Nacional de Seguridad, y la adopción de medidas para aumentar el nivel de ciberseguridad de los proveedores tecnológicos del sector público estatal.

Entre las medidas incluidas en el plan de choque de ciberseguridad se encuentran[70] la protección frente al código malicioso (especialmente del tipo orientado a la destrucción de la información mediante su cifrado).

- la extensión de los servicios para la detección de ciber amenazas en equipos de usuario,
- la implantación de la vigilancia de accesos remotos,
- el refuerzo de las capacidades de búsqueda de amenazas,
- la ampliación de las capacidades de ciber inteligencia,
- la extensión de la aplicación del uso del segundo factor en los procesos de identificación y autenticación,
- el despliegue de capacidades para la notificación y el seguimiento de los ciber incidentes,
- la continuidad de negocio y la recuperación ante desastres,
- la concienciación y la formación, y
- la revisión de la normativa de ciberseguridad.

En este contexto, el Real Decreto 43/2021, de 26 de enero, viene a desarrollar el Decreto-Ley 12/2018, de 7 de septiembre de seguridad de redes y sistemas de información. La regulación en materia de seguridad había estado enmarcada en el desarrollo de la normativa

---

[70] Sic, en https://www.lamoncloa.gob.es/consejodeministros/referencias/Paginas/2021/refc20210525.aspx#circular.

comunitaria que había incorporado en la Directiva 2016/1148, del Parlamento Europeo y del Consejo de 6 de julio de 2016.

5.2. Tratamiento de datos personales en materia sanitaria y herramientas de automatización de asistencia y tratamiento médico

Nada de esto empecé a la necesidad de una atención particularizada relativa al tratamiento de datos personales, que amén de las previsiones contenidas en la Ley de Protección de datos, integran una atención especial al tratamiento de los datos contenidos en el historial clínicos de los pacientes. La necesidad de salvaguarda de esta información, tanto por los particulares como por los empleados públicos, se pone de manifiesto de forma destacada cuando la operativa, en el proceso de toma de decisiones se lleva a cabo de manera automatizada. Esto significa que la integración de un algoritmo —sea éste predictivo o no— opera partiendo de datos que han sido proporcionados por quien opera o supervisa el dispositivo electrónico o automatismo que aplica el algoritmo. El resultado es claro, si el tratamiento de los datos no ha sido el adecuado la actuación administrativa adolecería de un vicio de nulidad sobrevenida pues se habría actuado contraviniendo lo dispuesto en la Ley, en particular en la Ley Orgánica de protección de datos.

De ahí radica la importancia de operar una inicial integración de prevenciones vinculadas a la operativa de los datos de los que se dispone y la identificación de quienes son los responsables de su tratamiento, y en qué medida la calificación de éstos como de carácter sanitario incorpora adicionales medidas de aseguramiento de la privacidad y de la salvaguarda de los derechos de los pacientes en el acceso a la asistencia sanitaria. Lo sorprendente de todo esto es que la misma calificación de si existe o no un riesgo para la protección de datos de los pacientes —en materia sanitaria también está siendo objeto de automatización—. Así, la Agencia Española de Protección de datos ha venido a presentar la herramienta "EVALUA_RIESGO_RGD"[71].

---

[71]   https://administracionelectronica.gob.es/pae_Home/pae_Actualidad/pae_Noticias/Anio2021/Julio/Noticia-2021-07-20-herramienta-EVALUA_RIESGO-

Si bien la evaluación no es sino de mínimos la existencia de la herramienta no deja de ser interesante pues permitirá proporcionar a los delegados de protección de datos y personal responsable un medio para al menos conocer si se están cumpliendo o no los criterios previstos en la normativa de protección de datos[72].

Además, debe tenerse en cuenta que las medidas en materia de ciberseguridad se vinculan al Plan de Recuperación Transformación y Resiliencia[73], pues están en la base de las medidas de atención y recuperación económica, una recuperación económica no es factible sino se garantizan mínimas condiciones de seguridad en las transacciones y la seguridad informática permite que éstas puedan llevarse a cabo. En este contexto la seguridad informática permitirá salvaguardar los derechos conectados a la "e-health" que pueden llegar a ser comprometidos cuando ésta también lo está.

Las innovaciones enumeradas en este trabajo lo son a forma de testimonio de retos que requieren atención por el legislador. Estamos convencidos que campos como la robótica médica van a requerir especial atención en los años venideros, pues el desarrollo de robots con cada vez mayor autonomía, orientados a prestar asistencia, atención y coadyuvar en la atención sanitaria serán de uso frecuente, y podrá ser quizás generalizado. En el mismo sentido la proyección de la m-health, y de la posibilidad inclusive de implantar dispositivos en el cuerpo humano, a la par que motivar la generación de neuro-derechos, abre la puerta no sólo a los debates éticos, siempre presentes en la edición genética, sino necesarios en la calificación del derecho a la dignidad humana y a la difícil intersección que el derecho atraviesa cuando se operan avances tecnológicos que suponen un antes y un después en la calificación de la atención sanitaria de la sociedad de la era post COVID-19

RGPD-de-AEPD.html#.YR0dlnxxc2w.

[72] La regulación de la guía que permite llevar a cabo la gestión del riesgo y la evaluación del impacto en el tratamiento de datos personales, fue publicada por la AEPD (Agencia Española de Protección de Datos, y puede verse en: extension://ieepebpjnkhaiioojkepfniodjmjjihl/data/pdf.js/web/viewer.html?file=https%3A%2F%2Fwww.aepd.es%2Fes%2Fdocumento%2Fgestion-riesgo-y-evaluacion-impacto-en-tratamientos-datos-personales.pdf.

[73] El Plan de Recuperación Transformación y Resiliencia.

BIBLIOGRAFÍA

ALKORTA IDIAKEZ, I., "La protección del derecho a la autodeterminación informativa de los mayores en entornos conectados", en *Soluciones Tecnológicas para los problemas ligados al envejecimiento: cuestiones éticas y jurídicas,* Dykinson 2020.

ANDREU MARTÍNEZ, B., "Robótica en el ámbito sanitario y de los cuidados, implicaciones para la privacidad y la protección de datos", Dilemata, año 11 (2019), núm. 30, págs. 79-92.

ARIANO CHIARA, "Reflections on Neuro-Law", *Vox Iuris,* Vol. 32, núm. 2, 2016.

ARROYO JIMÉNEZ, L., "Algoritmos y reglamentos", *Almacén de Derecho,* 25 de febrero de 2020.

ATIENZA MACÍAS, E., "Desafíos Jurídicos para los robots y los sistemas autónomos de inteligencia artificial en el contexto sanitario con especial referencia a la crisis sanitarios del COVID-19", Ius et Scientia.

BALLESTEROS MOFFA, L. A., "El filtro jurídico a la cascada de soluciones tecnológicas contra la COVID-19", *Revista Española de Derecho Administrativo,*

BARRIOS ANDRÉS, M., *Derecho de los robots,* Wolters Kluwer, 2019.

BARRIOS ANDRÉS, M., Internet de las cosas, Editorial Reus, 2018.

BARRIOS ANDRÉS, M., *Ciberderecho Bases Estructurales, modelos re regulación e instituciones gobernanza de internet,* Tirant lo Blanch 2018.

BARRIOS, L.; HORNERO, J.; PONS, J.; VIDAL, J. y AZORÍN, J. "Estado del Arte en Neurotecnologías para la Asistencia y la Rehabilitación en España: Tecnologías Fundamentales". *Revista Iberoamericana de Automática e Informática industrial,* 14(4), 2017, págs. 346-354.

BENLLOCH DOMÉNECH, C. y SARRIÓN ESTEVE, J., 4. Revolución Industrial *E-salud, administración sanitaria digital,* 2018.

BLASCO DÍAZ, *Innovación y Sector Público. Retos y contexto,* Tirant lo Blanch, 2017.

BORBÓN RODRÍGUEZ, D. A.; BORBÓN RODRÍGUEZ, L. F. y LEÓN BUSTAMANTE, M. A. (2021), Neuro-derecho al acceso equitativo a tecnologías de mejora: Análisis desde el post-humanismo, el derecho y la bioética. *Revista Iberoamericana De Bioética,* (16), 01-15. https://doi.org/10.14422/rib.i16.y2021.006

BOSTROM, N. (2003), The transhumanist FAQ. Oxford: The world transhumanist association.

CARRIÓN ROBLES, T., "Intervención socioeducativa 2.0 y su efecto en la promoción de la Salud y la Calidad de Vida de las personas cuidadoras familiares de mayores y dependientes". Tesis Doctoral, Universidad de Málaga 2015.

CASTILLO BLANCO, F., "El Tránsito de una administración digital y robotizada: el necesario cambio del modelo de administración y empleo público" en Revista Iberoamericana de Gobierno Local, núm.

CERRILLO i MARTÍNEZ, A., "Robots, Asistentes virtuales y automatización de las Administraciones Públicas", *Revista Galega de Administración Pública*, núm. 61, enero-junio 2021. Pág. 309.

CIERCO SIEIRA, "Epidemias y Derecho Administrativo. Las posibles respuestas de la Administración en situaciones de grave riesgo sanitario para la población", Derecho y Salud, Vol. 13, núm. 2, 2005.

C. M. GARCÍA, J. D. POSADA, J. VILLANUEVA, "Development of an algorithm to establish the death risk for patients on an Intensive Care Unit using Non-Linear Multiple Regression", Prospect, Vol. 12, N° 2, 49-56, 2014

DE MIGUEL BEIRAIN, "Medicina Personalizada, algoritmos predictivos y utilización de sistemas de decisión automatizados en asistencia sanitaria. Problemas éticos", *Dilemata, Revista Internacional de éticas aplicadas*, núm. 30, 93-109.

EYSENBACH G. 2000, "Recent Advances: Consumer health informatics". *British Medical Journal*, 320 (7250), 1713-1716.

ESTEVE PARDO, J., Técnica, riesgo y Derecho, Barcelona, Ariel, 1999.

FRISCHMANN, B. y SELINGER, E., "Re-egineering humanity", Cambridge University Press, 2018.

GALLARDO CASTILLO, M. J., *Administración Sanitaria y Responsabilidad Patrimonial*, Editorial Colex, 2020.

GÓMEZ JIMÉNEZ, M. L., *Automatización Procedimental y Sesgo Electrónico, El Procedimiento Administrativo Electrónico desde la Inteligencia Artificial*. Aranzadi, 2021.

GÓMEZ JIMÉNEZ, M. L., *Salud Pública y Emergencias Sanitarias: Gobernanza y régimen jurídico de las prestaciones a propósito del sistema de derecho comparado autonómico en el contexto de la pandemia por COVID-19*, Aranzadi, 2022 (e.p.).

GÓMEZ JIMÉNEZ, M. L., "Sistemas de Información Sanitaria y Gestión del Gasto Público", en *Revista E-Salud, núm. 32*, 2012.

GÓMEZ JIMÉNEZ, M. L., "Transparencia en el Acceso a la Información Biomédica: la Deficiente Regulación de los Bio-Bancos en el Ordenamiento Jurídico Español y la Función Emergente de los Comités de Ética Asistencia", *Revista E-Salud*, Vol. 7, núm. 27, 2011.

GÓMEZ JIMÉNEZ, M. L., "Dignidad y Políticas Públicas: el Derecho Administrativo en la encrucijada" (Dignity and Public Policies:

Administrative Law in the Crossroads, en Seminar on Life and Human Dignity. Tirant on Line, (20 págs.), 2017, págs. 40-57.

GÓMEZ JIMÉNEZ, M. L., Dignity and the projection of the Red Queen Effect in Healthy Emergency Public Policies during the COVID-19. Crisis, en.

GÓMEZ JIMÉNEZ, M. L., Human Dignity and Law Studies on the Dignity of Human Life, Tirant lo Blanch, pág. 175-195.

GÓMEZ JIMÉNEZ, M. L., "Los retos de la inteligencia artificial en los procesos urbanos: nuevas premisas en la era post-COVID-19 y la atención a la salud pública desde el urbanismo" en ALONSO IBÁÑEZ, R: *Políticas Urbanas y localización de los objetivos de Desarrollo Sostenible: Teoría y Práctica,* Tirant lo Blanch, 2021, págs. 229-255.

GÓMEZ JIMÉNEZ, M. L., "Administración Electrónica y Servicios de Asistencia Sanitaria: Una breve reflexión sobre la Ley 11/2007", de acceso electrónico de los ciudadanos a los servicios públicos, en *Revista E-Salud.com* Vol. 5, núm. 17, 2009.

GÓMEZ JIMÉNEZ, M. L., La Expresión E-salud en el Derecho Administrativo Español (Parte I)", *RevistaeSalud.com,* Volumen 6 (2010),

GÓMEZ JIMÉNEZ, M. L., *Urbanismo Participativo y Gobernanza Urbana en las Ciudades Inteligentes,* Aranzadi, Madrid, 2019.

GÓMEZ JIMÉNEZ, M. L., "Luces y sombras en torno a la integración tecnológica de las ciudades", en ALONSO IBÁÑEZ, R.; *Retos de Desarrollo Urbano Sostenible e integrado,* págs. 91-106. Madrid 2018.

GÓMEZ JIMÉNEZ, M. L., "Biobancos e investigación biomédica: algunas reflexiones a la luz de la normativa española. RIIPAC". *Revista sobre Patrimonio Cultural,* núm. 2, junio 2013, págs. 58-73.

GÓMEZ JIMÉNEZ, M. L., "Smart-cities, una aproximación desde la gobernanza pública y la innovación social", en GALERA RODRÍGUEZ; S, *Políticas Locales de Clima y energía: Teoría y Práctica,* Madrid, 2018.

GÚTIERREZ DAVID, E., Administraciones inteligentes y acceso al código fuente y los algoritmos públicos. Conjurando riesgos de cajas negras decisionales, Derecom, 30, 143-228, 2021. http://www.derecom.com/derecom

HERNÁNDEZ PEÑA, J. C., "Decisiones Algorítmicas de perfilado", *Revista Española de Derecho Administrativo,* núm. 203, pág. 281-322, 2020.

HUERGO LORA, A. (Dir.), *La regulación de los algoritmos,* Aranzadi 2020.

IENCA, M. y ANDORNO, R. (2017), Towards new human rights in the age of neuroscience and neurotechnology. *Life Sciences, Society and Policy,* 13(5), 1-27. https://doi.org/10.1186/s40504-017-0050-1.

IGLESIAS CABERO, M., "Aproximación al concepto de robótica", Robótica y responsabilidad. Aspectos legales en las diferentes áreas del Derecho, Ed. Colex, A Coruña, España, 2017, págs. 13-20.

LAMPREA BERMÚDEZ, N. y LIZARAZO-CORTÉS, Ó., "Técnica de edición de genes CRISPR/Cas9. Retos jurídicos para su regulación y uso en Colombia", Revista La Propiedad Inmaterial n° 21, Universidad Externado de Colombia, enero-junio 2016, págs. 79-110.

LAZCOZ MORATINOS, G., "Análisis Jurídico de la toma de decisiones algorítmicas en la asistencia sanitaria", en H. L., La regulación de los Algoritmos, A. 2020.

LAUKITE, MIGLE, Robots y Sanidad, en T. de la Quadra Salcedo, y Piñar Mañas, J. L.: Sociedad Digital y Derecho, BOE. 2018. Págs.

LÓPEZ BARONI, M. J., Casos de Bioética Norteamericana en el último decenio, Aranzadi, 2019.

LOUREIRO, J. C. 2017, "Derecho a la protección de la salud y vulnerabilidad". Revista Iberoamericana de Bioética, 2017, 5: 1-17.

LÓPEZ HERNÁNDEZ, H., "Neuroderecho, neuroabogado, neurojusticia: una realidad innegable", en Barona Vilar, S, Justicia Predictiva y neuroderecho, una mirada multidisciplinar, Valencia, 2021.

LÓPEZ RODRÍGUEZ, A. M., "Ley aplicable a los Smart-contracts y la Lex Cryptographia", en Cuadernos de Derecho Transnacional, Vol. 13, núm. 1, 2021.

MACKENZIE, C. y WALKER, M., "Neurotechnologies, Personal Identity, and the Ethics of Authen-ticity". Handbook of Neuroethics. Springer, Dordrecht, 2015, págs. 373-392. IUS ET SCIENTIA, 2020, Vol. 6, N° 2, págs. 135-161, ISSN 2444-8478, https://dx.doi.org/10.12795/IETSCIENTIA.2020.i02.10 Ética e inteligencia artificial. Una discusión jurídica D. A. Borbón Rodríguez / L. F. Borbón Rodríguez / J. Laverde Pinzón.

MARTÍNEZ NAVARRO, J. A., Régimen Jurídico de la Salud Electrónica, Tirant lo Blanch, 2018.

MARTÍNEZ, J. M.; PÉREZ, L. (2021), Digitalización y Marketing: Petróleo para la Sanidad. Editorial ESIC.

NeuroRights Initiative. (2021). The Five NeuroRights. https://nri.ntc.columbia.edu/.

MONASTERIO ASTOBIZA, A. et al., Traducir el pensamiento en acción: Interfaces cerebro-máquina y el problema ético de la agencia, en Revista de Bioética y Derecho. Núm. 46, mayo de 2019.

OBERMEYER, Z. y EMANUEL, e. j., "Predicting the Future - Big Data, Machine Learning, and Clinical Medicine", *New England Journal of Medicine*, vol. 375, núm. 13 (2016), pág. 1216.

PÉREZ CAMPILLO, L., BATISTA DE ARAUJO HONORATO, "Tecnologías y Apps en la lucha contra la COVID-19, y la protección de datos personales en España y en Brasil", en *Revista General de Derecho Administrativo*, núm. 57, 2021.

PETER K. YU, "The Algorithmic Divide and equality in the age of Artificial Intelligence", 72 *Fla. L. Rev.* 331, 332.

PONCE SOLÉ, J., "Inteligencia artificial, derecho administrativo y reserva de humanidad: algoritmos y procedimiento administrativo debido tecnológico", *Revista General de Derecho Administrativo*, núm. 50, 2019.

PUIG HERNÁNDEZ, M., "Algunas reflexiones sobre el Convenio de Oviedo y los productos sanitarios. Responsabilidad y certificación en el caso de los cíborgs", en *Revista de Bioética y Derecho*, núm. 51, marzo 2021.

REBOLLO PUIG, M., "Sanidad preventiva y salud pública en el marco de la actual Administración sanitaria española", *Revista de Estudios de la Administración local y Autonómica*, 239, 1988.

RIVERO ORTEGA, R., "Rastreadores y Radar COVID: Obligaciones de Colaborar y Garantías", *Revista General de Derecho Administrativo*, núm. 55, 2020.

RUIZ GARCÍA, J. A., "Aspectos jurídicos de la medicina personalizada", en INDRET, mayo 2005.

SUAREZ XAVIER, P. R., Gobernanza, Inteligencia Artificial y justicia predictiva: los retos de la Administración de justicia ante la sociedad red, Tesis Doctoral, RIUMA, 2020.

SUNSTEIN, CASS R, #Republic: Divided Democracy in the Age of social media. NED, New edition ed., Princeton University Press, 2018. JSTOR, www.jstor.org/stable/j.ctv8xnhtd. Accessed 28 Aug. 2021.

TENA, P., "Propuestas sobre el uso de la Inteligencia Artificial", *Actualidad Jurídica Aranzadi, núm. 975, 2021,*

VALLES-PERIS, N. y DOMÉNECH M., "Robots para los cuidados: la ética de la acción mesurada frente a la incertidumbre", en *Cuadernos de Bioética*, 2020, 31, 101, págs. 87-100.

WITKER, J., *Las ciencias sociales y el derecho*. Boletín mexicano de derecho comparado, 48(142), 339-358. 2015 Recuperado en 10 de septiembre de 2021, de http://www.scielo.org.mx/scielo.php?script=sci_arttext&pid=S0041-86332015000100010&lng=es&tlng=es.

YEUNG, K., "Hypernudge: Big Data as a mode of regulation by Design",

YUSTE, R.; GOERING, S.; AGÜERA Y ARCAS, B.; BI, G.; CARMENA, J. M.; CARTER, A. y WOLPAW, J. (2017), Four ethical priorities for neuro-technologies and AI. Nature, 551(7679), 159-163. https://doi.org/10.1038/551159a

XU XIAOQUIAN, "Globalization of law: a Chinese perspective encounter: how Duncan Kennedy and Chinese legal scholars view legal transplants and the rule of law a commentary on the Harvard Renmin virtual workshop on Duncan Kennedy's three globalizations of law and legal thought", *Frontiers of law in China*, Vol. 9, Issue 4, December 2014.

Documentos de Soft-Law Administrativo consultados

Documento de Consenso: *"Es posible optimizar la lucha contra el virus de la COVID-19 en España"*, que puede verse en: extension://ieepe-bpjnkhaiioojkepfniodjmjjihl/data/pdf.js/web/viewer.html?file=http%3A%2F%2Fsemesmadrid.es%2Fwp-content%2Fuploads%2FDocumento-de-consenso_Una-estrategia-integral.pdf

Estudio Internacional sobre la situación y el desarrollo de las TIC, la Innovación y el conocimiento en las ciudades, Smart Cities Study, 2017, Comisión GLU, Ciudades Digitales de Conocimiento, Bilbao,

Declaración Institucional de Constitución de la Red DAIA. De derecho Administrativo e Inteligencia Artificial cuya declaración institucional puede verse en: extension://ieepebpjnkhaiioojkepfniodjmjjihl/data/pdf.js/web/viewer.html?file=http%3A%2F%2Fwww.aepda.es%2FVerArchivo.aspx%3FID%3D2731

AEPD (2020). El uso de las tecnologías en la lucha contra el COVID19. Un análisis de costes y beneficios. Recuperado de https://www.aepd.es/sites/default/files/2020-05/analisis-tecnologias-COVID19.pdf

Ethical Aspects of Cyber-Physical Systems - Scientific Foresight study, Unidad de Prospectiva Científica (Scientific Foresight Unit (STOA) del Parlamento Europeo, 2016.